전인구의

주식투자

일주일 만에 뽀개기

전인구의

주식투자

일주일 만에 뽀개기

전인구 지음

아라크네

주식투자의 기본기, 이 책 한 권이면 끝!

조혜진
(26세, 직장인)

"이 주식이 대박주야!" "아니야, 이 주식이 훨씬 더 나아!"
요즈음 주식투자를 하면서 주변 사람들의 말에 휩쓸려 투자하는 이른바 '묻지마투자'가 성행하고 있는 것 같아요. 저도 그중에 한 명이었거든요. 그런데 이 책을 읽고 나서 다른 사람들의 얘기에 휩쓸리지 않을 기본기가 생겼습니다. 이 책에는 주식계좌 개설부터 실전투자 방법까지, 주식투자를 제대로 하고 싶어 하는 사람들이 궁금해할만 한 내용들이 거의 다 들어 있거든요. 이제는 선택이 아닌 필수가 된 재테크! 이 책을 통해 주식투자의 기본기를 확실하게 잡으세요!

쉬운 용어 설명과 다양한 투자법 소개

정윤덕
(25세, 직장인)

직장 생활한 지 2년 된 사회초년생입니다. 저는 막연하게 '1,000만 원을 모으면 주식투자를 시작하자'라고 생각하고 있었습니다.

그러던 차에 이 책을 만나게 되었고, 책 읽기를 싫어하는 제가 단숨에 다 읽을 정도로 가독성이 정말 뛰어납니다. 특히 초보자들이 이해하기 어려운 용어들과 다양한 투자 방법에 대해서도 잘 설명되어 있습니다. 저는 그중에서 이 책을 읽고 '블루칩 투자법'을 선택해서 주식투자를 하고 있습니다. 이 책만 있으면 좋은 투자자가 될 수 있다는 확신이 듭니다.

경제적 자유를 꿈꾸는 주린이들을 위한 필독 도서

올해 처음으로 주식계좌를 개설한 30대 초반 직장인입니다. 블로그를 통해 매수, 매도하는 방법만 익힌 생초보이다 보니 일단 남들이 사는 주식들을 주워 담았습니다. 그런데 주가가 떨어졌을 때 그 주식들을 언제 팔아야 할지 몰라 갈팡질팡하다가 그 시기를 놓쳐 큰 손해를 보았습니다.

찬찬
(33세, 교사)

이런 와중에 이 책을 만나게 되었는데, 초보자의 눈높이에 맞춰 하나하나 자세하게 설명이 되어 있어 제게 큰 도움이 되었습니다. 특히 기업의 적정 주가를 파악해 언제 매수하고, 매도해야 할지를 알게 된 것이 가장 큰 성과입니다.

이 책을 경제적 자유를 꿈꾸는 주린이들의 필독 도서로 추천합니다.

개념을 확실하게 짚어 주는 주식투자의 정석!

유튜브를 통해 작가님을 알게 되었습니다. 이 책은 유튜브를 보는 것처럼 PER, ROE 같은 어려운 주식 용어들의 개념과 활용법에 대해 차근차근 풀이해 주고 있습니다. 그래서 고등학생이라면 반드시 봐야 하는 『수학의 정석』처럼 주식투자를 시작하는 사람이라면 꼭 읽어야 하는 책이라는 생각이 듭니다. 확실하게 개념을 짚어 주는 '주식투자의 정석' 감사합니다!

윤은혜
(32세, 교육공무원)

여러분도 워런 버핏이 될 수 있습니다!

안녕하세요!

이렇게 책을 통해 독자 여러분들을 만날 수 있게 되어 영광입니다.

저는 워런 버핏의 투자 철학을 바탕으로 주식에 대해 쉽게 알려 주는 일을 좋아합니다. 그래서 유튜브(전인구경제연구소)를 통해 재미있는 주식 이야기들을 들려 드리고 있고요. 또 3개의 주식 관련 자격증('주식투자상담사' '펀드투자상담사' '투자자산운용사')도 보유하고 있습니다. 그래서일까요? 주식에 대해 제대로 알려 달라는 요청을 참 많이 받았는데요. 이런 열화와 같은 요청에 따라 여러분을 올바른 투자의 세계로 안내하기 위해 주식투자의 기초 과정에 관한 이 책을 쓰게 되었습니다.

저는 유튜버이기 전에 여러분과 같은 주식투자자입니다.

2006년부터 시작해서 15년간 주식투자를 했는데요. 그때부터 지금까지의 투자 수익률이 연평균 30%가 넘습니다. 어떻게 보면 연 30%는 높은 수익률은 아닙니다. 주식시장에서 하루 상한가가 30%이니까요. 하지만 예금금리가 2%대고, 임대수익률도 연 10%를 넘기기 힘든 상황에서 연평균 30% 수익률은 성공적인 투자였습니다(개인투자자들의 평균수익률은 일부를 제외하고 이 정도에 미치지 못합니다).

그럴 수 있었던 첫 번째 이유는 워런 버핏이 알려 준 투자 철학에 따라 안정적인 주식들에 투자했기 때문입니다. 위험한 주식에 손을 대지 않은 덕분에 투자한 종목 중에서 손실 난 주식이 거의 없었습니다.

두 번째로는 단기투자가 아닌 장기투자를 했기 때문입니다. 장기로 투자하면 주식이 아닌 사업에 투자하는 것이 됩니다. 훌륭한 기업들과 동업을 해서 높은 수익을 거둘 수 있습니다.

세 번째로는 주식을 해야 할 때와 쉬어야 할 때를 구분했기 때문입니다. 주식시장이 과열되거나 폭락이 올 것 같을 때는 과감히 주식투자를 쉬었습니다. 그 덕분에 2020년 폭락장에서도 손실이 하나도 없었어요. 오히려 폭락장을 예상하고 미리 대비한 덕분에 20배가 넘는 수익을 거둘 수 있었습니다.

여러분이 주식에 투자해야 하는 이유는 월급으로는 부자가 될 수 없기 때문입니다. 월급으로 생계를 유지할 수는 있지만 부자가 되려면 결국 돈을 불려야 합니다. 그러면 '돈을 어떻게 불릴 것인가'가 중요합니다. 부동산투자를 생각할 수도 있을 겁니다. 하지만 주식 공부를 먼저 추천 드리는 이유는 적은 돈으로도 투자가 가능하다는 장점이 있고, 또한 주식 공부를 하면 세계경제가 돌아가는 것을 한눈에 이해할 수 있기 때문입니다.

주식 공부를 하면 자동으로 경제 흐름을 보는 눈을 가질 수 있습니다. 왜 그런가 하면 주식은 공부해야 할 범위가 넓고 다양하기 때문입니다. 제가 주식에 대해 공부한 후 부동산을 보니 부동산 투자가 상대적으로 쉬워 보였어요. 부동산보다 주식의 범위가 넓기 때문에 한 살이라도 더 젊을 때, 주식 공부를 먼저 하시길 바랍니다.

세계적인 투자자 워런 버핏은 주식투자를 매우 일찍 시작했습니다. 그리고 90살이 넘는 지금까지 연평균 수익률 30%를 기록하고 있습니다. 그다지 높은 수익률은 아닙니다만, 잃지 않고 연 30%의 수익률을 거둬서 세계 2위 부자가 되었죠. 이것이 여러분이 주식을 해야 하는 이유입니다. 주식은 복리투자입니다. 1억을 연 복리 30% 수익률에 30년간 투자하면 약 2,700억이 됩니다.

주식초보자 여러분. 우리 딱 30년만 워런 버핏처럼 잃지 않는 투자를 해 봅시다. 저랑 같이 공부하면 워런 버핏의 눈으로 주식투자하는 방법을 알게 됩니다. 이 책 한 권으로 주식초보자 딱지를 뗄 수 있도록 해 드리겠습니다.

주식 분석 방법, 재무제표 보는 법, 차트 보는 법, 투자 대가들의 비법, 초보자가 바로 따라 할 수 있는 투자법, 성공투자 사례와 분석법, 그리고 마지막으로 제 꿀 팁까지. 정말 넣을 수 있는 건 이 책에 다 넣었습니다. 그래서 빨리 만들라는 여러분의 성화에도 불구하고 시간이 많이 걸렸습니다.

혹시나 재미가 없을까 봐, 내용이 어려울까 봐 제가 다시 초보자로 돌아가서 초보자의 눈으로 하나하나 쉽고 재미있게 풀어서 설명했습니다. 그래서인지 제가 봐도 재미있습니다(하하). 정말 재미있고 쉽게 만들었으니까 이 책을 통해 주식 초보를 탈출해 봅시다.

여러분도 워런 버핏처럼 될 수 있습니다!

전인구

10배 오르는 좋은 종목 발굴하기

고수들의 투자 방법 따라 하기

CHAPTER 5　상황별, 업종별 실전 투자

CHAPTER 1
주식, 어떻게 사고파나요

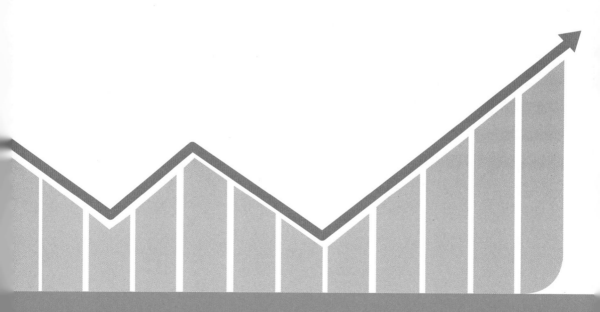

01 주식계좌 개설하기

주식투자를 하려면 제일 먼저 주식계좌를 개설해야 합니다. 그런데 이 방법을 몰라서 주식투자를 잠시 미뤄 둔 사람들이 의외로 많습니다. 은행계좌만 있으면 주식계좌도 개설된 줄 알고 있는 사람들도 있습니다. 지금 이 책을 읽고 계신 독자 여러분들 가운데에서도 이렇게 알고 계신 분들이 많을 겁니다.

그럼 주식계좌를 어떻게 만드는지 제가 한 번에 알려 드리겠습니다.

📍 주식계좌를 개설하려면

은행계좌만 있으면 주식거래는 불가능하다

은행계좌가 있다고 주식거래를 할 수는 없습니다. 주식계좌를 별도로 만들어야 한다는 뜻입니다. 물론 은행에서도 주식계좌를 만들 수는 있습니다. 하지만 주식에 대해 궁금한 것들도 물어볼 수 있고, **CMA계좌**[Cash Management Account의 약자로 은행이 아닌 증권사에서 발행하는 계좌입니다. 은행에서 발급해 주는 수시입출금통장과 비숫한데, 금리가 좀 더 높습니다]도 만들 수 있으니 증권사에서 주식계좌를 만드는 것이 좀 더 유리합니다.

주식계좌를 만들 때는 보통 종합계좌라고 불리는 종합자산관리계좌를 만들게 됩니다. 주식거래뿐만 아니라 펀드 등 다양한 거래를 할 수 있죠. 기왕 증권사를 갔다면 주식계좌만 만들지 마시고 CMA계좌도 개설하세요. CMA의 장점은 하루만 돈을 맡겨도 이자가 붙는다는 겁니다. 요새 CMA계좌는 타행 이체 수수료도 무료입니다. 그래서 여기에 체크카드를 연동시키면 훌륭한 생활비 통장이 됩니다.

CMA계좌번호는 종합계좌번호와 다릅니다. 즉 계좌 2개를 개설하게 되는 겁니다. 그래서 증권사 직원에게 따로 말씀을 하셔야 합니다.

증권사에 가야만 주식계좌를 만들 수 있는 것이 아니다

증권사에 가는 것보다 증권사에 가지 않고 주식계좌를 만드는 것이 금전적으로 더 이득입니다. 예전에는 꼭 은행이나 증권사를 가야만 주식계좌를 만들 수가 있었는데 지금은 달라졌어요. '비대면 계좌 개설'이라고 컴퓨터나 스마트폰으로 **주식 어플**[증권사에 따라 통합용 어플로 나오기도 하고, 계좌 개설용을 따로 다운받아야 하는 경우도 있습니다]을 다운받아서도 계좌를 개설할 수 있습니다. 이때 필요한 것은 신분증이에요. 굳이 증권사를 방문할 필요가 없습니다.

더불어 또 하나의 굉장한 장점이 있는데요, 그건 바로 주식거래 수수료가 무료라는 점입니다. 비대면 계좌 개설을 하면 국내 주식거래 수수료에 대해서 면제를 해 줍니다. 인건비 절감을 위해 증권사 지점과 인력을 줄이는 중이라 이런 이벤트를 진행 중인데요. 증권사마다 면제 기간은 서로 달라요. 3년인 곳도 있고, 평생인 곳도 있습니다. 언제 이런 이벤트가 사라질지 모르기 때문에 주식투자를 나중에 할 예정이라도 계좌는 미리 만들어 둘 것을 권해 드립니다.

📍 비대면 계좌 개설

① 앱스토어에서 원하는 증권사를 검색하고 어플을 다운받는다.

② 신규 계좌 개설을 누른다(계좌를 개설하려면 신분증과 본인 명의의 통장이 필요하다).

　예) 1원 입금 확인 후 입금자명 입력

③ 계좌번호는 계좌 잔고에서 확인 가능하다(이 계좌로 돈을 입금하면 **예수금[**자신의 증권

　계좌에 입금되어 있는 현금을 뜻합니다. 이 예수금을 가지고 주식매매를 할 수 있습니다**]**이 생

　긴다).

02 주식의 종류

주식계좌를 개설하고 나면 이제 본격적으로 주식을 사야겠죠? 그런데 주식에는 한 가지 종류만 있는 게 아니랍니다. 보통주, 우선주, 신형우선주, 후배주, 혼합주, 신주, 구주, 유상주, 무상주 등등 종류가 엄청나게 많아요. 주식의 종류는 이렇게 다양하지만, 다행히도 초보자는 일단 3가지만 알면 됩니다. 바로 보통주, 우선주, 신형우선주입니다.

각 주식의 특징은 무엇이고, 언제 어떤 주식을 사야 하는지 한번 알아보겠습니다.

📍 보통주, 우선주, 신형우선주 구분하기

보통주는 우리가 알고 있는 일반적인 주식이에요. 의결권과 배당권을 가지고 있습니다. 이에 반해 우선주는 배당권은 있지만 의결권이 없어요. 그래서 보통주보다 가격이 저렴하죠. 예를 하나 들자면 미국의 경우 본토 주민은 투표권도 있고 시민권도 가지고 있지만, 괌과 사이판에 있는 주민들은 시민권은 있지만 투표권은 없는 것으로 비유할 수 있겠네요.

주식회사는 주주들이 모여 만들어진 회사로, 주주들은 가진 주식만큼 주주총회에서 표결을 통해 경영에 참여할 수가 있는데요. 보통주는 이 권리를 가지고 있지만, 우선주는 권리가 없어 경영 참여가 불가능하죠. 즉 우선주는 경영권에 방해가 되지 않습니다.

그래서 기업가는 회사 운영을 위해 돈이 필요하지만 경영권은 빼앗기고 싶지 않을 때 우선주를 발행하죠. 그렇다면 우선주에 어떤 혜택이 있어야 투자자들이 우선주를 사지 않을까요?

우선주는 말 그대로 보통주보다 우선해서 재산적 권리를 배분받을 수가 있다는 장점이 있습니다. 배당금을 보통주보다 더 받거나 먼저 받을 수 있는 권리, 회사 청산 시 잔여재산을 보통주보다 먼저 분배받을 권리 등이 있어요.

우리나라의 경우 우선주의 가격이 보통주보다 훨씬 저렴한데요. 2020년 1월에 조사한 결과를 보면 코스피에 상장된 기업의 보통주와 우선주의 괴리율은 36.5%입니다. 즉 보통주가 1만 원이면 우선주는 6,350원이라는 것이죠. 반면에 배당이 잘 발달된 미국과 독일의 괴리율은 0~10% 수준입니다. 우선주에 배당을 잘 주기 때문에 의결권이 없어도 투자 매력이 있는 것이죠. 그래서 우선주와 보통주의 주가 차이가 거의 나질 않습니다.

하지만 우리나라는 배당 문화가 잘 발달되어 있지 않아서 배당에 인색한 기업이 많아요. 그래서 우선주 투자가 매력이 떨어지는 것입니다.

그런데 보통주와 우선주의 배당금을 똑같이 준다고 했을 때 배당수익률은 보통주보다 우선주가 훨씬 유리하게 됩니다. 예를 들어서 배당금이 보통주와 우선주 모두 500원이라고 해 봐요. 보통주는 1만 원이고 우선주는 8,000원이라고 하면 보통주의 배당수익률은 5%, 우선주의 배당수익률은 6.25%입니다. 배당을 위주로 보고 투자를 하는 사람이라면 우선주 투자가 더 매력적이겠죠?

신형우선주도 있는데요. 1996년 이후 발행된 우선주를 신형우선주라고 합니다. 보통주와 우선주 간의 가격 차이를 줄이기 위해 고안되었죠.

신형우선주의 특징은 종목 마지막에 알파벳이 붙어요. 그래서 '현대차2우B' '한화3우B' 이런 식으로 표기합니다. 숫자는 발행차수를 의미하고, 알파벳은 우선주의 권리를 말하는데요. B는 Bond, 채권의 성격을 지닙니다. 최소배당률을 정해 놓았거나 부득이하게 배당을 못하면 한꺼번에 배당을 해 주는 방식 등으로 일정 수익을 보장해 줍니다.

신형우선주 중에 전환우선주도 있는데요, 우선주로 발행되지만 일정 기간 뒤에는 보통주로 전환을 해 주는 주식이죠. **모 그룹은 자녀에게 전환우선주를 대거 발행해서 상속의 수단으로 활용하고 있습니다**[신형우선주는 당장 의결권이 없기 때문에 대체로 보통주보다 20~70%가량 싼 가격에 거래됩니다. 그래서 증여세를 줄이면서 장기적으로는 보통주 지분율을 확대할 수 있어 재계에서 지분 승계의 새로운 방법으로 떠오르고 있습니다].

또 처음에는 우선주지만 배당을 몇 년간 못 받을 경우 보통주로 전환되는 특약이 걸린 주식들도 있습니다. 이런 우선주에 투자하면 의외의 수익을 얻을 수가 있는 것이죠.

📍 보통주 투자와 우선주 투자 중 어떤 것이 더 수익률이 좋을까

미국의 **S&P500 인덱스**(Exchange Traded Fund)[인덱스펀드는 미국의 스탠더드 앤드 푸어사가 기업규모·유동성·산업대표성을 감안하여 선정한 보통주 500종목을 대상으로 작성해 발표하는 주가지수로 미국에서 가장 많이 활용되는 대표적인 지수입니다]와 **우선주 ETF**[ETF는 말 그대로 인덱스펀드를 거래소에 상장시켜 투자자들이 주식처럼 편리하게 거래할 수 있도록 만든 상품입니다]인 **PGX**[미국의 우선주를 모아 놓은 ETF입니다]를 비교해 봤습니다.

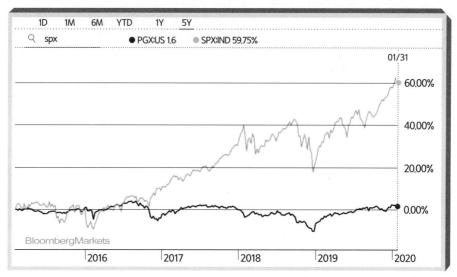

미국 S&P500과 PGX 지수 추이 비교

위 그래프에서 보는 것처럼 보통주로 운용되는 S&P500이 우선주로 운용되는 PGX보다 주가 변동성이 더 큰 편입니다. 그래서 주식시장이 상승기에 있을 때는 S&P500이 PGX보다 투자수익률이 더 높습니다. 하지만 반대로 하락기로 돌아섰을 때에는 배당 수익이 우수한 PGX의 손실이 S&P500보다 더 적습니다.

이렇게 같은 기업이라고 하더라도 보통주냐 우선주냐에 따라 투자수익률과 배당수익률이 달라지니 상황과 시기에 따라 주식의 종류를 잘 선택하셔야 합니다.

03 주식거래하기

주식계좌도 개설했고 주식의 종류도 알았으니, 이제 본격적으로 주식거래를 해 봐야겠죠? 절대 어렵지 않습니다. 그대로 따라 하실 수 있도록 그림과 함께 자세하게 설명해 드릴게요.

📍 주식을 거래하려면

주식거래 방법은 여러 가지가 있다

가장 많이 하는 방법은 온라인 주문입니다. 증권사 HTS(Home Trading System) 프로그램이나 스마트폰 어플(MTS)을 다운받아 주식을 거래할 수가 있습니다.

다른 방법은 전화 주문인데요. ARS로 주문하는 방법이 있고, 증권사 지점

직원에게 전화를 해서 주문을 할 수도 있습니다. 스마트폰이 없던 시절에는 이 방법으로 주식을 거래하는 사람들이 많았죠.

마지막은 증권사 지점에 직접 가서 은행에서 거래하듯 주문을 하는 방법입니다. 요새는 정말 보기 어렵지만 그래도 간혹 있습니다.

어떤 방법으로 하느냐에 따라서 거래 수수료가 달라진다

국내 주식거래 수수료는 온라인으로 거래를 하느냐 오프라인으로 거래를 하느냐에 따라 달라집니다.

오프라인에서 주식을 거래하면 100만 원을 주문했을 경우 수수료가 3,000원에서 5,000원이에요. 0.3~0.5%라는 상당히 높은 비율이죠. 사고팔고를 10번 한다고 생각해 보세요. 그러면 수수료가 3만~5만 원이 나오겠죠?

반면에 온라인으로 거래를 하면 150원 정도가 나옵니다(증권사마다 상이). 굉장히 저렴한 수수료죠? 10번을 사고팔아도 1,500원밖에 되지 않습니다. 거래에 대한 부담이 줄어들죠.

그래서 주식을 사고팔 때는 컴퓨터나 스마트폰으로 주문을 하는 것이 경제적입니다. 하지만 온라인 거래의 단점이 있는데요. 바로 중독입니다. 수수료가 저렴하고 언제든지 주문이 가능하니 주식을 사고팔고 싶은 욕구가 강해지죠. 현존 최고의 주식투자자로 칭송받는 워런 버핏이 말한 "주식을 사려면 10년 이상 보유할 주식을 사라"는 말은 뒤로한 채 10분도 못 견디는 사람들이 있습니다.

오프라인 거래는 수수료가 비싸다는 단점이 있지만 지점 담당자와 통화나 대화를 하면서 조언을 들을 수가 있어 판단에 도움을 받을 수도 있습니다. 그리고 거래 수수료가 비싸니 자연스럽게 거래 횟수를 줄이게 되고, 장기투자를 하게 되는 것이죠.

📍 국내 주식과 해외 주식의 매수

국내 주식 사는 법

① 국내 주식 탭 주식현재가 또는 주식주문을 누른다.

② 현재 6만 1,000원이 실제 거래가격이다(매도 쪽과 매수 쪽 주문가격, 수량을 보고 얼마에 몇 주를 살지 생각해 보자).

③ 매수 버튼을 누르고 구분을 누른다.

④ 가격을 지정하고 싶으면 보통(지정가), 시세대로 빨리 사고 싶으면 시장가를 누른다.

⑤ 가능 버튼을 눌러 최대로 살 수 있는 수량을 확인한 후 주문할 수량을 입력한다.

⑥ 구분, 수량, 단가를 확인한 후 이상이 없으면 매수 버튼을 누른다.

⑦ 시장가를 누르면 수량만 입력한다.

⑧ 신용을 신청하면 자기 돈의 몇 배를 90일가량 이자를 내고 빌릴 수가 있다(초보자 금지).

⑨ 미체결 – 주문은 되었으나 거래 안 됨 / 체결 – 주문이 되었고 거래 완료

⑩ 미체결 주문을 누르면 주문 수정이 가능하다.

⑪ 단가와 수량을 조절할 수 있다.

⑫ 정정 – 주문 수정, 취소 – 주문 취소(참고로 하루 거래 시간 중에 거래가 되지 않으면 자동 취소된다.)

해외 주식 사는 법

① 해외 주식은 환전을 먼저 해야 한다.

② 예수금만큼 환전이 가능하다. 환율이 실시간으로 바뀐다. 야간에는 할증이 붙는다.

③ 원하는 국가의 돈으로 환전한다.

④ 해외 주식에서 주문을 누른다.

⑤ 종목 검색을 누르고 원하는 주식 종목을 입력하여 검색해 본다.

⑥ 원하는 호가를 누르고 수량을 입력하여 주문을 넣는다.

⑦ 기업 개요를 눌러 설명을 볼 수도 있다(어플마다 다름).

⑧ 경쟁사를 검색할 수도 있다(어플마다 다름).

⑨ 국가별 거래수수료 확인이 가능하다(미국, 중국, 일본 등은 저렴한 편).

⑩ 베트남 등 이중통화 환전이 필요한 국가는 최소수수료를 요구하므로 소액투자, 단기투자는 손실이 크다.

투자 꿀팁을 드립니다

저는 스마트폰으로 주식을 삽니다. 그리고 주식을 더 살 생각이 없다 싶으면 어플을 삭제해요.

주식은 계속 지켜보면 중독됩니다. 그래서 가급적 사 놓고 나면 멀리 떨어지려고 노력하고 있습니다.

그러다 공부를 통해 '이 기업이다' 싶은 주식이 나오면 다시 어플을 깔고, 그 기업의 주식을 삽니다. 농담반 진담반으로 마음이 흔들리지 않기 위해 다시 어플을 삭제하죠.

보이지 않으면 마음이 흔들리지도 않습니다. 좋은 기업을 샀으면 주식을 자주 확인하지 않는 것이 더 좋은 판단일 때가 많습니다.

주식을 사는 시간도 심리에 영향을 주는데요. 9시에 주식을 사면 6시간 넘게 마음이 불안합니다. 혹시나 떨어지지 않을까 하는 마음에요. 그러다 좋은 주식을 사자마자 팔아 버리는 실수를 하기도 합니다. 그래서 장이 끝나 가는 오후 3시 이후에 주식을 사는 방법도 있습니다. 사고 나면 장이 마감되어 팔 수가 없거든요.

이렇게 해야 일에 지장도 받지 않고, 수익도 챙길 수가 있습니다.

04 분할매수 vs 분할매도

돈이 있어도 한 번에 주식을 사지 않고 나눠서 사는 것을 분할매수라고 하고, 반대로 주식을 한 번에 팔지 않고 나눠서 파는 것을 분할매도라고 합니다. 주식 초보자들에게는 반드시 이 분할매수와 분할매도가 필요합니다.

📍 분할매수

분할매수를 해야 하는 이유

보통은 주식을 두 가지 이유로 사는데요.

하나는 정말 좋은 주식이 저렴하게 나와서 이때다 싶어 주식을 사는 것이고요, 다른 하나는 갑자기 돈이 생겨서 이 돈을 투자해야겠다 싶어서 주식을 사는 것입니다.

개인적으로는 전자를 더 추천합니다. 보통 돈이 없을 때 이거 다 싶은 주식들이 오르는 경우가 많아요. 반면 내가 돈이 넉넉할 때 투자한 주식들을 보면 많이 오르지 못한 경우가 많죠.

그래서 주식을 사고팔 때는 자기 자신을 믿으면 안 됩니다. 좋은 기업을 고르고 적정 주가를 구하는 것은 사람이 할 수 있는 일이지만, 이 주식이 오르고 내리는 것은 사람의 영역이 아니죠. 그래서 위험을 분산시켜야 합니다. 그것이 바로 분할매수입니다.

주식을 분할매수를 통해 다섯 번에 나눠서 산다고 가정해 볼게요.

처음 샀을 때보다 두 번째, 세 번째 살 때 주가가 올랐다고 생각해 봐요. 그럼 괜히 비싸게 산 것 같아 아쉬울 수도 있어요. 하지만 주가가 올랐기 때문에 나는 현재 수익이 난 상태가 되죠.

반대로 두세 번째 샀을 때 주가가 내렸다고 해 봐요 저번보다 더 저렴하게 살 수 있어요. 그래서 첫 번째 샀을 때보다 단가가 낮아 같은 돈으로도 더 많은 수량을 사들일 수가 있습니다.

그렇게 주식을 나눠서 사면 1~5차까지 사들인 평균가격이 평균매입단가가 됩니다. 비쌀 때 산 가격과 쌀 때 산 가격이 평균이 되죠. 이를 코스트에버리징(Cost Averaging) 효과라고 부릅니다. 한국말로는 평균매입단가인하 효과라고 하죠. 여러분이 많이 투자하는 적립식 펀드도 이 코스트에버리징 효과를 보는 대표적인 사례죠. 장기투자를 할 경우 주가의 방향이 어떻게 바뀔지 모르기 때문에 이 분할매수가 중요합니다.

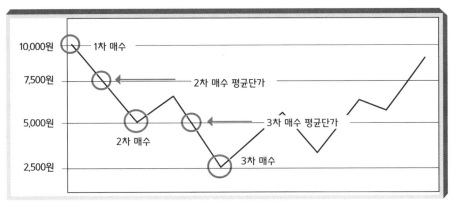

분할매수 사례 1

분할매수 방법

분할매수를 하는 방법에는 크게 3가지가 있습니다. 우선 시간을 나눠서 매수하는 방법, 하락 폭에 맞춰서 매수하는 방법, 비중을 조절하며 매수하는 방법이 있어요.

우선 시간을 나누는 방법을 보죠. 가장 많이 하는 분할매수 방법인데요. 예를 들어 적립식 펀드처럼 매달 월급날마다 100만 원씩 매수하는 겁니다. 기계적으로 시간에 따라 나눠서 사들이기 때문에 주가를 계속 쳐다보지 않아도 되고, 매수 시기를 까먹을 일도 없어서 편한 방법입니다.

두 번째는 하락 폭에 따라 분할매수를 하는 겁니다. 주가가 그대로 있을 때는 매수하지 않고, 예를 들어 **주가가 10% 오르거나, 10% 하락할 때만 추가로 사들이는 방식이죠.**[10% 오를 때는 왜 분할매수를 하나요? 하락에만 추가로 매수하는 게 아닌가요? ⇨ 적립식 펀드처럼 시간을 나누어 기계적으로 사들이는 것이 분할매수의 일반적인 방법입니다. 하락 시만 추가로 사들이는 것은 '물타기'라고 불리는 분할매수 방법입니다.] 주가가 오르거나 내리면 심리적으로 불안해지는데 이럴 때마다 추가 매수를 해서 심리적 불안감을 해소할 수 있습니다.

세 번째는 비중을 조절해서 사는 방식이에요. 차수를 늘려 갈 때마다 더 많은 금액으로 사들이거나 반대로 더 적은 금액으로 사들이는 방법이죠. 주가가 처음보다 크게 오르지 않았을 경우에도 이후에 저점에서 사들인 금액이 크면 수익을 낼 수 있습니다. 단점은 만약 주가가 하락으로 끝날 경우 일반 분할매수 때보다 더 큰 손실이 난다는 점입니다.

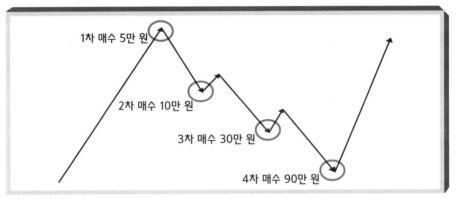

분할매수 사례 2

분할매수의 장단점

분할매수의 장점은 말 그대로 평균매입단가인하 효과입니다. 주식 매수 가격을 저렴하게 가져갈 수 있다는 장점이 있죠. 주가가 상승으로 마무리하든 하락으로 마무리하든 좀 더 안전한 투자가 가능하죠. 그래서 초보자들에게 추천하는 방법입니다.

물론 분할매수의 단점도 있습니다. 분할매수를 했다고 해서 돈을 버는 것이 아닙니다. 결국 주식이 올라야 돈을 버는 것이죠. 즉 주가가 올랐을 때 팔아야 플러스 수익을 낼 수 있는 것이고, 주가가 내렸을 때 팔면 결국은 손실로 끝나는 겁니다.

그렇기 때문에 오를 가능성이 높은 좋은 주식을 저렴한 시기에 사야 합니다. 주가가 비싼 시기에 사서 대세 하락장에 팔면 어떤 주식을 사도 어떤 기법을 써도 손해를 볼 수밖에 없습니다.

◉ 분할매도

분할매도를 해야 하는 이유

'주식을 사는 것은 기술이지만 주식을 파는 것은 예술'이라고 부릅니다. 기업 가치 대비 주가가 저렴하다는 것은 누구나 분석을 하면 알 수 있고, 누구나 마음만 먹으면 주식을 살 수가 있습니다. 하지만 주식을 팔 때는 얼마까지 오를지 누구도 분석을 할 수가 없죠.

지금 팔자니 앞으로 더 오를 것 같아서 못 팔겠고, 더 들고 가자니 그러다가 주가가 하락하면 기회를 잃게 되니 불안합니다. 이런 갈등 끝에 주식을 파는 결정을 내려야 하니 인간의 이성과 감성의 치열한 전투가 벌어지게 되는 것이죠. 그런데 대부분은 끝까지 주가가 오르는 것을 지켜보고 난 다음 떨어지기 시작할 때 주식을 파니 심장이 벌렁벌렁할 수밖에 없죠. 주가가 하락할 때는 무섭게 떨어지거든요.

그래서 분할매도를 해야 합니다. 가장 최고점에 팔겠다는 것은 매우 오만한 생각이에요. 주가의 최고점을 맞출 수 있는 사람은 아무도 없습니다. 최고점에 팔 수는 없지만, 파는 타이밍을 날리지 않기 위해서는 안전한 분할매도 방법을 사용해야 합니다.

분할매도 방법

분할매도 방법에도 분할매수처럼 3가지 방법이 있습니다. 시간을 나누는 방법, 상승률 또는 하락률을 정해 놓고 그에 맞게 나눠서 파는 방법, 비중을 조절하면서 파는 방법이죠.

시간을 나누는 방법은 분할매도하기 가장 쉬운 방법입니다. 주가가 어느 정도 올라 수익을 확정 짓고 싶은 시기가 오면 주 단위, 월 단위 등으로 나눠서 주식을 매도하는 것이죠. 예를 들어 **1주일마다 10%씩 나눠서 매도하거나 매월 20% 씩 나눠서 매도를 하는 방법이 있습니다.**[이렇게 매도를 하고 그 다음에는 어떻게 하나요? 현금으로 쥐고 있나요? ⇨ 새로운 주식을 찾아 분할매수에 들어가면 돈이 쉬지 않고 효율적으로 움직이게 됩니다.]

주가 변동에 따라 나눠서 파는 방법도 있는데요. 예를 들어 주식을 매입한 이후 주가가 10%씩 오를 때마다 가진 비중의 10%씩 분할해서 파는 방법입니다. 주가가 최고점에 올랐을 때는 이미 주식을 계속 팔았기에 더 이상 팔 주식이 남아 있지 않죠. 이후에 주가가 급락해도 어느 정도 손익 실현을 했기 때문에 피해가 덜한 방법입니다.

세 번째는 약간 변형인데요. 시기나 주가 변동률에 따라 주식을 나눠서 파는 것은 맞지만 점점 비중을 늘려 가면서 판다든가, 비중을 줄여 가면서 파는 것이죠.

비중을 늘려 가면서 팔면 수익도 커지지만 손실도 커질 수가 있고, 비중을 줄여 가면서 팔면 수익은 적지만 손실도 적다는 장점이 있습니다.

분할매도의 장단점

분할매도를 하면 최고점을 맞춰서 팔아야 한다는 심리적 불안감을 덜 수 있어요. 사람은 누구나 더 비쌀 때 팔고 싶어 하는 욕심이 있기 때문에 주가가 오를수록 팔지 못하는 경우가 많은데요. 이런 심리적 특성을 제어하면서 적정한 수익을 보장해 주는 것이 분할매도입니다.

분할매도의 단점도 있어요. 예를 들어 평균매입단가가 5,000원인 주식을

1만 원에 팔면 100%의 수익을 내는 것이지만, 분할매도를 통해 평균매도단가가 7,500원이라면 50%의 수익으로 그치는 것이죠.

이 단점을 극복하려면 적정 주가를 정하고 주가가 그 근처에 왔을 때부터 분할매도를 시작해야 합니다. 그래야 평균매도단가가 올라가고 수익률도 높일 수가 있습니다.

 투자 꿀팁을 드립니다

주식투자를 하는 사람이라면 분할매수와 분할매도에 대해 귀가 아플 정도로 들을 겁니다. 하지만 이 둘을 지켜 나가는 것은 쉽지 않은 일이죠. 공포와 욕심, 그리고 불안이라는 3가지 심리가 여러분의 이성적 판단을 흐리게 합니다.

"아, 이때 샀으면 더 벌었을 텐데." "아, 이때 다 팔았으면 수익률이 최대로 나올 수 있었는데." 등등의 후회를 하게 되죠.

하지만 분할매수와 분할매도는 여러분의 손실을 낮춰 주는 안전벨트라는 것을 절대 잊지 마세요.

왜 네덜란드에서 최초의 주식회사가 나왔을까

주식회사가 생기기 전까지 사업을 한다는 것은 자신의 인생을 거는 모험이었습니다. 사업 자금을 모으는 것도 쉽지 않았을 뿐더러, 더더군다나 실패했을 경우 그 채무도 본인이 무한 책임을 져야 했기 때문입니다.

그러다 사업 규모가 커지고 복잡해지면서 사람들은 새로운 형태의 회사를 생각하게 되었습니다. 유한 책임을 지는, 즉 책임의 한도가 있는 주식회사를 떠올리게 되었던 거죠.

그런데 왜 네덜란드였을까요?

당시 유럽은 장원제도로 사회가 유지되고 있었는데요. 즉 왕과 영주, 그리고 기사로 이어지는 지배계급이 땅을 전부 차지하고 있었던 거죠. 그런데 네덜란드는 이 장원제도의 영향력 밖에 있었습니다. 네덜란드의 영토 자체가 원래 있었던 것이 아니라 국민들 스스로 바다와 늪지를 개간해 만든 땅이었기 때문입니다. 그래서 왕과 귀족들은 자신들의 땅이라고 주장할 수가 없었던 것이죠. 그 덕분에 네덜란드는 중세의 봉건적인 사고에서 벗어나 실용주의 사고를 가질 수 있었습니다. 결국 네덜란드 국민들의 이런 실용주의 사상이 새로운 형태의 회사를 만드는 데 밑바탕이 되었다고 할 수 있습니다.

■ 주식의 시작

17세 초 유럽은 대항해시대를 맞이합니다. 각국이 앞다퉈 신항로 개척에 나서 신대륙들을 발견하게 되면서 사람들은 환호하게 되죠. 특히 인도의 후추와 중국의 차, 도자기가 유럽에서 인기가 많아서 비싸게 팔렸습니다.

이를 본 영국 상인들은 이 물건들을 뱃길로 신속하게 운반하고자 했습니다. 그래서 식민지 개척을 위한 대규모 선단을 꾸렸고, 1600년에 영국 동인도회사를 만들었습니다. 이에 뒤질세라 네덜란드 상인들 또한 대규모 선단을 꾸리고자 했지만, 16세기 말 에스파냐를 상대로 독립전쟁이 일어나면서 해외시장 개척에 쓸 자금이 부족했습니다.

그래서 부자들에게서 투자금을 받아 대규모 선단을 꾸리되, 여기서 나오는 이익을 나눠 갖자는 아이디어가 나왔습니다. 워낙 큰 규모의 사업이기에 많은 자본금이 필요했는데, 최초 주주만 1,143명에 달할 정도로 인기가 많았습니다. 덕분에 충분한 자금이 확보되었고, 주주들은 동시에 수백 척의 선박에 투자를 할 수 있게 되어 위험을 최소화할 수 있었습니다. 그렇게 해서 설립된 것이 네덜란드 동인도주식회사입니다. 그리고 동인도주식회사는 주주들에게 자금에 대한 소유권을 나타내는 증서를 발급했는데, 이것이 주식의 시초입니다. 주식은 이렇게 식민지 확장과 제국주의를 이루려는 유럽인의 야망에서 시작되었던 것입니다.

■ 주식과 관련된 사건들

주식이 거래되기 시작하면서 자연스럽게 그 거래를 중개해 주는 증권거래소가 생겼는데요. 최초의 증권거래소는 암스테르담 증권거래소입니다. 그 이후로 다른 나라들에도 증권거래소가 생기면서 주식이 본격적으로 거래되기 시작했습니다. 그런데 새로운 형태의 거래이다 보니 관련된 각종 사건들이 일어나기도 했는데요. 그중에서 몇 가지 대표적인 사건들을 소개하겠습니다.

먼저 1720년에 영국을 뒤흔든 남해 거품 사건. 영국은 재정 위기를 맞자 재무장관인 로버트 할리 백작을 통해 남해 회사(The South Sea Company)를 설립해 스페인령 식민지와의 노예 무역권 사업에 투자하면 큰 이윤을 얻을 것이라고 선전합니다. 남해 회사가 항구 사용권을 따내고, 금광을 발견했다는 소문이 나면서 영국 국민들 사이에 순식간에 투기 열풍이 일어나죠. 주가는 100파운드에서 1,000파운드로 8개월 만에 10배가 상승합니다. 그런데 영국 정부가 선전했던 사업 내용은 모두 거짓이었습니다. 그 사실이 알려지면서 주가는 하루아침에 폭락했고, 영국의 경제 또한 큰 혼란에 빠집니다. 이때 그 유명한 과학자 아이작 뉴턴도 2만 파운드를 잃었다고 합니다. 돈을 잃은 뉴턴의 한마디.

"사람의 광기는 도저히 측정할 수 없다."

두 번째로 유명한 이야기는 프랑스에서 활동한 영국인 존 로라는 사기꾼 이야기입니다.

루이 14세가 전쟁과 사치로 국고를 탕진하자, 프랑스에서 활동하던 영국의 재정가 존 로는 은행을 설립해 금본위제 화폐시스템을 국가가 보장하고 지폐를 발행하도록 제안합니다. 이 제안 덕에 유동성이 공급돼 프랑스 경제가 살아나면서 존 로는 신뢰를 얻었죠.

이러한 신뢰를 바탕으로 1717년 존 로는 북미 미시시피 강 주변의 식민지를 개발하기 위해 설립한 미시시피회사를 프랑스 정부로부터 인수하고, 담배 생산과 무역 독점권을 따내게 되는데요. 그로 인해 이 회사에 대한 투기 열풍이 일어나면서 2년 만에 주가는 300리브로에서 2만 리브로로 60배 이상 상승합니다.

하지만 짧은 시간에 너무 오른 주가 때문에 사람들 사이에 경기 과열에 대한 이야기가 나오면서 1720년 여름 급격한 신용경색이 일어납니다. 사람들은 주식을 팔아 치우기 시작했고, 끝 모르고 오르던 미시시피회사의 주가 또한 순식간에 500리브로로 폭락해 버리죠. 이 때문에 프랑스의 재정 건전성이 무너지는 것은 물론 물가 또한 폭등하고, 정부와 국민들 사이에 불화도 심해집니다.

결국 이 회사의 주가 폭락은 프랑스혁명으로 이어지는 원인 중 하나가 되었습니다.

■ 현대의 주식시장

현재 세계 최대 규모의 증권거래소는 미국 뉴욕에 있는 뉴욕증권거래소(NYSE)입니다. 1792년에 만들어진 이 거래소에는 2,300개가 넘는 기업이 상장되어 있고, 시가총액은 20조 달러를 훌쩍 넘습니다.

우리나라는 1956년에 한국증권거래소가 생겼고, 이때 12개의 상장기업이 탄생했습니다.

2021년 1월 현재 코스피에 상장된 기업은 800개, 시가총액은 약 2100조에 이를 정도로 한국경제의 성장과 함께 주식시장의 규모도 커졌습니다.

기업이 주식을 상장하는 이유

세상에는 두 종류의 기업이 있습니다. 상장기업과 비상장기업.

주식시장에 등록된 기업을 상장기업이라고 부르는데요. 상장기업이 되면 주식시장을 통해서 누구나 쉽게 주식을 거래할 수가 있습니다. 이에 반해 비상장기업은 주식시장을 통해서 주식거래를 할 수 없기 때문에 주식거래가 쉽지 않겠죠. 일일이 팔 사람과 살 사람을 수소문해서 거래를 해야 하니까요.

하지만 상장기업은 코스피(KOSPI)나 코스닥(KOSDAQ)에 가면 클릭 몇 번으로 주식을 거래할 수 있습니다.

〈코스피와 코스닥의 비교〉

코스피 (KOSPI)	- Korea Composite Stock Price Index의 약자로 국내 종합 주가 지수 - 1980년 1월 4일을 기준으로 하여 이 날의 시가총액을 100으로 삼고 훗날 비교 시점의 시가총액을 지수화한 것 - 상장 조건이 코스닥에 비해 까다로운 편으로 주로 대기업 위주로 상장되어 있다. - 증권거래소에 상장된 주가를 종합적으로 수치화하여 보여 준다. - 증권 시장 전체의 흐름을 파악하기 좋은 지표로 전반적인 증권 시장 움직임이나 트렌드 파악에 용이하게 사용된다.
코스닥 (KOSDAQ)	- Korea Securities Dealers Automated Quotations의 약자로 국내 장외 주식거래 시장 - 미국의 나스닥과 유사하게 벤처 또는 중소, 중견기업 위주로 상장되어 있다. - 전자거래 시스템으로 운영되기 때문에 별도의 실물 주식거래 시장이 없다.

그러면 우리가 주로 하는 주식투자는 코스피나 코스닥에 상장한 기업들이겠죠? 그럼 기업들은 왜 주식시장에 자기 주식을 상장할까요? 열심히 일군 기업의 지분을 시장에 내놓고 수익을 나눈다면 아

깝지 않을까요?

　정답은 방금 말한 대로 기업의 지분을 시장에 내놓을 수 있기 때문입니다. 자본금 10억으로 일군 기업이 상장을 하면 시가총액 1,000억이 된다고 가정해 보겠습니다. 주식을 상장하고 지분 절반을 시장에 내놓으면 창업주는 지분 50%와 현금 500억을 가져갈 수 있겠죠? 경영권을 잃지 않으면서도 자신이 고생한 대가를 받아가는 것이죠. 또한 상장기업이 되면 언론을 통해 자연스럽게 투자자들에게 홍보가 되면서 인지도 상승 효과를 누릴 수 있습니다.

　이보다 더 큰 효과는 자금 조달이 쉽고 세제 혜택이 있기 때문인데요. 회사는 상장을 하면 이사회 의결만으로 신주 모집이 가능해 자금 조달이 쉬워지고, 상속·증여 시에 세금 기준이 완화됩니다. 또한 투자자는 국내 주식 양도세를 면제(대주주 제외)받는다는 장점이 있습니다.

　저는 오히려 투자자에게 더 큰 혜택이 있다고 생각됩니다. 이유는 창업주가 온 힘을 다해 기업을 일으키고 난 것을 확인한 다음에 투자자는 그 과실을 같이 나누는 셈이니까요. 결국 투자자는 창업주보다 위험이 낮은 선택을 한다고 볼 수 있습니다.

　그리고 주식시장에 상장되었다는 것은 기업이 어느 정도 자리를 잡았다는 것을 뜻합니다. 즉 아무 기업이나 주식시장에 상장될 수 없다는 거죠. 상장을 하기 위해서는 코스피나 코스닥의 까다로운 조건들을 통과해야 합니다.

　여러 조건들이 있지만 간단하게 일부분만 설명하자면 코스피는 자기자본 300억 이상, 최근의 매출액 1,000억, 이익 30억 이상, 코스닥은 자기자본 30억 이상, 최근의 매출액 100억, 순이익 10억 이상의 조건이 충족되어야 합니다.

　물론 주식시장에 상장한다고 해서 장점만 있는 것은 아닙니다.

　상장기업이 되면 기업공시 의무가 생기는데요. 회사의 과거, 현재, 미래에 대한 재무정보를 투자자에게 알려 줘야 합니다. 이 과정에서 기업의 비밀도 노출될 수 있습니다. 그리고 비상장기업보다 더 깐깐한 회계감사의 의무가 생깁니다. 그럼 기업주 입장에서는 회삿돈을 내 돈처럼 쓰기가 예전보다 훨씬 어려워지겠죠. 또 주식시장을 통해 지분을 더 많이 가진 사람이 나타나게 되면 경영권을 잃을 수도 있습니다.

펀드, ETF와 주식 중 뭐가 더 유리할까

"주식투자를 하면 돈을 잃을 수 있다"는 주변의 말들 때문에 투자를 주저하는 분들이 많습니다. 주식을 모르는데 주식투자를 한다는 것은 꽤나 위험한 일이죠. 그렇다고 저금리 시대에 마냥 적금만 믿고 있을 수도 없습니다.

그래서 투자전문가인 펀드매니저에게 돈을 맡기고 수익을 내는 펀드와 ETF에 관심을 보이는 분들도 많습니다. 그러면 주식 투자와는 다른 펀드와 ETF 투자에 대해 좀 더 알아보도록 할까요?

■ 펀드의 장단점

펀드의 장점은 매달 적금처럼 얼마씩 자동으로 돈을 이체해 놓고 나면 내가 할 일이 모두 끝난다는 겁니다. 물론 예금처럼 큰돈을 한 번에 맡기는 방법도 있지만, 보통 직장인들은 적립식 펀드에 가입해서 매달 일정액을 이체하는 경우가 많습니다.

은행 적금은 이자가 연 1%에 불과해 매력이 없지만 펀드는 투자 결과에 따라 높은 수익률을 낼 수도 있기 때문에 매력이 많죠. 예전에 중국 주식이 인기가 좋을 때가 있었는데, 대부분 중국 주식형펀드의 연수익률이 50~70% 정도 되던 시기였습니다. 주식이 인기 없던 시절에는 채권형펀드의 연수익률이 15~20% 정도였던 적도 있었고요.

은행 적금에 가입하면 몇십 년을 기다려야 나올 이자들이 펀드에 가입하면 1년 만에 뚝딱 나오는 경우도 많으니, 경기가 호황이든 불황이든 펀드의 인기는 끊이질 않습니다.

펀드의 가장 큰 장점은 간접투자라는 점입니다. 주식이나 부동산 같은 직접투자는 내가 투자에 대한 지식과 감이 있어야 하지만, 펀드는 전문가에게 투자를 맡기고 나는 내 직장생활에 전념할 수 있으니 바쁜 직장인들에게 적합한 투자 상품입니다. 연 1% 정도의 수수료만 내면 우리나라에서 손 꼽히는 전문가가 내 돈을 불려 주니 이것보다 편한 투자법이 있을까요?

펀드는 기본적으로 분산투자를 하기 때문에 올인 투자를 해서 큰 손해를 보는 경우가 없습니다. 즉 주식투자처럼 극단적인 수익과 손실을 내는 상품이 아니라, 안정적인 수익과 적은 손실을 낸다는 장점이 있죠.

그 외에도 개인이 직접 투자하기에 힘든 투자들을 펀드를 통해 쉽게 할 수 있습니다. 부동산에 투 자하는 부동산펀드, 채권에 투자하는 채권펀드, 미술에 투자하는 미술펀드 등 자신의 취향에 따라 다양한 펀드들이 존재합니다.

<펀드와 주식의 비교>

펀드	주식
- 매달 적금처럼 투자 가능(자동이체) - 전문적인 투자 지식이 없어도 투자 가능 - 소액으로 분산투자 효과 - 투자 성향에 맞는 다양한 상품 존재 - 주식보다 안정적인 수익률(분산투자)	- 직접 주식을 사야 함 - 펀드보다 적은 수수료 - 한 종목에 집중투자 가능 - 극단적인 수익률 가능 - 자유롭게 사고팔 수 있음

물론 단점도 있어요.

첫째는 원금이 보장되지 않고 수익률이 불규칙하다는 점입니다. 무위험 투자인 적금과 예금은 정 해진 이자를 확정적으로 받을 수 있다는 절대적인 장점이 있습니다. 펀드는 그것들에 비해 더 높은 수 익을 낼 수도 있지만 반대로 투자이기 때문에 손실이 날 수도 있습니다. 그래서 원금을 까먹을 수도 있다는 위험이 항상 존재합니다.

그리고 올해 수익률이 높다고 해서 내년에도 수익률이 높을 거라는 보장을 할 수가 없습니다. 모든 투자가 그렇듯이 항상 원금 손실을 각오해야 합니다. 다만, 직접적으로 주식에 투자하는 것보다는 손 실이 덜한 편입니다.

둘째는 보통 90일 이내에 환매를 할 경우 이익금의 70%를 수수료로 내야 한다는 점입니다(중기형 6개월 미만, 장기형 1년 미만). 이에 반해 주식이나 ETF는 실시간으로 사고팔 수 있고, 언제 팔아도 환매 수수료가 없습니다. 하지만 펀드는 중도에 환매를 할 경우 많은 이익금의 손실을 가져와서 단기투자 로는 적합하지가 않습니다.

세 번째는 수익을 내지 못해도 수수료를 내야 한다는 점입니다. 주식이나 ETF는 거래수수료만 발 생하고 수수료도 굉장히 저렴한 편이죠(보통 0~0.7%). 보유에 따른 수수료가 발생하지 않아 장기투 자도 가능합니다. 하지만 펀드는 구입 시에 판매 수수료가 발생하고, 유지를 하는 과정에도 약 1%의 수수료가 발생하기 때문에 수익이 나지 않아도 수수료로 인해 원금 손실이 발생합니다.

■ 펀드 투자 똘똘하게 하기

그러면 어떻게 해야 펀드 투자를 똘똘하게 할 수 있을까요?

당연히 펀드에 대해서 알고 투자를 해야 합니다. 그냥 은행이나 증권사에서 추천해 주는 것을 덥 석 사면 안 되고, 작년에 투자수익률이 좋았다는 말에 혹해서 사도 안 됩니다. 최소한 내년에 증시가 오를지, 부동산이 오를지, 유가나 금·농산물 가격이 오를지, 금리가 오를지 내릴지에 대한 공부는 하 고 있어야 합니다. 그러면 쌀 때 사서 비쌀 때 팔 확률이 높아집니다.

예를 들어 지금 증시가 사상 최고치를 찍는다고 하면 내년에도 사상 최고치를 찍을 확률이 더 높 을까요? 아니면 과열로 인해 하락할 확률이 더 높을까요? 이럴 경우 욕심을 내면 주식형펀드에 가입 을 하겠지만, 손실을 두려워하는 사람이라면 가입하지 않을 것입니다.

반대로 증시가 한동안 인기가 없을 때 주식형펀드에 투자해 두었다가 증시가 좋을 때 비싼 값에 환매하면 원금 손실 가능성을 줄이고 큰 수익을 얻을 수가 있습니다.

펀드를 공부하면 할수록 다양한 종류의 펀드들이 많다는 걸 알게 됩니다. 이것들 중 시기에 맞는 펀드를 골라 투자하면 성공 확률이 더 높아집니다.

펀드는 매달 일정한 돈을 넣는 적립식이 있고, 한 번에 돈을 맡기는 거치식이 있습니다.

적금처럼 돈을 저금하듯이 넣고 싶거나 앞으로 증시가 어떻게 될지 모를 경우에는 적금처럼 돈을 넣어 분할매수를 하는 것이 투자에 유리합니다. 반대로 지금 증시가 하락한 상태이고 얼마 안 있어 증시가 크게 상승할 것이 예상된다면, 한 번에 돈을 맡기는 거치식이 유리합니다. 목돈이 있는 사람이라면 적립식보다는 기회를 봐서 거치식으로 가입하는 것이 더 효과적이겠죠.

펀드는 주식형펀드만 있는 것이 아닙니다. 부동산에 투자하는 부동산펀드, 채권에 투자하는 채권형펀드 등이 있는데요. **일반적으로 금리가 오르는 시기에는 주식형펀드가 좋고, 금리가 내리는 시기에는 채권형펀드가 유리합니다.**[금리가 오르면 풀렸던 돈이 다시 은행으로 들어가니 주식이 조정받는 거 아닌가요? 왜 주식형펀드가 더 좋은 거죠? ⇨ 단순히 금리만 가지고 증시가 오른다 내린다라고 보기는 어렵지만 단기적으로는 금리가 하락하면 증시에 호재, 장기적으로는 악재로 보고 있습니다.] 즉 금리가 오르고 내리는 시기에 따라서 주식형펀드가 유리할지 채권형펀드가 유리할지 정해져 있다는 것이죠. 이걸 몰라서 거꾸로 하면 손해가 심하겠죠?

그 외에 이색 펀드가 있습니다. 금에 투자할 수도 있고, 원유에 투자할 수도 있고, 농산물·그림에도 투자할 수가 있습니다. 펀드라는 개념이 '돈을 모아 투자한다'는 뜻이기 때문에 실제로 우리가 투자할 수 있는 대부분의 것에 펀드가 존재합니다.

파생상품(선물, 옵션)에 투자해서 고수익을 추구하는 펀드도 있고, 재간접펀드라고 해서 펀드로 들어온 돈을 다시 펀드에 투자하는 펀드도 존재합니다.

은행이나 증권사를 통해 누구나 가입할 수 있는 공모펀드도 있고, 49인 이하 소수 특정인을 대상으로 모집하는 사모펀드도 있습니다. 대부분의 주식형펀드처럼 추가 불입이나 환매가 가능한 개방형펀드, 부동산펀드처럼 중도 환매가 불가능한 폐쇄형펀드로 구분될 수도 있습니다.

또한 국내에 투자하는 국내 펀드가 있고, 해외에 투자하는 해외 펀드가 있습니다. 해외 펀드의 경우 환율이 수익에 영향을 줄 수 있으니 환율도 고려해야 하고, 어떤 국가의 어느 것에 투자하는지도 수익에 절대적인 영향을 주니 해당 국가와 산업에 대해서도 이해가 필요한 투자입니다.

〈펀드의 종류〉

| 적립식 | VS | 거치식 |

| 주식형 | 부동산형 | 채권형 | 혼합형 |

이색 펀드 : 금, 원유, 농산물, 미술

펀드로 돈을 벌려면 지금 무엇이 저렴한지, 앞으로 어떤 것이 좋아지고 가격이 오를지만 알면 됩니다. 그다음에 해당 펀드에 가입하고 돈을 넣으면 되는 것이죠. 그리고 이후에 가격이 충분히 올랐거나 비싸졌다고 판단되면 펀드를 환매해서 수익을 얻고 다시 투자처를 찾으면 됩니다.

■ 펀드보다 유리한 ETF

펀드와 주식투자의 중간 단계에 있는 것이 ETF 투자입니다. ETF란 상장지수펀드(Exchange Traded Funds)로 특정 지수(예 : 코스피200, 유가, 다우지수)에 가격이 연동되게 만들어 주식에 상장시켜 주식처럼 거래가 가능하게 한 것입니다.

즉 펀드인데 특정 지수에 따라 가격이 움직이고, 이 지수가 오르고 내리는 것에 따라 펀드 가격이 정해진다는 점, 그리고 기존의 펀드처럼 가입과 환매의 불편함 없이 주식을 사듯 실시간으로 사고팔 수 있다는 점이 ETF의 특징입니다. 그래서 ETF는 펀드의 장점과 주식의 장점이 합쳐진 형태라고 볼 수 있습니다.

이밖에도 펀드처럼 분산투자와 간접투자가 가능하고, 주식처럼 거래수수료가 저렴한 것이 ETF의 또 다른 장점입니다.

ETF 투자를 하기 위해서는 ETF에 어떤 것들이 있는지를 알아야 합니다.

먼저 주식형 ETF가 있습니다. 국내나 해외 증시 지수가 오르고 내리는 것에 따라 ETF 가격이 변하는 지수형 ETF가 있고, 반도체·은행 등 특정 업종지수를 추종하는 업종 ETF, 특정그룹 주가지수를 추종하는 그룹 ETF, 고배당주식들을 모은 배당주 지수에 투자하는 테마형 ETF 등이 존재합니다.

채권형 ETF는 각종 채권지수를 추종하고 있습니다. 단기채권, 국고채, 통안채, 회사채, 해외채권 등 다양한 종류가 있습니다. 일반인들이 접근하기 어려운 채권투자를 이렇게 ETF를 통해 쉽게 할 수가 있죠.

파생형 ETF는 선물이나 옵션 등 파생상품을 활용한 ETF로, 먼저 지수가 올라야만 ETF 가격이 오르는 것이 아니라 지수가 떨어지면 가격이 오르는 인버스 ETF가 있습니다. 코스피200 지수가 1% 하락하면 인버스 ETF는 1% 수익이 발생합니다. 또한 지수가 1% 상승할 때 가격이 2배 상승하는 레버리지 ETF도 있습니다. 대신 떨어지면 가격도 2배가 떨어지는 위험한 상품이죠. 국내에는 2배까지 존재하고 해외에는 3배도 존재합니다. 이렇게 레버리지와 인버스를 통해서 같은 종류에 투자해도 전혀 다른 수익률이 나오게 됩니다.

파생형 ETF는 지수에만 투자하는 것이 아니라 원유, 농산물, 금, 은, 구리 등 다양한 상품에도 투자가 가능하다는 장점이 있습니다. 국내보다는 미국 ETF가 더 많은 상품에 투자할 수 있는데요. 예를 들어 우리나라는 농산물, 콩만 가능하지만, 미국은 커피, 밀, 옥수수, 쌀 등 훨씬 더 많은 상품을 기반으로 하는 ETF가 존재합니다.

합성형 ETF는 주로 해외투자에 활용합니다. 쉽게 설명하면 해외 금융기관에 투자를 맡기고 수익을 내는 방식으로 투자자 입장에서는 큰 차이가 없습니다. 스와프(SWAP, 교환) 방식을 이용할 경우 관세에서 좀 더 유리하다는 장점이 있습니다.

<ETF의 종류>

주식형	국내지수	코스피200, 코스닥150, 삼성그룹 고배당, 헬스케어, 은행, 반도체
	해외지수	미국, 중국, 베트남
채권형	국내지수	단기채권, 국고채, 통안채, 회사채
	해외지수	미국채, 미국회사채

파생형	국내지수	코스피200 레버리지/인버스
	해외지수	달러선물, 엔선물, 원유, 농산물
합성형	국내지수	코스닥
	해외지수	베트남VN30, 유로스탁50, 인도Nifty50

ETF 투자의 가장 큰 장점은 실시간 거래와 수수료인데요. 실시간 거래가 가능해서 환매수수료 부담 없이 단기투자가 가능합니다. 또한 거래수수료 자체가 일반 펀드에 비해 꽤 저렴합니다. 보통의 펀드 수수료가 1~1.5% 정도로 비싼 편이지만, ETF는 확연히 저렴하다는 장점이 있어 장기투자도 가능합니다.

구체적으로 보면 증시나 업종에 투자하는 **인덱스ETF**[직접 종목을 선정하지 않고 지수에 투자하는 방식으로 프로그램매매로 주로 이뤄집니다. 음식으로 치면 요리사가 직접 요리하지 않고 냉동식품을 데워주는 것과 같다고 보면 됩니다]의 경우 총보수가 0.15%로 ETF 중에서도 가장 저렴한 편이고, 원자재 ETF는 0.5~0.7% 수준으로 비싼 편입니다. 그 이유는 파생형 ETF의 경우 선물에 투자하기 때문에 이를 사고파는 과정(**롤오버**)[선물은 매월 또는 3개월마다 만기가 도래합니다. 선물만기가 도래할 경우 이를 팔고 다음 만기선물을 사들이는 것을 '롤오버(Roll-Over)라고 하고, 이 과정에서 일종의 비용 손실 또는 이익이 발생하게 됩니다. 이를 '롤오버 비용'이라고 말합니다]에서 수수료가 발생합니다. 그래서 지수에 투자하는 인덱스형 ETF는 유지비가 적게 들고, 파생형 ETF의 경우 유지비가 많이 든다는 차이가 존재합니다.

ETF는 국내 ETF냐 해외에 있는 ETF냐에 따라 세금이 달라지고, 국내 ETF라고 할지라도 투자 대상이 국내냐 해외냐에 따라 또 세금이 달라집니다. 그래서 같은 종류의 ETF에 투자하더라도 본인의 상황에 맞게 투자해야 세금을 줄일 수가 있습니다.

국내 주식형 ETF의 경우 매매차익에 대한 세금이 없습니다. 즉 코스피, 코스닥 지수나 국내 업종, 테마에 투자해서 얻은 수익은 세금을 내지 않는다는 것이죠. 다만 ETF도 배당금을 받게 되는데, 이 배당금은 15.4%의 세금을 내게 됩니다.

국내에 상장된 ETF여도 투자 대상이 해외 지수나 상품일 수 있습니다. 이럴 경우에는 매매차익과 배당 모두 배당소득에 포함이 됩니다. 해외펀드에 투자해도 이와 같죠. 문제는 배당소득이 연 2,000만 원이 넘게 되면 종합소득세에 포함이 된다는 것입니다. 근로소득이 높은 고소득자는 높은 세율의 세금을 내는데(소득세율 6~42%), 그러면 2,000만 원을 초과하는 배당소득은 높은 세율을 적용받아 세금폭탄을 맞게 됩니다.

그래서 세전 6,000만 원 이상의 연봉을 받는 고소득자는 미국 등 해외에서 만든 ETF에 직접 투자하는 것이 좋습니다. 그러면 배당금을 제외하고, 매매차익에 대해서는 배당소득세를 내지 않습니다. 대신 양도소득세를 내게 되죠. 양도소득세는 세율이 근로소득세와 같지만(세율 구간별 6~42%), 양도소득이 근로소득에 더해지지 않기 때문에 절세 효과가 존재합니다. 또한 양도소득세는 연 250만 원 소득까지는 면제를 해 주기 때문에 1만 원만 소득이 발생해도 15.4%의 세금을 내야 하는 해외 펀드나 국내 발행 해외 ETF보다 훨씬 유리합니다.

〈국내와 해외 ETF의 비교〉

	국내 주식형	국내 상장 해외형	해외 상장
수익률	같은 지수를 추종하는 상품은 수익률 비슷		
과세 차이	배당금에 15.4% 배당소득세	매매차익과 배당금에 15.4% 배당소득세	-매매차익 250만 원 면세. 초과금에 대해서만 22% 양도소득세 -배당금에 15.4% 배당소득세
	금융소득종합과세 대상 아님	2,000만 원 이상 금융소득종합과세	금융소득종합과세 대상 아님
		손익 통산 과세 안 됨	연간 손익 통산 과세 해당
평균 운용 보수	0.36%	0.52%	0.54%+환산 비용 추가
거래 시간	시차 없음	시차 없음	시차 발생

결론을 내자면 펀드와 ETF가 무조건 좋다는 뜻이 아닙니다. 직접투자에서 간접투자로 바뀐 것일 뿐 결국 언제, 무엇에 살지는 투자자 본인이 정해야 합니다.

주식, 채권, 부동산, 원유, 금 등 무엇에 투자할지 정하고, 국내인지 해외인지 본인의 소득과 세금계획에 따라 또 정하고, 현재 바닥권인지 곧 장기상승이 가능한지를 고려해서 투자해야 하기 때문에 주식투자와 펀드투자, ETF투자가 크게 다르다고 볼 수 없습니다.

그래서 저는 주식투자를 위주로 하고, 주식으로 살 수 없는 원유, 금, 농산물, 채권 등을 이용할 때만 ETF를 활용하는 편입니다.

CHAPTER 2
주식투자 기초 다지기

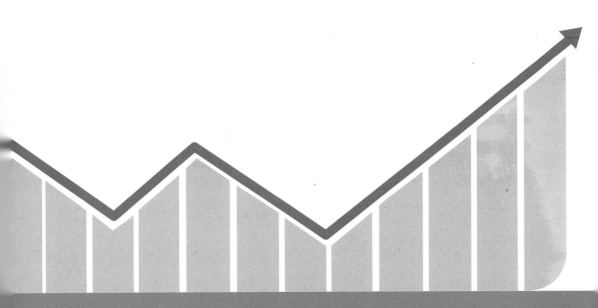

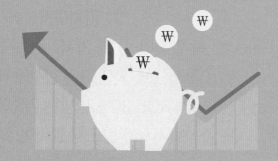

주식 투자 방법에는 2가지가 있습니다. 가치투자(기본적 분석)와 기술적 분석. 주식을 하다 보면 결국 이 두 가지 방법 중에서 하나를 선택하게 됩니다. 무림의 길처럼 이 둘은 함께할 수 없는 것이죠. 그래서 주식 초보자라면 이 두 개념을 이해하고 자신의 철학에 맞는 길을 가야 합니다.

📍 기업의 자산과 실적을 중시하는 가치투자

가치투자는 기업의 가치에 믿음을 둔 주식투자 전략을 말합니다.

'회사의 지분을 사서 회사를 공동 소유한다'는 생각으로 투자하는 사람들이 이 가치투자의 실천자들입니다.

대표적인 가치투자자로 워런 버핏이 있는데, 그는 가치투자에 대해 "1달러짜리 물건을 40센트에 사는 것"이라고 말했죠. 또 "주식을 사지 말고, 기업을 사라"는 말을 할 정도로 기업에 대한 기본적 분석이 그 기반입니다.

가치투자자의 투자 전략

가치투자자가 하는 일은 기업의 가치를 찾아내고 분석해서 적정 주가를 평가하는 일입니다. 마치 가게를 인수하는 새로운 사장이 되었다 생각하고, 이 기업이 얼마나 괜찮은 기업인지 파악해야 합니다. 얼마를 주고 사야 적당한 가격인지 계산하고 이보다 저렴하게 사서 기업을 키우고 난 다음 비싸게 팔아 수익을 내는 방식이라 할 수 있습니다.

그럼 기업이 가진 가치에는 무엇이 있을까요?

여러 가지가 있지만 초보자들이 알아야 할 가치는 첫째로 기업이 가진 현금 또는 부동산 자산의 가치입니다. **시가총액**[기업 주가×주식 쉬]이 1,000억인데 부채를 빼고도 기업이 가진 현금과 부동산 가치가 2,000억이라면 이 기업을 1,000억 할인받아 살 수 있는 것과 같습니다.

두 번째는 기업이 앞으로 벌어들일 수 있는 현금가치입니다. 쉽게 예를 들어볼까요?

저희 가족들은 꽤 오랫동안 젖소를 키웠는데요. 젖소 한 마리의 수명은 보통 5년에서 10년 정도입니다. 계산하기 쉽게 평균 7년이라고 합시다. 그러면 이 7년 동안 젖소에게서 매일 우유를 짜서 팔 수가 있습니다. 대신에 사룟값도 들어가죠. 결국 이 젖소가 7년 동안 벌어들일 수 있는 우윳값에서 사룟값을 뺀 금액이 젖소의 현금가치라고 볼 수 있습니다.

7년간 예상 우윳값 – 7년간 예상 사룟값 = 젖소의 현금가치
가치투자 : 젖소의 현금가치 > 0

그래서 앞으로 우윳값과 사룟값이 어떻게 될지를 예측해 그 현금가치보다 송아지를 저렴하게 사서 키우는 것이 가치투자입니다.

가치투자자가 보는 지표들

가치투자자들이 주식을 볼 때 중요시 여기는 것이 **자기자본이익률(ROE)**[Return On Equity. 투입한 자기자본이 얼마만큼의 이익을 냈는지를 나타내는 지표], **주가수익비율(PER)**[Price Earning Ratio, 특정 주식의 주당시가를 주당이익으로 나눈 수치로, 주가가 1주당 수익의 몇 배가 되는가를 나타낸다], **주가순자산비율(PBR)**[Price Book-Value Ratio, 주가가 그 회사의 한 주당 순자산의 몇 배인가를 나타내는 지표](자세한 설명은 '59~65쪽' 참조)입니다. 이것들을 보면서 저평가된 기업은 어떤 것이 있는지 그리고 앞으로 현금을 잘 벌어들일 가능성이 높은 성장성 있는 기업은 어떤 것이 있는지를 확인하죠.

가치투자의 장단점

가치투자는 기본적으로 저평가된 기업에 투자하기 때문에 주가 하락 폭이 낮아 만약의 경우에도 투자 손실이 적다는 장점이 있습니다. 그리고 기업을 분석할 때는 시간이 오래 걸리지만 주가가 충분히 오를 때까지 장기투자를 하기 때문에 투자를 한 이후에는 주식시장을 보고 있지 않아도 되어서 직장인들에게 적합한 투자 방법이라고 할 수 있죠.

또한 전설적인 투자자들 중에 가치투자자가 많이 포진해 있다는 사실 자체가 가치투자자들에게 심리적 안정감을 주고 있습니다. 특히, 세계 2위 부자인 워런 버핏이 있기 때문에 많은 사람들이 가치투자의 길을 가고 있습니다.

이런 장점에 비해 가치투자의 단점은 오랜 기다림이 필요하다는 것입니다. 그리고 오랜 기다림 끝에 주가가 오를 수도 있지만 시간이 지나도 빛을 보지 못하는 기업들도 많습니다. 아무리 좋은 재주를 가진 유망주라고 해도 대중들의 관심을 받지 못하면 사라지는 것처럼, 이 문제는 가치투자의 치명적인 단점으로 존재합니다.

📍 주가, 거래량 데이터를 중시하는 기술적 분석

기술적 분석은 주가와 거래량을 토대로 분석을 하는데요. 과거의 주가 변동을 분석해서 단기간의 주가를 예측하는 방법입니다. 결국 주가는 시장에서 사려는 사람(수요)과 팔려는 사람(공급)에 의해서 결정되는데 과거의 주가, 거래량 지표의 흐름을 보면 미래를 예측할 수 있다고 보는 방법이죠.

그래서 이 주가와 거래량의 그래프인 차트를 분석해서 투자하는 방법입니다. 주로 장기투자보다 단기투자로 수익을 내고, 비교적 수익률이 높으나 위험 또한 커서 손실 가능성도 높은 방법입니다.

기술적 분석의 투자 전략

기술적 분석의 방법은 수도 없이 많아서 어떤 전략을 취한다고 말을 할 수가 없습니다. 기술적 분석을 활용하는 투자자들마다 자신에게 맞는 패턴을 활용해서 투자를 하기 때문입니다. 그중에서 몇 가지를 소개해 보겠습니다.

① 박스권 돌파 전략

보통 주가가 올랐다 내렸다 하며 답답한 상태에 있는 것을 우리는 주가가 박스 안에 갇혔다고 해서 '박스권'이라고 부릅니다. 이 박스권을 돌파했을 때 주식을 사는 방법이 있습니다. 박스권을 돌파할 정도로 주식을 사려는 힘이 강하기 때문에 주가 상승과 대량 거래를 동반하는데요, 이때 투자를 해서 단기적 수익을 냅니다.

이 투자는 기술적 분석을 하는 투자자들에게 인기 있는 방법 중 하나입니다.

② 패턴 투자

주식 차트를 보면 V자, W자, 삼중바닥형 등의 반등 패턴이 있고, 삼중천정형의 하락 패턴도 있습니다(자세한 설명은 '111~119쪽' 참조). 또한 자기만의 패턴을 보고 주식을 사고파는 방법도 있습니다. 또한 N자형, 눌림목 패턴 등으로 거래 량을 활용하는 방법도 있습니다.

기술적 분석 투자자가 보는 지표들

- 봉차트
- 이동평균선
- 거래량
- 추세선
- 매물대
- 패턴
- 저항선

이런 것들을 활용해서 투자하는 방법들이 있는데요. 방법이 너무도 많죠? 그 래서 다양한 기법들에 대해 공부를 하고, 본인 철학에 맞는 방법을 추구하셔야 합니다.

기술적 분석 투자의 장단점

기술적 분석 투자의 장점은 비교적 단기간에 높은 수익률을 낼 수 있다는 점 입니다. 그래서 모의투자대회에 참가한 상위권 수상자들을 보면 대부분이 기술 적 분석을 활용하는 투자자임을 알 수 있습니다.

반면에 기술적 분석 투자의 단점은 높은 수익률에 따라오는 높은 위험률입니 다. 이런 패턴일 때 얼마의 확률로 오를 수 있다는 것뿐이지, 무조건 수익이 나 는 기술적 분석 투자는 없습니다. 그래서 실패할 경우 손실을 보고 정리하는 손절을 해야 하는데, 이런 손절이 늘어날수록 투자금을 계속 잃게 됩니다. 또한 단기간 잦은 매매를 해야 하는 방식상 직장인들 같은 경우 업무에 집중을 할 수 없습니다. 그래서 기술적 분석 투자를 하는 사람들 중에는 전업투자자들이 많습니다.

투자 꿀팁을 드립니다

저는 가치투자자입니다. 기술적 분석은 제 스타일에 맞지도 않고, 업무에 집중해야 하는 직업상 할 수도 없었죠. 가치투자의 단점인 오랜 기다림은 참 힘든 일이지만, 그동안 일도 열심히 하고 공부도 더 하면서 나를 단련할 수 있었던 것 같아요. 그리고 장기적으로 보면 저는 거의 손실 없이 연 30% 이상의 수익률을 기록했습니다. 그래서 주식 초보인 여러분들께는 저위험 저손실인 가치투자를 추천합니다.

02 꼭 알아야 할 세 가지 : PER, PBR, ROE

주식 관련 TV프로그램이나 유튜브를 보다 보면 "삼성전자 PER 11배, PBR 1.2배, ROE 11.6%로 주가가 저평가로 보인다"라는 식의 내용을 듣게 되는 경우가 많은데요. PER은 뭐고, PBR은 뭐고, ROE는 뭘까요? 주식은 왜 이렇게 어려운 단어들이 많을까요? 그냥 주식하지 말까요?

아닙니다. 주식 용어가 어려워 보이지만 막상 뜻을 알고 나면 이해가 쉬워요. 그러니까 용어가 좀 어렵다고 두려워하지 말고 뜻을 하나씩 알아봅시다.

주식투자를 위해 기업을 분석할 때 PER, PBR, ROE는 아주 기초적인 분석이니까 필수적으로 알고 투자하셔야 합니다. 반대로 아주 기초적이기 때문에 이 3가지를 알았다고 "나는 주식에 대해서 다 알아!" 이렇게 말하시면 또 곤란합니다. 아직 우리가 배울 것들이 너무도 많아요.

♀ PER, PBR로 저평가 정도 알아보기

PER

"주식을 살 때는 기업을 산다고 생각하라"는 말이 있는데요, 그런 의미에서 볼 때 주식은 곧 기업이라 할 수 있습니다. 그리고 기업은 규모가 좀 큰 가게라고 볼 수 있고요.

가게도 사고팔고 하는 것 아시죠? 가게를 인수할 때 우리는 얼마에 사서 얼마를 벌 수 있는지를 생각합니다. 당연히 주식에 투자할 때도 이 기업이 얼마를 벌어 오고, 얼마에 사야 적당한지를 생각해 봐야겠죠.

기업의 매매가격을 시가총액이라고 해요. 시가총액은 주가에 주식 수를 곱한 것입니다. 여기에 물건을 판 금액에서 인건비, 월세, 재료비 등을 빼고 남은 순수한 이익인 순이익이 있습니다. 그러면 이 순이익으로 몇 년을 벌어야 시가총액인지를 나타낸 것이 PER입니다.

즉 몇 년 안에 투자금을 회수하느냐가 PER입니다. PER이 10이면 지금 주식 가격에 사면 10년은 되어야 본전을 뽑는다는 것을 말하는 것이죠. 보통 평균 PER을 9~11로 보는데요. PER이 낮으면 매매가 대비 순이익이 높은 편이니 저평가라고 하고, PER이 높으면 매매가 대비 순이익이 적으니 고평가라고 합니다.

$$PER = \frac{시가총액}{당기순이익}$$

PER을 보기 편하게 퍼센트(%)로 만들어 볼까요? 100에서 PER을 나누면 투자수익률(%)이 나옵니다.

$$투자수익률(\%) = 100 \div PER$$

예를 들어 PER이 5배라고 하면 100÷5=20%가 나오는 것이죠. 굉장히 훌륭한 수익률이죠? 반대로 PER이 20이라고 하면 100÷20=5%입니다. 주식투자치고는 수익률이 높지 않은 편이죠?

그래서 우리는 PER을 보면서 순이익 대비 주가가 고평가인지 저평가인지를 한눈에 알아볼 수 있습니다.

물론 이익이 매년 크게 바뀌는 기업 같은 경우에는 PER만 보고는 적정가격인지 아닌지를 알 수가 없겠죠? 그럴 경우 3년 또는 5년 치의 순이익을 평균 내서 PER을 구하거나 같은 업종의 평균 PER을 보면서 경쟁사 대비 고평가인지 저평가인지를 구분합니다.

PBR

가게를 인수할 때 들어가는 비용을 구분하면 크게 보증금과 권리금이 있습니다.

보증금은 건물주로부터 돌려받을 수 있는 돈이니 내 자산이라고 볼 수가 있죠. 하지만 권리금은 전에 장사하던 사람이 "여기가 장사가 이만큼 잘되는 곳이니 맨입에는 못 주겠고, 웃돈을 좀 주시오"라며 뒤이어 들어오는 세입자에게 받는 돈입니다. 즉 이 돈은 실체가 없는 돈이죠. 우리는 '프리미엄'이라고 부릅니다.

기업도 마찬가지예요. 기업의 매매가격이라고 볼 수 있는 시가총액은 자본과 프리미엄으로 이뤄져 있습니다. 현재 장사를 잘하고 있는 기업의 지분을 사는 것이니 당연히 프리미엄을 지불하며 사는 것이 맞겠죠. 하지만 프리미엄을 과하게 지불하면 나중에 사업이 망했을 때 투자한 돈의 대부분을 못 찾을 수도 있는 것이죠.

이러한 지표를 만든 것이 PBR입니다. 시가총액이 자본 대비 몇 배인 상태인지 알 수가 있죠. 자본총계는 총자산에서 총부채를 뺀 순수한 자산을 말합니다.

$$PBR = \frac{\text{시가총액}}{\text{자본총계}}$$

예를 들어 현금, 부동산, 시설 등의 자산을 모두 더한 상태에서 모든 빚을 빼면 자본총계가 나오는데, 시가총액이 자본총계 대비 1이 넘으면 프리미엄이 있는 상태, 1보다 낮으면 마이너스 프리미엄인 상태입니다.

돈을 잘 벌고 미래가 충분히 있는 사업이라면 PBR이 1을 넘어 있을 것이고, 돈을 잘 못 벌거나 미래가 어두운 사업이라면 PBR이 1을 넘지 않는 경우가 많습니다. 그렇기에 적당한 프리미엄은 잘 나가는 기업에게 당연히 따라붙는 것이라 볼 수 있어요.

하지만 PBR이 과하게 높은 기업은 투자할 때 조심해야 합니다. 예를 들어 PBR이 4배인 기업이라면 자본 1 : 프리미엄 3으로 구성되어 있는 것이죠. 회사가 망하면 건져 갈 수 있는 것은 자본밖에 없으니 75%의 손실을 볼 수 있는 것입니다.

반대로 PBR이 0.1배인 기업에 투자했다면 회사가 망했을 경우 10배의 수익을 낼 수 있다는 것이죠.['망할 것 같은 회사만 골라 투자하면 대박 난다'는 뜻인가요? ⇨ 기업이 망하면 기업의 자산을 팔아 빚을 갚고 남은 돈을 주주들에게 나눠 주는데, 이를 청산작업이라고 합니다. 자산이 많은 기업은 이 청산액이 시가총액보다 높은 경우가 있는데, 이런 경우 PBR이 1 이하라고 보면 됩니다.] 즉 PBR이 1 이하면 자본 대비 저평가 기업, 1 이상이면 고평가 기업이라고 볼 수 있습니다.

가치투자자들은 PER과 PBR이 낮은 기업을 좋아합니다. 그만큼 주식을 저렴하게 샀기 때문에 원금을 잃을 가능성이 낮다고 생각하기 때문이죠. 그래서 PER 10 이하, PBR 1 이하인 주식을 좋아합니다. 반대로 성장주에 투자하는 사람들은 결국은 주가가 올라야 돈을 버는데 PER, PBR이 낮은 주식들은 미래 성장이 어둡기 때문에 주가가 오를 가능성이 낮다고 말을 합니다.

📍 ROE를 통해 성장성 정도 알아보기

워런 버핏의 스승인 벤저민 그레이엄은 지독한 가치투자자였습니다. 오로지 PER과 PBR로 저평가 기업을 찾았죠. 문제는 스승님이 사 둔 기업들이 생각보다 주가가 오르지 않았다는 겁니다.

워런 버핏은 고민했죠. '스승님의 전략은 훌륭한데, 왜 돈을 벌지 못할까?'

벤저민 그레이엄의 방식은 안전한 투자였지만, 한 가지 빼먹은 것이 있었습니다.

"주가는 꿈을 먹고 자란다."

즉 희망이 있는 기업이 되어야 주가가 오르는 것이죠. 그러기 위해서는 기업의 실적이 나날이 좋아진다는 지표가 뒷받침되어야 했습니다.

그래서 버핏이 고려한 것이 ROE입니다. 성장성 지표라고 불리는 ROE는 순이익을 자본으로 나눈 것인데요.

$$ROE = \frac{당기순이익}{자본총계}$$

즉 순수한 자산인 실투자금 대비 얼마나 순이익을 창출하느냐로 볼 수 있습니다. 부동산으로 치면 실투자금 대비 임대수익률로 볼 수 있어요. 부동산을 보면 매매가 대비 임대수익률로 계산하지 않고, 매매가에서 대출과 보증금을 뺀 실제 투자금 대비 월세가 얼마 나오는지를 계산해서 임대수익률을 계산하죠. 기업의 ROE도 똑같은 방법으로 계산합니다.

그래서 얼마나 사업을 효율적으로 하느냐를 알 수 있는 지표가 ROE입니다. 같은 값이면 ROE가 높은 기업에 투자하는 것이 더 높은 수익을 내는 꿀팁이죠.

반대로 사업이 계속 잘되다 보면 수익이 늘고, 자본이 늘어나는데요. 그에 따라 기업의 몸집이 커지게 되고 자본이 늘어나지만, 수익이 이에 따라오지 못해 ROE가 떨어지게 됩니다.

그래서 사업 초기에는 높은 ROE를 유지하지만 해가 지날수록 ROE가 떨어지는 모습을 보여 주는 기업들이 많아요. 하지만 워런 버핏이 좋아하는 기업은 이 높은 ROE를 계속 유지하며 끊임없이 고속 성장을 하는 기업입니다.

버핏의 연평균 수익률이 28.7%라고 하니 기업의 실적 대비 주가가 상승했다고 치면 버핏이 투자하는 기업의 평균 ROE는 28.7% 정도라고 볼 수 있죠.

굉장한 힌트죠? 그럼 5년 평균 ROE가 30%를 꾸준히 넘은 우리나라 대기업은 몇 개 정도가 있을까요? 이걸 어떻게 찾느냐고요? HTS에서 검색하면 나옵니다. 힌트를 드리자면 몇 개 없습니다. 금방 찾을 수 있어요. 그러면 여러분도 버핏처럼 투자할 수 있겠죠?

하지만 ROE가 높다고 무작정 투자하는 것은 절대 금물입니다. 아까도 말했듯이 매년 이익이 생기고 자본이 늘어나면서 같은 ROE를 유지하기 위해서는 매출과 이익이 고성장을 해야 합니다.

보통 기업 규모가 커지는 것과 반비례해 ROE는 점차 떨어지기 때문에 5년 이상 꾸준히 높은 ROE를 유지하고 있는지, 또는 ROE가 떨어지는 속도를 보면서 앞으로 어떻게 ROE가 형성될지를 예상해야 합니다. 예를 들어 태국의 한 통신회사는 ROE가 60%였다가 다음 해는 55%, 그다음 해는 50%로 떨어졌습니다. 점점 5%씩 성장 속도가 떨어지고 있죠. 5년 뒤면 ROE가 25%밖에 되지 않을 겁니다.

또한 배당을 많이 주는 회사는 ROE가 지속적으로 높게 나오는 것처럼 보이므로 속지 말아야 합니다. 이익이 생기면 자본이 늘어나야 하는데, 이익을 배당으로 주니 자본이 잘 늘지 않고 이익성장이 없어도 ROE가 꾸준히 높은 것처럼 보입니다. 배당성향이 낮으면서도 ROE가 꾸준히 높게 나오는 기업이 진짜 알짜 기업입니다.

부채가 많은 기업도 ROE가 높게 나옵니다. 부동산 투자할 때 대출이 많이 나오면 실투자금이 적어지고 임대수익률이 높게 나오는 것처럼, 기업도 부채가 많으면 자기자본 대비 이익률이 높게 나오는 것처럼 보여 ROE가 높아 보입니다. 하지만 부채가 많아 만약 이익을 제대로 내지 못하면 이자도 제대로 갚지 못고 빚더미에 허덕이는 기업으로 전락할 수도 있습니다.

그렇기 때문에 ROE를 보고 투자할 때는 ROE가 꾸준히 높은 기업인지, 배당성향이 낮은 기업인지, 부채비율이 낮은 기업인지를 확인하고 투자해야 실수하지 않습니다.

투자 꿀팁을 드립니다

PER, PBR, ROE를 정리하면 다음과 같습니다.

- PER = 몇 년 안에 본전 뽑나?
- PBR = 얼마나 거품인가?
- ROE = 얼마나 효율적인 사업인가?

절대로 원금을 잃지 말라.

워런 버핏

03 저PER, 저PBR의 함정에 빠지지 말자

가치투자라고 하면 모름지기 PER과 PBR이 낮아 수익 대비 주가가 낮은 기업, 자산 대비 주가가 낮은 기업에 투자하는 것이라고 했습니다. 그래서 우리나라의 가치투자자들 대부분은 저PER, 저PBR 기업에 투자하는 것이 가치투자라고 정의하곤 합니다. 하지만 우리에게 가치투자자로 알려진 워런 버핏은 오히려 저PER, 저PBR 기업에 투자한 적이 많지 않았습니다.

초보자 여러분들이 저PER, 저PBR 주식에 투자했다가 어떤 함정에 빠질 수 있는지, 그리고 우리는 어떤 기업에 투자해야 하는지 설명해 드리겠습니다.

◉ 펀드매니저들이 저PBR, 저PER 주식을 사지 않는 이유

워런 버핏의 스승인 벤저민 그레이엄은 『현명한 투자자』라는 베스트셀러를 남겼을 정도로 가치투자의 대명사로 손꼽힙니다. 버핏은 가치투자의 아버지인 그에게 주식을 배웠을 뿐, 전통적인 가치투자자라고 보기는 어렵습니다. 오히려 장기투자자라는 단어가 더 어울리죠.

앞서 말한 대로 저PER, 저PBR 주식에 투자하는 것은 벤저민 그레이엄의 기법입니다. 그는 시가총액보다 순현금을 많이 들고 있는 기업을 찾아 투자했죠.

가지고 있는 현금보다 시가총액이 적은 기업이라니 말도 안 되긴 하지만, 주식시장에 그런 기업은 과거에도 있었고 지금도 존재합니다. 그리고 절대로 손해 볼수 없는 투자이기도 하죠. 그런데 반대로 말하면 이익을 보기 어려운 투자이기도 합니다.

이런 기업은 주가가 안 오르는 고착 상태가 지속됩니다. 그렇게 많은 자산을 가지고 또는 그렇게 돈을 잘 벌어 오는데도 주가가 오르지 않는다면 무슨 일이 있는 게 아닐까요? 기업 정보를 조사하고 투자하는 것이 직업인 펀드매니저들이 이런 기업들의 주식을 사지 않는다면 그것도 무슨 이유가 있지 않을까요?

문제가 있죠. 문제가 있습니다. 대부분 사양산업에 있는 업종들이라는 점입니다. 즉 미래가 없는 기업들이죠. 슬픈 말이지만 지금 가지고 있는 현금을 계속 까먹다가 사라질 기업으로 보기 때문에 주가가 오르지 않는 겁니다.

운동선수들도 어릴 때는 유망주 소리를 들으면서 많은 계약금을 받고, 이후에 실력이 성장하며 점점 연봉도 오르고, 팀의 에이스가 되어 최고 연봉도 받아 봅니다. 그러나 이후 나이가 차고 실력이 점점 떨어지면서 연봉이 내려가고, 후에는 팀에서 방출되고, 그때까지 번 돈으로 평생을 먹고살아 가는 경우가 많습니다.

사양산업의 기업들도 그렇습니다. 한때는 유망한 업종으로 잘나갔지만 새로운 기업들이 등장하면서 업황이 점점 나빠집니다. 그리고 이제는 매출도 신통치 않고 기존에 벌어 놓았던 돈만 까먹고 있습니다. 이런 기업을 가치주라고 떠받들며 주식을 사는 사람들이 얼마나 될까요?

물론 제가 기업사냥꾼이라면 이야기가 바뀝니다. 이 기업을 인수해서 현금 빼먹고, 부동산 팔아 빼먹은 다음 청산 시키면 몇 배의 돈을 벌 수 있겠죠. 하지만 대주주의 지분이 많아 기업을 빼앗을 수도 없을 것이니 큰손들도 이 기업에 투자할 매력이 없죠. 세력도 없고 개인투자자도 없는 이 종목에서 미래를 발견하기는 쉽지 않습니다. 즉 남들이 버렸기 때문에 주가가 저평가로 남아 있는 것이죠. 이것이 저PBR의 함정입니다.

아래 한국전력의 주가를 한번 보시죠.

한국전력의 주가 추이

한국전력은 시가총액 순위 19위인 기업으로 10조가 넘는 회사인데요. 이 회사의 순자산은 50조입니다. 제가 10조만 있다면 이 회사를 사들여서 자산을 다 팔아 버리면 40조가 남는 장사가 되죠. 그러면 생각해 봅시다.

이 회사는 왜 저평가일까요?

큰 이유는 돈을 벌지 못하기 때문입니다. 한국전력은 전기를 만들어 파는 회사죠. 유일한 독점권을 가지고 있는 환상적인 기업임과 동시에 국가가 소유한 기업으로 가격을 함부로 올리지 못하는 단점을 가졌습니다.

이 회사는 옛날에 대표적인 배당주로 통했습니다. 그럭저럭 돈을 벌었고 배당도 줬습니다. 원자력발전 덕분에 저렴하게 전기를 생산하고 팔아 이익도 많이 났어요. 거기에 유가가 천천히 하락하는 추세가 되어 원료 가격도 낮아져 이익이 더해졌죠.

2015년이 전설이었는데 당기순이익만 13조 4,000억이 나옵니다. 지금의 시가총액을 넘어가 버리죠. 이때 수익의 15%를 배당금으로 줬는데 주당 3,100원이었습니다. 지금 주가가 2만 원이니까 배당수익률만 15%에 육박하는 초고배당주였죠(당시 주가로는 6.2%). 거기에 당시 PER이 2.4였으니 성장주에 고배당주에 저평가주였습니다. 삼박자가 맞아떨어지던 시기에 주가는 2만 원에서 6만 원까지 올라갑니다.

그런데 그 후, 원자력발전을 버리기로 하면서 화력발전 비율이 올라가자 저유가에도 불구하고 이 기업은 적자를 지속합니다. 그리고 배당금도 몇 년째 주지 않고 있습니다. 주가는 다시 1/3 토막이 났고요. 그래서 주식시장에서는 한국전력이 미래가 없다고 보고 소외시켰습니다.

저PER의 함정도 있습니다.

당장은 수익이 좋아서 PER이 3도 안 되는 기업들이 있습니다. 요즘은 은행주들이 그렇죠. PER이 3이라는 것은 투자해서 3년이면 본전을 뽑는 기업이라는 것이고, 100 나누기 PER 3배를 하면 연 투자수익률은 33.3%로서 환상적인 기업이 됩니다. PER 10을 평균으로 본다면 이 주식은 3배 이상 올라야 한다는 것이죠. 그런 이유 때문에 이 기업의 주식이 저렴하다고 투자하는 사람들이 있습니다.

이 투자는 잘한 투자일까요? 정답은 '반은 맞고 반은 틀리다'입니다.

기업의 이익은 꾸준하지 않습니다. 잘 벌 때도 있고 못 벌 때도 있죠. 만약에 지금은 잘 벌어도 앞으로 이익이 감소할 것으로 보이면 주가는 오르지 않습니다. 올해 난 이익이 기업의 영업과 관련 없는 일회성 이익이어도 주가는 오르지 않습니다. 오히려 적자가 나고 있어도 앞으로 이익이 많이 날 것 같은 기업의 주가는 크게 오릅니다. 그렇다면 결론은 '주가는 꿈을 먹고 자란다'입니다. 즉 앞으로 이익이 늘어날 수 있는 기업에 투자를 해야 한다는 것이죠.

우리금융지주를 한번 보시죠.

우리금융지주의 주가 추이

시가총액이 5조가 넘는 이 기업은 우리은행으로도 잘 알려져 있습니다. 이 기업이 1년에 벌어 오는 순이익은 2조입니다. PER이 3도 안 되는 기업이죠. 시가총액 상위주 중에서 가장 저평가인 기업입니다. PBR도 0.3이 안 되는 자산 대비 저평가인 상태인데, 이렇게 돈 잘 벌고 저렴한 이 주식은 왜 오르지 않는 걸까요?

문제는 대부분의 은행주들 주가가 이런 저평가라는 겁니다. 대부분 PER이 2~4 정도로 일반 업종들의 PER인 10보다 훨씬 낮게 형성되어 있죠.

다들 현재까지는 최고의 순이익을 뽑고 있지만 문제는 미래입니다. 금리가 내려감에 따라 동시에 대출이자도 내려가면 순이자마진이 줄기 때문에 앞으로의 이익이 줄어들 것이라는 전망이죠.

게다가 경기가 심각한 불황으로 들어가면서 '빌려준 돈을 못 받는 사태가 벌어지지 않을까?' 하는 우려가 생기고 있습니다. 기업의 줄도산이나 주택이 경매로 줄줄이 나오는 사태가 벌어지면 빌려준 돈을 떼이게 되고, 그럼 은행들의 이익이 확 줄어들 수 있죠. 새로운 성장 동력으로 해외 진출을 했지만 그다지 이렇다 할 실적을 내지 못하고 부실 가능성만 늘어났습니다.

이런 상황에서 앞으로의 이익이 지금 같지 않을 것이라는 판단을 할 수 있습니다. 그래서 주가는 계속 하락한 것이고요.

주가가 다시 오르려면 이런 부실 가능성이 사라지고, 금리가 올라서 순이자마진이 오르고, 경기가 좋아지면서 기업 대출이 늘고, 부동산 시장이 좋아지면서 아파트 대출이 늘어야 합니다. 그러면 주가는 제자리를 찾아갈 수 있습니다. 하지만 이 시점에서 그렇게 생각하는 사람은 거의 없습니다.

📍 미래가 없는 주식은 주가가 오르지 않는다

자, 아무리 돈을 잘 벌고 자산 대비 저평가여도 미래가 없는 주식은 주가가 오르지 않는다는 것을 배웠습니다. 그러면 여기에 무엇을 더하면 훌륭한 투자가 될 수 있을까요?

첫 번째는 꿈을 심어 줘야 합니다. 실적이라는 꿈을요. 저평가 주식이 꿈을 만나면 주가는 어떻게 될까요?

2000년에 7만 원 하던 롯데칠성은 꿈과 희망이 생기자(자세한 설명은 '271~277쪽' 참조) 2년 만에 80만 원이 되고, 7년 뒤에는 150만 원이 되었습니다. 제가 투자했던 아세아시멘트는 2011년에 3만 원 아래였던 주가가 건설경기가 돌아오고 실적이 살아나면서 2014년에 12만 원까지 갔습니다. 저평가 주식이 꿈을 갖게 되면 주가는 무섭게 올라갑니다.

두 번째는 배당입니다.

2017년에 3,000원 아래였던 쌍용양회는 새로운 주인을 만나 배당금을 늘리면서 주가가 1년 만에 7,000원으로 올라갑니다. 매출과 이익이 크게 늘지 않았음에도 말이죠.

시가배당수익률이 7%가 넘어가면 은행에 돈을 맡기는 것보다 몇 배나 이득이 됩니다. 당연히 주가가 오를 수밖에 없죠. 그래서 배당을 많이 주는 기업은 주가가 잘 내려가지 않습니다.

투자 꿀팁을 드립니다

무조건 저렴하다고 사들이는 것은 좋은 투자법이 아닙니다.

왜 워런 버핏이 PER이 높고 PBR이 높아도 그 기업들을 사들였는지 한번 고민해 봐야 합니다. 주주들은 불만을 표했지만 시간이 지나고 보니 워런 버핏의 말이 맞았죠.

'주가는 꿈을 먹고 자란다'는 교훈을 잊지 마시길 바랍니다.

회사가 어려운 시기에 있을 때가
그 회사를 사야 할 시기다.

워런 버핏

04 ROE 30%가 넘는 기업에 투자하라

워런 버핏의 연평균 수익률은 28.7%입니다.

워런 버핏이 단기매매를 하는 사람이 아니라 장기투자자라는 점을 생각해 보면, 그가 보유한 주식들의 주가가 연평균 30%씩 증가했다고 볼 수 있습니다. 어떻게 이런 일이 가능했을까요?

기업들의 주가가 30%씩 계속 오르려면 기업의 성장률도 평균적으로 매년 30%씩 성장해야 합니다. 그래서 "높은 ROE를 보여 주는 기업에 투자하라"고 말하는 거죠. 그런데 ROE만 보고 투자했다가는 자칫 낭패를 볼 수도 있습니다. 그럼 ROE를 어떻게 보고 투자해야 하는지 같이 알아봅시다.

📍 성장 가능성이 높은 기업 찾기

주식시장은 성장성이 높은 기업을 좋아합니다. 성장하는 기업의 주가는 안 오른 것이 없습니다. 굉장히 확률 높은 투자죠? 쉽게 예를 들어 볼까요?

치킨집을 인수하려는 김호구 씨는 최욕심 씨가 치킨집을 내놓는다는 소문을 듣고 찾아갔습니다.

김호구 1년에 순이익이 얼마입니까?

최욕심 1년에 순이익 5,000만 원이 나옵니다. 포스기 찍어 보면 알 것이오.

김호구 그러면 PER 10 기준으로 5억에 인수하면 될까요?

최욕심 씨는 펄쩍펄쩍 뜁니다.

최욕심 잘 들어 보시오. 재작년에는 순이익이 1,250만 원, 다음 해는 2,500만 원, 올해는 5,000만 원이 나왔어요. 그러면 내년에는 순이익이 얼마나 될 것 같습니까?

김호구 1억이요.

최욕심 그렇죠. 그럼 그다음 해에는? 그리고 후년에는?

김호구 2억, 4억이요.

최욕심 그러면 3년 뒤에 내놓으면 40억에는 팔릴 수 있는 가게를 당신 같으면 5억에 팔 수 있겠소? 내후년 PER 10 기준으로 해서 20억에 파는 걸로 합시다.

김호구 씨는 잠시 고민을 해 봅니다.

'이러면 현재 PER이 40이나 되는데(20억 원÷5,000만 원), 너무 비싼 건 아닐까?' '아니야, 이익이 증가하는 속도를 봐봐. 5년 뒤에는 순이익이 16억이네. 이런 가게를 20억에 사는 건 기회야. 지르자.'

김호구 씨는 20억을 주고 가게를 인수했습니다. 그럼 김호구 씨의 행동은 잘한 것일까요?

김호구 씨 입장에서는 당장은 비록 시세보다 비싸게 주고 치킨집을 인수했지만, 앞으로 순이익이 계속해서 증가할 것이라는 기대감이 있기 때문에 충분히 싸게 산 것이라고 생각했을 것입니다. 그리고 최욕심 씨는 앞으로의 성장성을 인정받았기 때문에 비싼 가격에 치킨집을 팔 수 있었던 것입니다. 즉 여러분들 또한 수익을 내려면 지금의 가치보다는 기업의 성장성을 보고 주식을 사야 합니다.

성장하는 기업의 주식은 자본 대비 이익률인 ROE가 높고 시가총액을 순이익으로 나눈 PER도 매우 높게 나옵니다. 이익이 날로 증가할 것이라는 기대감으로 높은 주가가 당연하다고 생각되죠. 실제로 버핏도 이런 기업에 투자해서 많은 수익을 올렸습니다.

이쯤에서 다시 복습을 해 봅시다. ROE는 1년간의 당기순이익÷자본총계라고 했죠? 즉 가지고 있는 자본 대비 얼마나 효율적으로 현금을 뽑아내느냐입니다. 같은 1억을 벌어도 10억을 투입해서 버느냐 100억을 투입해서 버느냐라고 볼 수 있죠.

두 자녀가 있는데 첫째는 1억을 버는 사업을 할 테니 10억만 달라고 하고, 둘째는 1억을 버는 사업을 할 테니 100억을 달라고 하면 누구에게 줘야 할까요? 저라면 첫째에게 100억을 맡길 겁니다. 그러면 10억을 벌 수 있겠죠. 투자자들의 마음도 똑같습니다.

그래서 ROE가 높은 기업이 더 매력적으로 다가오고, 주가가 오를 수밖에 없는 것이죠. 앞서 말한 대로 워런 버핏의 스승 벤저민 그레이엄은 저PER, 저PBR에만 집중했지만, 버핏은 이를 기반으로 높은 ROE에 더 비중을 두었습니다. 결과는 많이 달랐죠.

그럼 우리는 간단하게 말하면 ROE가 높은 기업을 찾으면 됩니다. ROE가 높은 기업을 어떻게 찾느냐면 주식프로그램에 들어가 '조건검색-ROE 순' 정렬을 누르시면 됩니다.

이러면 ROE가 높은 기업들이 순서대로 나오죠. 그다음 이 기업들의 진짜 ROE가 얼마인지 하나씩 보면서 분석을 하고, 확신이 오면 투자하면 됩니다.

재무검색 ∨

ROE 순

조건설정 >

PER(배)	1 ~ 7	PBR(배)	0 ~ 1
영업이익률(%)		ROE(%)	
EV/EBITDA		배당수익률(%)	

	종목명 기준값	현재가 거래량	등락폭 등락률
1	원익 50.97	2,945 ▼ 44,049	55 1.83%
2	푸드웰 50.19	5,340 ▲ 89,918	90 1.71%
3	KG ETS 49.82	4,320 ▲ 3,683,715	275 6.80%
4	대명코퍼레이션 47.51	1,170 ▲ 314,575	20 1.74%
5	한컴위드 36.52	2,385 ▼ 103,140	95 3.83%
6	KG케미칼 32.68	12,000 ▼ 156,895	150 1.23%
7	신풍제지 32.24	1,190 ▼ 327,062	65 5.18%

KOSDAQ 604.31 ▼ 6.95 (1.14%) 정규장

☰ ⌂ 관심종목 주식현재가 종합차트 주식주문 >
메뉴 Home

ROE가 높은 기업 찾기

📍 그냥 ROE, 진짜 ROE 구별하기

제가 분명히 진짜 ROE를 보라고 말씀드렸습니다. 즉 그냥 ROE가 있고 진짜 ROE가 있다는 말씀입니다. 그냥 ROE는 뭐고, 진짜 ROE는 뭐냐고요? 예시를 보여 드릴게요.

여기에 눈에 띄는 알짜 기업이 있네요. KG케미칼입니다.

2003년에 곽재선 회장이 경기화학을 인수해 KG케미칼로 사명을 바꾸었고, 이후로 KG케미칼은 엄청난 인수를 통해 KG이니시스, 버거킹코리아, 이데일리신문사, 동부제철, 옐로우캡 등 알짜 회사를 거느린 지주회사가 되었습니다.

KG케미칼은 매출은 급성장하고 있지만 아직 고ROE를 낼 만큼은 아닌 것으로 알고 있는데, 어찌된 일인지 한번 보시죠.

KG케미칼의 ROE

2019년도 사업을 보면 KG케미칼의 ROE가 32%를 넘는 일이 벌어졌습니다. 그동안 ROE가 1%대였던 저성장 기업의 순이익이 갑자기 2,193억으로 뛰어오른 것이었습니다. 순이익이 10배 가까이 성장하게 된 이유를 찾아봐야죠?

매출도 두 배로 뛰고, 영업이익도 400억이나 늘었습니다. 하지만 이상한 점을 찾아야 합니다. 주식투자를 하실 때는 끊임없이 의심하셔야 해요. 어떻게 영업이익보다 순이익이 두 배 더 많을 수가 있을까?

영업이익이 아닌 돈이 어딘가에서 들어왔다는 점, 매출이 크게 뛰었다는 점 등을 볼 때 혹시 뭘 인수한 건가 확인해 봐야죠.

뉴스를 검색해 봤더니 역시나 기업을 하나 인수했네요. 습관이 무섭습니다. 고기도 먹어 본 사람이 잘 먹는다고 계속 인수를 하는 습관이 어디 안 가죠. 동부제철을 그해에 꿀꺽 했습니다. 그래서 매출이 늘어난 것이네요.

KG그룹의 동부제철 인수 관련 기사

그래도 이해가 가지 않는 것이 있습니다. 어떻게 영업이익이 400억 늘고, 순이익은 그것보다 두 배가 되었을까요? 영업이익이 아니면 자본이익이라는 것인데, 동부제철의 재무제표를 봐야 할 것 같네요.

동부제철은 몇 년째 적자가 심각한 기업입니다. 국내 5대 철강회사 중 하나지만 업황이 나빠지고 전기로 유지비가 많이 들면서 적자를 지속했습니다. 그 결과 채권단으로 넘어간 기업이 4년 만에 KG케미칼로 인수된 것입니다.

그런데 보다시피 순이익이 적자인데, 어떻게 이 기업이 KG케미칼로 넘어오면서 모기업을 순이익 흑자로 돌아서게 했을까요?

또 의심해 봅시다. 답은 부채비율에 있습니다.

부채비율이 3만 8,000%가 넘는 노답회사에서 164%인 정상 수준의 회사로 뚝 떨어졌죠?

기간		2018.12 IFRS연결	2019.12 IFRS연결	2020.12 ⑫ IFRS연결
매출액	2	25,451	24,283	
영업이익	8	-164	346	
당기순이익	5	-661	-335	
영업이익률	5	-0.64	1.43	
순이익률	0	-2.60	-1.38	
ROE	5	-278.19	-7.44	
부채비율	3	38,840.82	164.80	
당좌비율	0	47.23	61.08	
유보율	3	-98.54	59.56	

동부제철의 부채비율

KG케미칼이 동부제철을 인수하는 조건에 채권단이 **8 대 1 차등감자**[주식 8주를 하나로 줄여 버리는 것을 뜻합니다. 이것은 채권단에는 불리하고, 인수기업에는 유리하죠]를 해 주고, 부채 만기일을 늘려 주고, 이자를 연 2%로 고정해 주는 파격 대우가 들어 있었습니다. 그래서 동부제철을 인수하면서 자본이익이 난 것이죠.

그렇다면 2019년에 나온 이익은 일회성 이익이고, 고ROE 역시 일회성 ROE입니다. 우리가 찾는 고ROE를 오랫동안 유지해 줄 수 있는 회사가 아니죠. 탈락입니다.

다시 찾아봅시다.

아래쪽 순위에 제가 아는 기업이 하나 나옵니다. 아프리카TV네요. 우리가 아는 비제이(BJ)들 나오는 그 회사 맞습니다. 바로 재무제표부터 봅니다.

ROE가 3년 내내 오르고 있네요. 23%에서 25%, 그리고 2019년에는 32%가 나왔습니다. 좋네요. 보통은 기업이 성장하면서 ROE가 떨어져야 하는데 ROE가 늘고 있습니다.

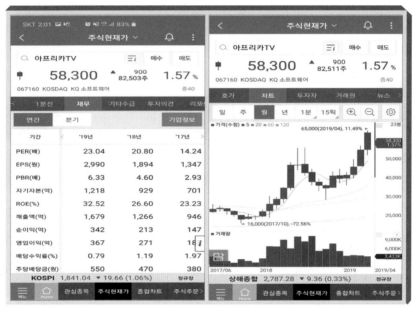

아프리카TV의 재무제표와 주가 추이

자본을 줄이거나 강제로 배당을 내려서 자본 다이어트를 하는 기업들도 있는데, 자기자본을 보면 자본도 팍팍 느는 것이 보이죠. 맞아요. 이 기업은 진짜입니다.

매출과 이익도 보시죠. 매출액이 매년 30%씩 늘고, 영업이익도 100억씩 늘고, 순이익도 100억씩 느는 모습입니다.

매출, 이익, 자본이 늘면서 ROE가 30%가 넘는 기업은 정말 찾기 어렵습니다. 그런데 찾았네요.

그러면 주가를 볼까요? 아직 오르지 않았다면 정말 전 재산을 걸어 볼까 싶습니다.

아… 2017년 최저 1만 6,000원에서 2019년 6만 6,000원까지 올랐던 주식이네요. 무려 4배나 올랐습니다. 이런 기업은 저만 좋아하는 게 아니죠. 모두가 좋아하니 ROE가 30%를 찍었을 뿐인데 주가가 4배나 올라 버립니다.

투자 꿀팁을 드립니다

ROE가 높은 기업에 투자하는 방법을 다시 정리해 드리면, 다음과 같습니다.

① ROE 높은 순으로 조건 검색

② 3~5년간 ROE가 꾸준하고, 늘고 있는지 확인

③ 자본이 늘어나고 있는지 확인

④ 매출이 느는지 확인

⑤ 이익이 느는지 확인

⑥ 주가가 올랐는지 확인

⑦ 주가가 많이 오르지 않았으면 의심하기

⑧ 특별한 악재가 없으면 얼른 매수

⑨ 상황에 관계없이 오랫동안 보유

⑩ ROE가 떨어지고, 매출 이익증가가 감소하면 매도

친구가 가게를 하는데 저한테 동업을 하자고 합니다.

그러면 무조건 OK할 것이 아니라. 가게에 빚은 얼마나 있는지, 고객은 느는지, 메뉴는 경쟁력이 있고 수익은 잘 나는지, 하루 매상은 얼마인지, 주변에 경쟁 가게는 몇 개나 있는지, 유행을 타지 않고 꾸준히 인기가 있을지 등등 고려해야 할 것이 한두 가지가 아닙니다.

동네 가게도 이런데, 기업과 동업을 한다고 생각해 보세요. 고려해야 할 사항이 얼마나 많을까요? 마찬가지로 주식투자를 하려면 그 기업이 어떤 사업으로 어떤 상품을 팔아 돈을 버는지를 자세히 알고 있어야 합니다. 그래서 이번에는 주식투자자라면 최소한 알아야 할 기업 정보들에 대해서 알려 드리도록 하겠습니다.

📍 시황, 리포트로 기업 전망 분석하기

기업을 빠르게 분석하는 방법으로는 **시황**[주식이 시장에서 매매되거나 거래되는 상황]을 확인하는 방법과 증권사에서 분석한 리포트를 보는 방법이 있습니다. 누군가가 공을 들여서 조사하고 분석한 것을 편하게 볼 수 있고, 시간을 절약할 수 있다는 장점이 있죠.

그래도 가장 빠르고 편한 방법은 신문 읽기입니다.

신문의 경제면에는 최근에 발생한 경제 이슈들과 산업, 기업에 대한 정보, 주식시장의 상황이 나와 있습니다. 종이신문보다 인터넷신문으로 더 빠르게 정보를 접할 수 있습니다. 발생한 지 30분도 되지 않은 사건이 속보로 나오기 때문에 인터넷뉴스는 시간이 될 때마다 확인하는 것이 좋습니다.

인터넷뉴스를 보는 방법은 여러 가지가 있지만, 네이버 메인 화면의 '금융' 카테고리를 통해 편하게 검색할 수 있습니다. 속보, 주요 뉴스, 시황, 종목 분석 등으로 분류가 잘 되어 있어 원하는 기업에 대한 정보를 빠르게 확인해 볼 수 있습니다.

인터넷뉴스로 기업 정보 확인하기

주식 종목에 대한 뉴스와 공시를 알고 싶다면 뉴스/공시 탭을 클릭하면 해당 종목의 뉴스와 공시를 한눈에 볼 수 있습니다. 주가에 영향을 줄 만한 뉴스와 공시가 떴다면 이를 반드시 확인해야 합니다. 그래야 주식을 더 살지, 팔지, 아니면 들고 갈지를 판단하고 대처할 수가 있습니다.

네이버로 종목 공시 확인하기

　좀 더 깊이 있는 내용을 알고 싶다면 경제주간지를 구독하는 방법도 있습니다.

　매일 나오는 경제신문은 빠르게 정보를 전달해 주지만 깊이 있는 내용은 다

루지 못하는 경우가 많습니다. 느리지만 매주 나오는 경제주간지는 심층 분석을 해 주기 때문에 경제 소식을 깊이 있게 이해하는 눈을 갖게 해 줍니다. 주식 초보자라면 경제주간지를 1년간 구독하면서 경제에 대한 눈을 넓히는 것이 좋습니다.

또 증권사 애널리스트들이 기업을 분석한 보고서도 무료로 볼 수 있는데요. 투자에 필요한 내용들과 앞으로의 전망까지 잘 정리해서 올렸기 때문에 투자자는 이를 보고 투자에 대한 정보를 얻을 수 있습니다. 과거와 현재에 대한 데이터 분석과 이를 추세로 기업의 미래까지 어느 정도 예측을 해 주고 애널리스트의 투자 의견도 볼 수 있기 때문에 참고 자료로 가치가 높은 편입니다.

한경컨센서스 리포트

증권정보 사이트나 주식투자 카페에서도 여러 주식투자자나 전문가의 글을 볼 수 있습니다. 이들의 의견이 무조건 맞는다고 볼 수는 없지만, 다양한 관점과 다수의 생각이 어떻게 움직이고 있는지를 파악하는 데 좋습니다. 다만, 수많은 예측성 글들 속에서 근거 없는 루머들이 조성되기 때문에 전문가의 글이 아닌 일반인의 글은 신뢰도가 떨어지는 편입니다.

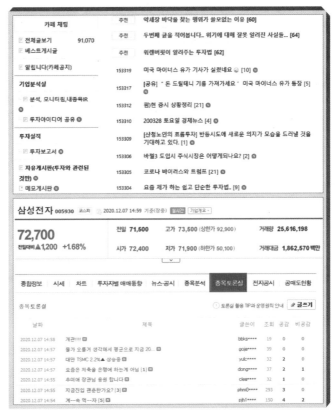

네이버 투자 카페와 네이버 종목 토론방

네이버 카페에는 수많은 주식투자 카페들이 있고, 여기에서도 좋은 분석 글을 찾아볼 수 있습니다. 네이버 종목정보의 종목토론실에도 찬반 의견이 활발히 진행 중이고, 카페의 자유게시판에서도 찬반 토론이 활발히 진행되고 있습니다. 찬성과 반대의 근거를 보고 사실을 확인한 후 투자에 대한 결정을 하면 됩니다.

경제 뉴스를 주식 투자에 활용하는 2가지 방법

그럼 경제 뉴스를 주식투자에 어떻게 활용하면 되는지 볼까요?

경제 상황을 분석하고 국가와 업종을 찾은 다음 앞으로 가장 많이 오를 기업을 찾는 방식을 탑다운(Top-down) 방식이라고 합니다. 점점 범위를 좁혀 나가는 방식이죠.

반대로 기업을 분석하고, 그 업종을 분석하고, 그다음 국가 상황을 보고, 마지막으로 세계경제 흐름을 본 다음 투자를 결정하는 방식이 바텀업(Bottom-up) 방식입니다.

두 접근법이 완전히 반대되는데 때로는 탑다운, 때로는 바텀업을 사용합니다. 초보자들이 투자 기업을 찾는 눈을 기르는 데 도움이 되므로 둘 다 알아보도록 하죠.

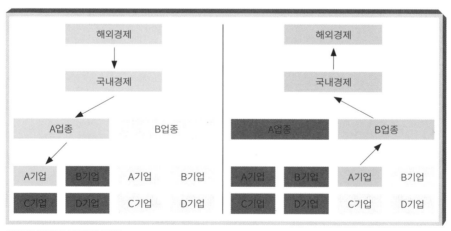

탑다운 방식과 바텀업 방식

탑다운 방식의 예를 들어 보도록 합시다.

세계적으로 경기가 활황이 오고, 유가가 오르고, 무역이 활발해지면서 선박 운임이 올라가는 상황이라고 해 봅시다. 그러면 우리나라에서는 어떤 일이 벌어질까요? 우리나라도 무역이 활발해지면서 수출이 늘고, 선박 운임이 오르니 배를 주문하려는 수요가 늘어날 것입니다. 그러면 우리나라로 선박 주문이 늘고, 조선사들의 실적이 껑충 뛰겠지요? 그럼 우리나라 조선사 A, B, C, D 중 어디에 투자하면 좋을까요? 가장 기술력이 좋고, 배를 많이 만들 능력이 있고, 부채가 거의 없고, 영업이익률이 좋은 회사인 A에 투자하는 것이 가장 유리한 선택이 되겠죠? 그러면 미리 A 주식을 사 두고, 주가가 충분히 오를 때까지 기다리는 투자 방식이 탑다운 방식입니다.

반대로 바텀업 방식은 기업을 먼저 보는 것이죠.

우연히 기업 정보를 보다가 배당이 우수하고, 매출과 이익이 꾸준히 늘어나는 A라는 정유업체를 알게 되었습니다. 그러면 앞으로도 이렇게 성장할 수 있는지가 궁금하겠죠?

우리나라 정유업종은 어떤지를 확인해 보니 경쟁이 치열하지 않았지만 국내 경제를 보니 앞으로 호황일지 불황일지 판단이 서지 않았습니다. 그리고 해외 상황을 보니 미국과 중국에 정유업체가 대규모로 완공 예정이고, 싱가포르 정제마진을 확인하니 마이너스를 기록 중이고, 유가가 들쭉날쭉해서 유가를 예상할 수가 없고, 세계경제가 침체 중이라 공장가동률이 하락하고 있다고 판단하면 이 기업에 지금은 투자할 때가 아닌 겁니다.

이렇게 탑다운과 바텀업 방식을 통해서 기업에 투자할지를 결정할 수 있고, 뉴스나 공시, 증권사 리포트를 보고도 투자를 결정할 수 있습니다.

📍 사업보고서를 통해 기업 알짜 정보 분석하기

뉴스나 시황, 리포트, 인터넷 카페 토론방의 정보들은 편하게 취득할 수 있다는 장점이 있습니다. 문제는 이들의 주장을 그대로 믿고 투자하기가 부담스럽다는 거죠. 마치 식당 음식의 재료 상태를 알 수 없기 때문에 신뢰를 하지 못한다는 주장과도 같은데요. 이럴 경우 해결책이 있죠. 본인이 직접 재료를 구해서 요리를 해 먹으면 됩니다.

주식투자도 그렇게 가능합니다. 본인이 직접 기업 정보를 구해서 분석을 하고, 데이터를 만들어 투자의 근거로 활용하면 됩니다. 본인이 일일이 조사한 자료이기 때문에 믿을 만한 근거가 되는 것이죠.

그러기 위해서는 기업의 사업보고서가 필요합니다. 이 보고서는 금융감독원 전자공시시스템(http://dart.fss.or.kr)에서 확인할 수 있습니다.

금융감독원 전자공시시스템

　　사업보고서는 매년 기업의 실적과 상황을 보고하는 보고서입니다. 1년에 한 번씩만 나오기 때문에 최근의 상황을 알고 싶다면 분기보고서(3개월마다), 반기보고서(6개월마다)를 확인하는 방법도 있습니다.

사업보고서에서 반드시 확인해야 하는 것들

사업보고서에서 우리가 반드시 확인할 것이 있습니다.

첫째는 주식의 숫자 변동입니다.

　　사업보고서에는 보통주와 우선주의 발행, 자사주, 주식의 증감 현황 등이 나와 있습니다. 주식 수는 **주당순이익(EPS)**[당기순이익을 주식수로 나눈 값]과 **주당순자산(BPS)**[전체 자산에서 부채를 뺀 순자산가치를 주식수로 나눈 것]에 직접적인 영향을 주고, 의결권, 배당금, 자사주를 제외한 실제 주식 수를 알 수 있는 정보이므로 사업보고서가 나올 때마다 기본적으로 확인을 해야 합니다.

만약 **유상증자**[주식을 발행해서 자금을 조달하는 방법, 주식 수가 늘어납니다]를 했다면 이익과 순자산, 배당금이 희석되기 때문에 주가에 나쁜 영향을 줍니다. 하지만 유상증자를 통해 들어온 돈으로 그 이상의 이익을 낼 수 있다면 주가에 좋은 영향을 줄 수도 있습니다.

두 번째는 사업에 대한 내용입니다.

사업에 대한 내용에는 기업이 어떤 사업을 하고 있는지에 대한 정보와 성장성, 경쟁 요소, 점유율에 대한 내용들이 전반적으로 담겨 있습니다. 기업이 공식적으로 작성한 문서이기 때문에 신뢰도가 높습니다. 이를 보고 투자에 판단할 데이터를 수집하면 됩니다.

즉 제품군, 매출 비중, 수출·수입 비중, 시장 점유율, 원재료 가격, 국내외 시장여건 등의 정보를 찾아서 분석해 보고, 이를 경쟁사의 사업보고서와도 비교해 봐야 합니다. 이처럼 투자하려는 기업의 상황이 어떤지를 객관적인 데이터를 통해 확인해 보는 것이 중요합니다. 아래는 진에어의 사업보고서인데요.

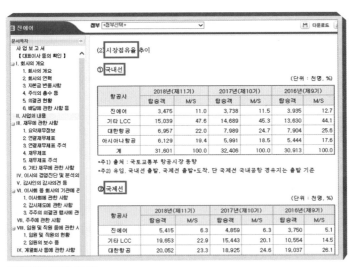

진에어의 사업보고서

국내선과 국제선의 점유율이 나와 있습니다. 이를 보면 이 기업의 위치가 경쟁사 대비 어느 정도인지 알 수 있고, 점유율 증가 속도를 통해 앞으로의 매출도 가늠해 볼 수가 있습니다. 그 외에도 비행기 보유 대수, 원재료 가격, 세부적인 매출 실적, 운항 시간 등 기업이 별로 공개하고 싶지 않을 만한 정보들도 상세히 노출되어 있습니다.

그 이유는 주식시장에 상장된 기업은 투자자들에게 정보를 알려야 할 의무가 있기 때문입니다. 만약 주식시장에 상장된 기업이 아니라면 이렇게까지 자세히 공개하려고 하지 않겠지요. 이렇듯 사업보고서를 읽고 투자하는 것은 투자자의 권리입니다.

세 번째는 재무제표입니다.

재무제표는 일정 기간 기업의 상태를 나타내는 회계보고서로, 기업이 활동한 사항을 수치로 나타낸 것입니다. 크게 대차대조표, 손익계산서, 현금흐름표로 구성되어 있습니다.

이를 보고서 이 기업의 매출과 이익이 얼마나 증가했는지, 기업의 자산과 부채는 어떤 상황인지, 현금흐름은 얼마나 원활한지를 확인할 수가 있습니다.

사업보고서에는 이러한 변화의 이유에 대해서도 상세하게 작성되어 있기 때문에 해당 기업에 대해 확실하게 알고자 한다면 꼭 읽어 보시길 바랍니다.

예를 들어 볼까요?

유형자산은 형체가 있는 자산이고 무형자산은 형체가 없는 자산입니다. 다음 페이지에 나온 기업은 최근 유형자산이 감소하고 무형자산이 늘었는데, 그 이유를 사업보고서에서 찾을 수 있습니다.

재무제표 아래에 표시된 주석1을 보면, 소프트웨어 개발이 완료되어 건설 중인 자산이 사라지고 소프트웨어로 대체되었다고 나옵니다. 프로그램 개발 중에는 형체가 있는 자산으로 분류를 하지만, 개발이 완료되면 무형자산으로 이동하게 되는 겁니다. 사업보고서에 나와 있는 이 주석을 보지 않았으면 왜 유형자산이 감소했는지 몰랐을 겁니다.

이렇듯이 재무제표 수치만으로 이해가 어려운 것들이 주석으로 설명되어 있어 기업에 대한 충분한 이해를 제공하고 있습니다.

1. 요약재무정보

가. 요약연결재무정보

(단위 : 백만원)

구 분	2018년(제11기)	2017년(제10기)	2016년(제9기)
	2018년 12월말	2017년 12월말	2016년 12월말
[유동자산]	426,986	399,181	215,088
· 현금및현금성자산 등	425,582	398,792	214,711
· 재고자산	1,404	389	377
[비유동자산]	92,540	99,094	87,167
· 투자자산	9,788	4,153	3,165
· 유형자산	29,421	51,883	40,676
· 무형자산	6,580	906	738
· 기타비유동자산	46,751	42,152	42,588
자산총계	519,526	498,275	302,255
[유동부채]	233,661	232,714	185,395
[비유동부채]	19,671	33,761	38,946
부채총계	253,332	266,475	224,341
[지배기업 소유주지분]	266,194	231,800	77,914
· 자본금	30,000	30,000	27,000
· 기타불입자본	91,757	91,757	-
· 기타자본구성요소	△100	△209	△61
· 이익잉여금	144,537	110,252	50,975

〈전기말〉

(단위: 천원)

구 분	취득가액	상각누계액	장부금액
소프트웨어	2,413,225	(1,507,442)	905,783

(2) 당기와 전기 중 무형자산 장부금액의 변동내역은 다음과 같습니다.

〈당기〉

(단위: 천원)

구 분	기초금액	취 득	상각비	대체(*1)	기말금액
소프트웨어	905,783	19,813	(1,347,258)	6,466,581	6,044,919
기타무형자산	-	199,321	(26,397)	1,364	174,288
건설중인자산	-	1,862,953	-	(1,501,979)	360,974
합 계	905,783	2,082,087	(1,373,655)	4,965,966	6,580,181

(*1) 당기 중 건설중인자산(유형자산)에서 소프트웨어로 5,017,778천원 대체되었고, 기타판매관리비로 51,811천원 대체되었습니다.

〈전기〉

(단위: 천원)

구 분	기초금액	취 득	상각비	대체	기말금액
소프트웨어	738,495	211,090	(237,402)	193,600	905,783

기업의 재무제표

그럼 "사업보고서를 다 읽으려면 시간이 많이 걸리는데 일일이 다 읽어야 하느냐?"고 질문할 수도 있을 것 같아요.

답변을 드리자면 사업보고서를 읽는 것은 마지막 단계입니다. 먼저 뉴스, 시황, 리포트를 읽고 나서 투자를 해야겠다고 결심이 든 기업의 사업보고서를 마지막에 읽어 보고 투자를 결정하는 것이 좋습니다.

사업보고서는 그 두께가 엄청나고 양이 많기 때문에 이를 다 읽고 이해를 하기 위해서는 많은 시간이 걸립니다. 그렇기 때문에 먼저 읽을 필요가 없습니다. 다만, 사업보고서에는 분명히 투자 여부를 판단할 근거가 들어 있다는 것을 알아야 합니다.

주식투자를 하는 사람들이 기업들의 사업보고서를 모두 다 읽어 보지는 않습니다. 설령 어떤 사업보고서를 읽는다 하더라도 그 기업에 대해 파악하려면 시간이 걸립니다. 그 사이에 내가 사업보고서를 읽고 그 기업에 대해 파악을 끝내면 내게 먼저 투자의 기회가 오게 됩니다. 저도 사업보고서를 읽고 투자를 해 많은 수익을 낸 적이 있었습니다.

그래서 만약 사업보고서를 읽기로 작정하셨다면 꼼꼼히 읽어 볼 것을 권해드립니다.

비상장주식도 사업보고서를 볼 수 있나

요새는 주식시장에 상장되지 않은 기업에 미리 투자해서 상장 시 대박을 노리는 사람들도 많은데요. 하지만 상장되지 않은 기업의 정보를 알기란 정말 어렵습니다. 그래서 비상장기업의 사업보고서는 기업을 분석할 수 있는 유일한 자료라고 할 수 있습니다.

전자공시시스템에 비상장기업을 치고 사업보고서를 검색해도 사업보고서는 나오지 않습니다. 이럴 경우에는 감사보고서를 확인하면 됩니다.

감사보고서는 사업보고서만큼 내용이 자세히 기록되어 있지는 않지만, 그래도 투자자가 필요로 하는 정보들이 들어 있습니다. 이 기업의 가치가 얼마가 되는지 측정해 볼 수 있습니다.

저 같은 경우 상장 가능성이 높은 기업 중 안마기 회사인 바디프랜드를 눈여겨보았는데요.

연결재무제표에 나온 매출, 이익, 자산, 부채, 그리고 성장성을 보고서 이 기업의 주당 적정가격을 7,000원으로 계산했습니다. 보통 상장을 하면 적정가격보다 훨씬 높은 가격으로 시세가 형성되므로 비상장주식을 7,000원에 구입할 수 있다면 나중에 수익을 낼 가능성이 높아지는 것이죠.

이렇게 전자공시시스템을 활용하면 기업의 적정 주가를 산출하는 데 많은 도움을 받을 수 있습니다.

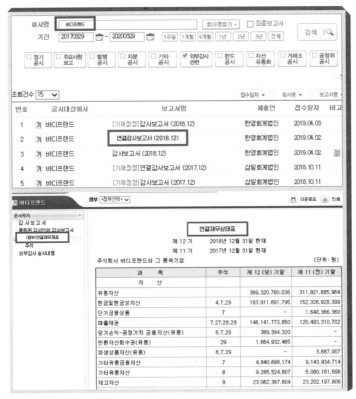

바디프랜드의 감사보고서

06 기술적 분석을 활용하라

앞서 주식투자에는 가치투자와 기술적 분석이라는 2가지의 방법이 있다고 했습니다. 그래서 이번에는 기술적 분석에 대해 좀 더 자세히 설명해 드릴까 합니다.

기술적 분석이 필요한가에 대해서는 논란이 좀 있습니다만 그 논란을 넘어 기술적 분석이 가진 장점들도 분명히 존재합니다. 아무리 좋은 기업을 찾아도 주식은 싼 지점에서 사고 비싼 지점에서 팔아야 수익을 낼 수 있기 때문입니다. 주식 초보자라면 사고파는 타이밍을 알려 주는 보조 지표들을 공부할 필요가 있습니다.

📍 봉차트와 거래량

봉차트

봉차트의 종류로는 분봉, 일봉, 주봉, 월봉이 있는데요. 다음과 같이 빨간색 또는 파란색 한 칸을 분으로 볼 것이냐 일, 주, 월로 볼 것이냐에 따라 봉의 이름이 바뀝니다. 여기에서는 가장 많이 보는 일봉(하루 단위)을 기준으로 설명하겠습니다.

우리나라 주식시장은 오전 9시에 시작해서 오후 3시 30분에 마치는데요.

오전 9시 정각에 시작된 가격을 '시가'라고 부르고, 오후 3시 30분에 마친 가격을 '종가'라고 부릅니다. 그리고 하루 중 가장 높게 거래된 가격을 '고가'라고 부르고, 하루 중 가장 낮게 거래된 가격을 '저가'라고 부릅니다.

시가와 종가는 굵게 몸통으로 그리고, 고가와 저가는 하루 중 짧은 순간이었으니 가는 꼬리로 그립니다.

또 가격이 오른 날은 빨간색으로 표시하고, '양봉'이라고 부릅니다. 반대로 가격이 내린 날은 파란색으로 표시하고 '음봉'이라고 부릅니다('인도네시아' 등은 이 색깔을 거꾸로 사용하기도 합니다).

그러면 이 간단한 그림 안에 오늘 얼마에 시작해서 얼마까지 오르고 내렸다가 결국 얼마에 마감했다는 기록을 담을 수가 있는 것이죠. 이것이 봉차트의 원리입니다.

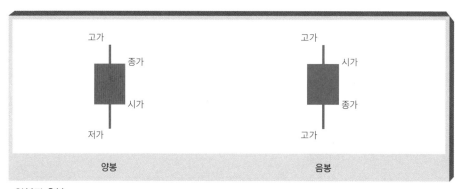

양봉과 음봉

방금 말한 것은 하루를 기준으로 그리는 일봉을 말한 것이고, 1분, 3분, 5분, 30분 등 분 단위로 봉차트를 그리면 분봉이라고 불러요.

1주일 단위로 만들면 주봉이라고 하는데, 이럴 때는 시가가 월요일 아침 9시가격, 종가가 금요일 오후 3시 30분 가격이 되겠죠?

한 달 단위로 만들면 월봉이라고 해요. 그러면 시가가 매월 첫날 아침 9시 가격, 종가가 매월 마지막 날 오후 3시 30분 가격이 됩니다.

1년 단위인 연봉도 이렇게 만들어지죠. 원리는 간단하죠?

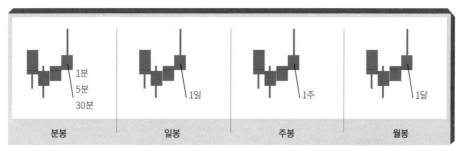

분봉, 일봉, 주봉, 월봉

그러면 몇 가지 봉차트 예시를 보시죠.

먼저 강한 양봉을 한번 볼까요?

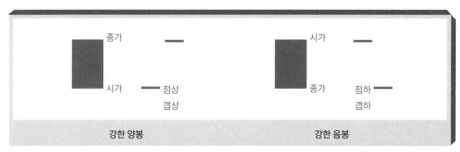

강한 양봉과 강한 음봉

강한 양봉은 꼬리가 없이 몸통만 있는 양봉이 오늘 시가에서 내려오지 않고 그대로 쭉 올라가면서 주가가 마무리되었다는 뜻입니다. 저가랑 고가가 없으니 주가가 내려가지 않고 오르기만 했다는 뜻이죠. 그만큼 '상승의 힘이 강했다'고 말할 수 있겠죠. 또한 전날 가격보다 더 높은 가격에서 시가가 형성되어 그 가격이 종가로 마감되는 경우도 종종 있는데, 이는 일명 '점상'이라고 불리며 매수 세력이 가장 강한 경우에 해당됩니다.

이와 반대로 강한 음봉의 사진을 보면 딱 거꾸로입니다. 시작부터 끝까지 계속 내리기만 하고 오르려는 시도가 없었다는 것이죠. '오늘 하락의 힘이 강했다'라고 말할 수 있습니다. 또한 전날 가격보다 더 낮은 가격에 시가가 형성되어 종가가 시가와 같은 가격으로 형성된 경우가 있는데, 이는 일명 '점하'라고 불리며 매우 강한 매도 세력이 존재함을 알 수 있습니다.

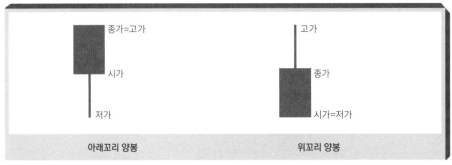

아래꼬리 양봉과 위꼬리 양봉

그리고 아래꼬리 양봉은 시가보다 아래로 저가가 형성되다가 마지막에는 가격이 쭉 오르면서 고가 없이 종가로 마무리되었다는 뜻이죠. 초반에는 주가가 하락하다가 후반 들어 강한 힘으로 주가가 올랐다는 뜻입니다. 꽤 상승의 힘이 있는 모습입니다.

반대로 위꼬리 양봉은 초반에는 주가가 오르며 고가를 찍었으나 이후에 흘러내리며 마감했다는 것이죠. 마지막에 흘러내렸으니 오르는 힘이 강했다고 말할 수는 없습니다.

또 아래꼬리 음봉은 시가에서 쭉 흘러내리다가 저가를 찍고 이후에 상승이 시작되며 종가로 마무리된 모습입니다. 오늘 주가가 하락은 했지만 그래도 후반에 힘 있게 올라오는 모습이었으니 내일에 희망을 걸어 볼 수 있는 봉차트죠.

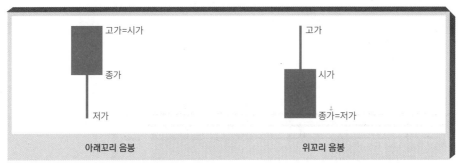

아래꼬리 음봉과 위꼬리 음봉

위꼬리 음봉은 강한 음봉입니다. 초반에 주가가 올라 고가를 찍은 후 쭉 내려 갔으니 후반에 주가가 떨어지는 힘이 강했다고 볼 수 있습니다.

거래량

우리가 주식을 검색하면 차트를 볼 수 있는데 일반적으로 봉차트와 거래량을 같이 보여 줍니다. 거래량도 주식을 분석할 때 같이 봐야 한다는 걸 의미합니다.

일반적으로 주가가 오르면 거래량도 증가합니다. 주가가 오르면 그 주식을 사려고 하는 사람들이 자연스럽게 늘다 보니 거래량이 늘 수밖에 없는 거죠.

다음에서 삼성전자가 4만 원대에서 6만 원대로 서서히 오르던 시기의 차트를 보면 거래량이 조금씩 늘어나는 것을 볼 수 있어요.

10월에는 하루 거래량이 1만을 넘은 적이 3번 밖에 없었는데, 11월이 되며 7번, 12월이 되면서 15번이 되죠. 1월에는 거래량이 1만 이하인 날이 아예 없어집니다. 이렇게 주가는 상승하면서 거래량 증가를 동반하게 됩니다. 가장 이상적이죠.

삼성전자의 주가와 거래량 추이

이 거래량 지표는 부동산에도 적용이 됩니다. 부동산 활황기에는 거래량이 늘어났다는 뉴스를 자주 볼 수 있어요. 반면에 부동산 비수기에는 거래가 뜸해 졌다는 뉴스가 들려옵니다.

이렇게 거래량을 통해 그 주식의 인기를 어느 정도 측정할 수 있고, 주가 상승과 관련이 있다는 것도 알 수가 있습니다.

하지만 제가 알려 드리지 않은 것이 하나 있습니다. 주가가 완만히 상승하며 거래량이 증가하는 경우에만 주가 상승과 거래량 증가의 상관관계가 강한 편이 라는 겁니다. 즉 거래량이 증가한다는 것만으로는 주가가 오른다고 단정할 수가 없다는 거죠. 주식에서는 주가의 변동이 심한 편입니다. 그래서 완만하게 상승하 고 완만하게 하락하는 경우보다 급하게 오르고 급하게 내리는 날이 더 많죠.

다음 현대자동차의 차트를 볼까요? 2020년 3월 미국, 한국 모두 **서킷브레이 커**(Circuit Breaker)[주가의 상하 변동폭이 10%를 넘는 상태가 1분간 지속될 때 주식 매매를 일 시 정지하는 제도]가 난무하던 시절의 차트입니다. 주가가 급하게 내려가고 있죠. 한 달 만에 주가가 절반이 된 모습입니다.

놀란 나머지 급하게 주식을 던지는 사람과 '이때가 기회'라며 달려드는 사람들이 얽혀 거래량이 증가하는 모습을 보여 주고 있죠. 즉 거래량이 오른다고 해서 주가가 오른다고 단정하면 안 된다는 겁니다.

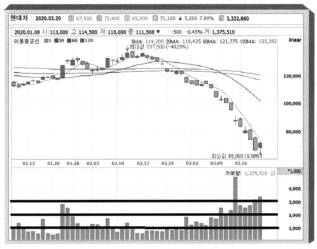

현대자동차의 주가와 거래량 추이

그럼 일시적으로 거래량이 급등하는 날은 어떨까요? 이건 좋은 소식이거나 나쁜 소식입니다.

카카오의 차트를 보죠.

2019년 4월 15일에 대량거래가 터지고 나서 주가가 한 달 만에 36%나 오릅니다. 대량거래가 터진 날 어떤 좋은 소식이 있었기 때문이겠죠? 그날 카카오페이지에 배너 광고를 달기로 했다는 뉴스는 물론 KT와 모빌리티 사업을 진행하기로 손을 잡았다는 뉴스도 떴습니다.

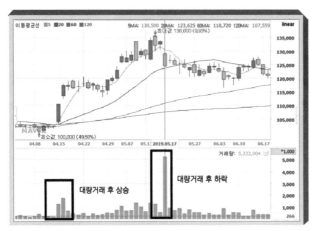

카카오 대량 거래와 주가 관계

하지만 5월 17일에는 대량거래가 터지고 나서 주가가 지속적으로 하락하는 모습을 보이는데요. 이날 사모펀드가 카카오의 지분을 대량 팔고 나갔다는 뉴스가 있었습니다.

이렇듯 거래량만 가지고 '주가가 오른다, 내린다'를 속단하는 것은 무리입니다. 그래서 대량거래가 나올 때는 꼭 뉴스를 확인하고 투자 여부를 판단해야 합니다.

주가가 완만히 상승할 때 거래량이 상승한다는 것, 주가가 급락할 때도 거래량이 상승할 수 있다는 점을 잘 기억해 주세요.

♀ 이동평균선과 매물대

이동평균선

이동평균선이란 주가의 이동을 산술 평균하여 표시한 선입니다. 다음 주가

차트를 보면 5일, 20일, 60일, 120일 이렇게 4개의 선이 나옵니다.

이동평균선을 보는 방법은 다양한데, 가치투자자의 관점에서는 장기 이동평균선을 중요시 여깁니다.

이동평균선

그들의 이야기를 빌리자면 주사위를 던져 1이 나올 확률은 처음 몇 번은 그렇지 않지만 주사위를 100번, 1000번 던지다 보면 점점 1/6로 수렴한다고 합니다.

이동평균선 또한 5일, 20일, 60일, 120일의 평균을 내어 그은 선이기 때문에 장기이동평균선일수록 주가의 큰 방향을 아는 데 도움이 됩니다. 특히, 하락 추세가 상승으로 바뀌거나 상승 흐름이 하락으로 바뀌면 주가의 대세 상승과 하락이 바뀐다고 추측합니다.

반대로 단기이동평균선은 짧은 기간의 주가 추세를 반영하기 때문에 최근의 호재나 주가 상승 요인을 반영하여 가파르게 나타납니다. 즉 주가가 상승하거나 하락하는 징후를 빠르게 포착할 수 있습니다.

주가는 이동평균선으로 회귀하는 특징이 있습니다. 주가가 이동평균선과 많이 벌어져 있다가도 다시 이동평균선에 닿는 모습을 보여 줍니다. 그래서 이동평균선은 주가의 저항선과 지지선 역할을 합니다. 저항은 주가의 상승을 멈추게 하고, 지지는 주가의 하락을 막아 주는 역할을 하죠.

이동평균선을 통해서 주식을 사고파는 타이밍을 알아낼 수도 있습니다.

주식을 사면 좋을 시점을 알려 주는 것이 골든크로스(Golden Cross)인데요. 단기이동평균선이 장기이동평균선을 뚫고 올라가는 지점을 '골든크로스'라고 합니다.

골든크로스는 그동안 장기적으로 누르던 매물의 저항을 뚫고 주가가 올라가는 것입니다. 즉 주가의 상승세가 강하고 누르던 매물을 소진시켰다는 의미이기에 투자자들은 이를 긍정적인 신호로 받아들입니다.

그중에서 20일선이 60일선을 뚫고 올라오는 지점이 대표적인 골든크로스입니다. 네이버 증권에서 '국내증시 - 조건검색 - 골든크로스' 검색을 하면 오늘 골든크로스를 기록한 주식 목록을 볼 수 있습니다.

골든크로스

반대로 단기이동평균선이 장기이동평균선을 뚫고 아래로 내려가는 '데드크로스'(Dead Cross)도 있습니다. 단기 주가가 떨어지면서 매물대와 지지선을 돌파하며 내려가는 것이기에 받쳐 주는 힘이 무너졌다는 뜻이기도 합니다. 주가에 나쁜 신호이므로 이때를 매도 타이밍으로 보는 사람들이 많습니다.

데드크로스

방금 말한 저항선과 지지선을 좀 더 설명해 볼게요.

저항선은 다음과 같이 상승장에서도 하락장에서도 작용을 합니다. 주가가 오르려고 하면 상승하려는 힘을 막아서 주가가 오르지 못하게 합니다. 하지만 이 저항선이 뚫리면 앞으로 주가는 더 올라갈 수 있다는 희망을 줍니다.

지지선은 반대로 상승장, 하락장에서 모두 주가가 떨어지는 것을 방어해 주기 때문에 손절매 타이밍을 계산할 수 있게 도와주죠.

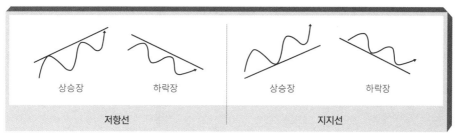

저항선과 지지선

아래 삼성전자의 차트를 보시죠. 주가는 크게 보면 상승을 하지만, 그 사이에 지지선과 저항선을 왔다 갔다 하며 주가가 올라갑니다. 3번 정도 저항선을 뚫지 못하지만 그렇다고 해서 주가가 떨어지는 것은 아닙니다. 주가가 떨어질 때마다 지지선을 밟고 올라가며 결국은 우상향하는 모습을 보여 줍니다.

삼성전자의 저항선과 지지선

현대자동차의 차트도 보시죠. 주가가 급등하는 기간에는 저항선과 지지선 또한 급한 경사도를 보이지만, 이후 주가가 완만하게 상승과 하락을 왔다 갔다 할 때에는 저항선과 지지선 역시 완만한 경사도를 보입니다.

그리고 현대자동차도 삼성전자의 차트와 마찬가지로 주가가 저항선을 건드리고 내려왔다가 지지선을 밟고 다시 올라가며 우상향하는 모습을 보여 줍니다.

현대자동차의 저항선과 지지선

매물대

매물대라는 것은 거래가 이루어진 가격대를 말합니다. 주식이 거래되었던 가격을 그래프로 그리면 아래 그림처럼 매물대 그래프가 완성됩니다.

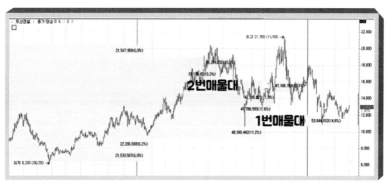

매물대

여기에서 가장 매물이 많이 쌓인 1번 매물대와 두 번째로 많은 매물이 쌓인 2번 매물대를 주목할 필요가 있습니다.

매물대는 저항과 지지의 역할을 하기 때문에 주가가 내릴 때는 주가를 방어해 주는 지점, 주가가 오를 때는 주가가 오르지 못하게 방해하는 지점이 됩니다. 보통 1번 매물대보다는 2번 매물대에서 잦은 충돌이 생깁니다. 2번 매물대가 무너지고 나면 1번 매물대에서 충돌이 일어납니다. 1번 매물대마저도 무너지면 주가가 급락할 수 있다는 신호로 받아들입니다. 위의 차트는 2번 매물대가 무너지고 1번 매물대에서 충돌을 하고 있습니다.

보통 매물대에 쌓인 주식들은 주가가 이 구간에 도달하면 매도, 매수 물량이 많이 나옵니다. 그럼 여기를 뚫고 주가가 오르거나 내리면 매물대를 뚫었으니 방해하는 힘이 약해졌다는 것을 말합니다. 주가가 뚫고 오르기 시작하거나, 반대로 뚫고 하락하는 시점을 알려 준다고 볼 수 있습니다.

투자 꿀팁을 드립니다

봉차트, 거래량, 이동평균선, 매물대 등 기술적 분석에 활용하는 보조 지표들을 알아 두면 주식투자를 하는 데 도움이 됩니다. 너무 의존하면 안 되겠지만 너무 무시하는 것도 좋은 투자는 아닙니다. 그래서 내용이 조금 어렵더라도 반복적 학습을 통해 이해를 해 가며 자기 것으로 만들면 좋겠습니다.

내가 산 주식을 누구에게나 설명할 수 있어야 한다.

피터 린치

07 패턴을 분석하라

기술적 분석에만 투자를 의존하는 것은 좋지 않지만 보조 지표로 활용하면 충분히 제 가치를 발휘합니다. 그중에서 기본적으로 알아 두면 좋을 것이 몇 가지 있는데, 이번에는 패턴 분석에 대해서 알아보도록 하겠습니다. 이것을 배우면 주식 차트를 읽는 데 도움이 됩니다.

📍 패턴 분석으로 상승, 하락 패턴 알기

한때 배추 가격이 들쭉날쭉한 시기가 있었습니다. 이때 가격과 원인을 정리해 봤는데요.

연도(년)	1포기당 배추가격	원인
2010	15,000원	생산량 감소
2009	500원	재배면적 증가, 풍년
2008	1,300원	풍년
2007	5,000원	폭우로 생산량 감소
2006	188원	중국배추 유입
2005	3,000원	생산량 감소, 중국 납김치 파동

배추 가격 변화 추이

대략적으로 가격의 변동을 보면 한번은 폭등하고 다음은 폭락을 하는 모습을 보입니다. 이런 규칙을 어느 정도 이해하고 있다면 배춧값이 폭등한 다음 해에는 배추가 아닌 다른 작물을 키우는 것이 유리하다는 것을 알 수 있습니다.

주식투자에서도 이런 패턴을 알게 되면 위험을 미리 대비할 수 있고, 수익을 내는 데도 도움을 얻을 수 있습니다.

주식투자에서의 패턴은 크게 봉 패턴과 차트 패턴으로 나뉩니다. 봉 패턴은 봉을 가지고 패턴을 파악하는 것이고, 차트 패턴은 차트의 전체적인 모양을 보고 판단합니다.

〈상승을 알리는 봉 패턴〉

	샛별형	샛별이 뜨면 아침이 오듯 하락을 마감하고 상승을 예고하는 패턴입니다. 첫째 날은 긴 음봉, 둘째 날은 갭 하락, 셋째 날은 양봉이 음봉 몸통의 절반보다 높아야 합니다.
	해머형	하락 추세에서 나타나면 주가가 바닥을 찍었다는 신호입니다. 아래꼬리가 몸통의 2배가 되어야 하고 위꼬리는 없거나 매우 짧아야 합니다.

	상승집게형	하락 추세에서 상승으로 전환됨을 알려 줍니다. 두 개 봉의 저가가 일치해야 합니다.
	관통형	하락 추세에서 저가의 신규 매수 세력이 나타나고 있음을 알려 줍니다. 첫째 날은 긴 음봉, 둘째 날 양봉은 음봉의 몸통 절반 이상 위에 있어야 합니다.
	상승장악형	하락 추세에서 상승 신호를 나타냅니다. 두 번째 양봉의 몸통이 첫 번째 음봉의 몸통을 덮어야 합니다.
	상승잉태형	어머니(음봉)가 자식(양봉)을 안고 있는 모습으로 상승 신호를 나타냅니다.

〈하락을 알리는 봉 패턴〉

	행잉맨형	주가 상승 마지막에 나타나고 하락의 가능성을 나타냅니다. 아래 꼬리의 길이가 몸통 길이의 2배 이상이어야 하고, 위꼬리는 없거나 매우 짧아야 합니다.
	석별형	상승 추세에서 석별형이 나타나면 하락 가능성을 나타냅니다. 첫째 날 긴 양봉이 나오고, 둘째 날은 갭을 만들어 작은 몸통이 나타나고, 셋째 날 긴 음봉이 나옵니다.
	까마귀형	상승 추세의 천장권에서 하락 가능성을 나타냅니다. 첫째 날 긴 양봉, 둘째 날 갭 음봉이 갭을 메웁니다.
	유성형	주가 상승 마지막에 출현하는 하락 신호입니다. 몸통의 색깔은 중요하지 않으며, 몸통이 적고 위꼬리가 길며 아래꼬리는 없거나 매우 짧습니다.
	하락장악형	상승 추세에서 저항선을 판단할 때 쓰입니다. 두 번째 몸통이 첫 번째 몸통을 덮어야 합니다.
	하락잉태형	어미가 자식을 감싼 모습의 하락 신호로써 두 번째 몸통이 더 적을수록 하락 신호가 더 강합니다.

실전으로 볼까요?

다음은 삼성전자의 차트입니다. 상승과 하락의 시점에 어떤 봉 패턴이 나왔는지 볼까요?

2월 17일경에 유성형에 가까운 일봉이 나타나며 주가가 계속 흘러내리는 모습을 보이다가 잠시 반등하는 구간이 있었어요. 하지만 몇 번의 상승 후 다시 유성형 일봉이 나타났죠. 그 후 급격한 하락을 합니다. 3월 17일과 18일 일봉은 하락장악형 패턴이죠. 그 후로 주가가 3일간 더 하락을 한 뒤 반등을 하는 모습입니다.

삼성전자 봉 차트

이런 패턴을 보고 다음 날 주가가 오를지, 내릴지를 예측하는 것은 무리가 있습니다. 그래서 이런 봉의 모양이 나왔다는 의미는 '오늘 매수세가 강했다 또는 약했다' 정도의 뜻으로 해석하는 것이 더 안전합니다. 이를 믿고 무리하게 투자하는 것은 금물입니다.

이번에는 삼성전자의 주가가 오르던 기간을 볼게요. 왜 믿으면 안 되는지를 알 수 있습니다.

주가 상승 중에 상승장악형 모습이 나오죠? 그 후로 주가가 2일 정도 더 오릅니다.

삼성전자 봉 차트

후에 주가가 더 상승한 후 행잉맨형이 나오죠? 주가 상승 끝에 나오는 행잉맨형이 두 번이나 나오니 봉 패턴을 믿는 사람은 주가가 하락할 것이라고 믿겠죠. 하지만 이후에 주가는 더 오릅니다. 틀렸죠. 봉 패턴을 가지고 '주가가 오를 거야 또는 내릴 거야'라고 예측하면 안 되는 이유입니다. 다시 정점을 찍고 나서 하락장악형 패턴이 나오고 주가는 하락이 시작됩니다. 그래서 패턴 분석을 너무 신뢰하지 말라고 말씀드리는 겁니다.

상승으로 전환하는 차트 패턴

상승으로 전환하는 차트 패턴에는 삼중바닥형과 이중바닥형, 하락쐐기형이 있습니다.

① 삼중바닥형

먼저 삼중바닥형은 장기간의 하락 추세 후에 나타나며, 이후 추세가 상승으로 바뀝니다. 3개의 연속 저점이 있는데 가운데 저점(두 번째 바닥)이 가장 낮으며 그곳을 '머리'라고 부릅니다. 깊이가 얕고 비슷한 첫 번째 바닥과 세 번째 바닥은 '어깨'라고 부릅니다.

삼중바닥형

위의 일봉 차트를 보면 4개월간 주가가 지속적으로 하락 후 삼중 바닥의 모습을 보입니다. 이때가 하락에서 상승으로 전환되는 신호였죠. 이후 상승을 하다가 다시 이중 바닥을 보이고 대세 상승에 돌입합니다.

② 이중바닥형

이중바닥형은 삼중바닥형과 마찬가지로 장기 하락 이후에 나타납니다. 적당한 크기의 봉우리 두 개가 나란히 나타나고 저점도 비슷합니다. 하지만 이중바닥의 경우 삼중 바닥보다는 신뢰도가 떨어지므로 상승 패턴이 이후에 또 나오거나 저항선을 돌파할 때까지 상승을 단정할 수 없습니다.

이중바닥형

위의 일봉 차트를 보면 한 달 넘게 주가가 하락을 이어갑니다. 이후에 이중바닥이 나오며 최저가를 찍습니다. 이중바닥 이후 주가가 상승하는 것을 보면 이동평균선과 저항선을 다 돌파하면서 주가가 한 달 넘게 올라가서 전고점까지 회복을 하는 모습입니다.

③ 하락쐐기형

하락쐐기형은 상승 추세에서 잠시 하락으로 전환한 모습을 보이다 대량거래 후 쐐기를 돌파하면서 상승하는 패턴입니다. 하락쐐기형에서는 거래량이 크게 터지며 돌파하는가의 여부가 중요합니다.

하락쐐기형

하락으로 전환하는 차트 패턴

하락으로 전환하는 차트 패턴에는 삼중천장형, 이중천장형, 상승쐐기형이 있습니다.

① 삼중천장형

삼중천장형은 상승 추세 이후에 형성되어 하락으로 전환됩니다. 세 개의 연속적인 고점이 있는데 가운데 고점이 가장 높아 머리가 되고, 좌우의 고점은 어깨로 머리보다 높이가 조금 낮습니다.

다음 일봉을 보면 4개월간 대세 상승이 이어지다 한 달간 삼중천장을 형성한 후 주가가 지속적으로 하락하는 모습을 보입니다.

삼중천장형

② 이중천장형

이중천장형은 장기적인 상승 추세 이후에 형성되는 하락 패턴입니다. 높이가
같은 두 개의 봉우리가 보이고 첫 번째 봉우리에서 거래량이 더 많이 형성됩니다.

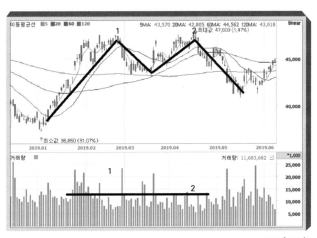

이중천장형

앞의 일봉을 보면 이중천장을 형성한 후 주가가 하락하게 됩니다.

거래량을 보면 1번 봉우리 때 더 많은 거래량을 보이다가 2번 봉우리 때는 거래량이 다소 떨어진 모습을 보여 줍니다. 즉 주가는 비슷하게 상승했지만 거래가 그만큼 붙지 못했다는 뜻이죠.

③ 상승쐐기형

상승쐐기형은 지속적인 하락 추세에서 잠시 상승으로 전환하는 모습을 보이다가 상승에 실패하고 다시 하락 추세로 바뀌는 패턴입니다.

아래의 일봉을 보면 장기 하락세로 이동평균선이 모두 아래로 흐르는 것을 볼 수 있습니다. 이후 잠시 반등을 시도하는 모습인데 상승에 실패하고 다시 더 아래로 하락하는 모습입니다.

상승쐐기형

초보자가 주식으로 돈을 잃는 이유

주변에 주식투자로 돈을 잃은 사람들이 많습니다. 그래서 많은 사람들이 주식에 대한 편견을 가지고 주식시장을 떠나죠. 하지만 주식으로 부자가 된 사람들도 많습니다. 세계 2위 부자인 워런 버핏도 주식으로 부자가 된 사람이죠.

저는 그게 궁금했습니다.

'왜 주식으로 부자가 되는 사람도 있고, 돈을 잃는 사람도 있을까?'

주식을 몰라서 돈을 잃는다? 아닙니다. 주식에 대해 해박한 지식을 가진 사람들이 돈을 더 잃는 것 같더라고요. 초보자는 겁이 많아서 오히려 잃는 금액이 적은 편입니다.

그럼 주식으로 돈을 잃는 사람과 버는 사람의 특징을 정리해 보겠습니다.

■ 돈을 잃는 사람과 버는 사람의 특징

주식으로 돈을 잃는 가장 많은 경우 중 하나가 뉴스를 믿는 것입니다.

특정 주식이나 기업에 대해서 '전망을 좋게 본다'라는 기사를 본 적이 있을 겁니다. 그런 기사가 동시에 여러 개가 나오죠. 그러면 사람들은 "오, 이 회사가 이제 뜨나 보다. 한번 사 봐야겠다" 하면서 주식을 사들입니다.

현명한 투자자라면 이때 의심을 해 봐야죠.

"왜 기자들이 갑자기 이 기업에 대해 기사를 쓸까?"

이런 주식의 경우, 주가가 처음에는 오르는 듯하더니 나중에 보면 떨어지는 경우가 많습니다.

왜 그럴까요? 우리가 두 가지 오류에 빠졌기 때문입니다.

하나는 기자가 '주식으로 대박 났으면' 하는 마음에서 기사를 썼을 리 없음에도 불구하고 이를 보고 투자의 근거로 삼고 있다는 것이죠. 신문사는 업체의 광고를 받아야 하고, 몇몇 기자들은 돈을 받고 기사를 써 줍니다. 누군가가 특정 타이밍에 의도적인 기사를 내보냈을 확률이 높죠. 주가를 올리기 위해서요.

또 다른 오류는 기자는 사실을 전달하는 사람이지 투자자가 아니라는 겁니다.

사실을 전달했다는 것은 누군가가 준 정보를 썼다는 것이지 본인의 머리에서 나온 것이 아닙니다. 공개된 매체를 통해 불특정 다수에게 특정 기업을 홍보하는 기사는 믿지 않는 편이 더 좋을 겁니다.

주식으로 돈을 잃는 경우 두 번째는 차트 투자에서 나타납니다.

차트와 보조 지표를 보고 투자하는 것을 앞서 설명한 대로 기술적 투자라고 하는데요. 옛날이나 지금이나 차트를 보고 단타 투자를 하는 사람들은 "차트를 믿어야 한다" "차트 속에 답이 있다" 이런 말을 합니다. 하지만 차트투자자 중에서 10년 넘게 주식시장에서 버틴 사람을 거의 보지 못했습니다. 특히, 차트투자로 주식 책을 쓴 사람 중에서 두 번째 책을 쓴 사람도 보기 드물죠.

개인은 시간이 많습니다. 주식을 싸게 사서 오래 보유하는 데 돈이 들지 않습니다. 좋은 주식을 오랫동안 들고 있다 보면 결국 우상향하고 주가는 오를 수밖에 없습니다. 최소한 잃지는 않는 투자가 되죠. 그리고 주식은 나이가 들어서도 할 수 있습니다.

돈을 잃는 마지막 세 번째는 지인의 정보입니다. 이거는 진짜 애매한 경우가 많은데요.

정보가 진짜면 큰돈을 벌 수 있지만, 반대로 그 정보가 가짜면 돈을 잃게 됩니다. 하지만 평소에 신뢰하는 지인이 준 정보라면 왠지 믿게 됩니다.

사주나 타로를 보면 어떤 말 때문에 찝찝하듯이 지인이 해 준 말이 혹시 기회일 수도 있다는 생각에 가슴이 설렙니다. 그리고 이런 생각을 해 보죠.

'1억을 벌면 뭐할까?'

이제 나는 1억을 번 사람처럼 상상을 하고 계획을 세우죠. 투자를 하지 않으면 내가 상상한 1억은 사라지는 것이 됩니다. 그러니까 해 보자라는 생각으로 믿고 투자하죠. 그리고 잃습니다.

제가 아는 주식으로 부자가 된 사람이 세 분 있는데 그들은 20년 넘게 투자를 한 사람들로 현재 수백억을 보유하고 있습니다. 이 세 분은 서로의 존재를 모르는데, 셋 다 공통점이 있습니다.

첫째, 자신을 믿고 심리싸움에서 지지 않는다는 특징이 있습니다.

본인이 조사한 기업에 대해서 확신을 가지고 투자합니다. 몇 십 억 이상 투자를 하는데 당연히 그래야죠. 기업의 가치에 영향을 주지 않는 외부의 공포나 흔들림에 주식을 팔지 않고 심리를 지켜 내는 점이 대단합니다. 단, 경영자 문제, 기업의 실적 악화 등 기업의 가치가 훼손되었다고 생각하면 바로 주식을 정리해 버리는 과감함을 보여 주죠.

둘째로는 가진 정보로 스토리를 짜는 능력이 대단합니다. 몇 년 뒤에 어떤 업종이 이런저런 이유로 실적이 증가할 수밖에 없기 때문에 '나는 주가가 쌀 때 미리 사서 기다리겠다. 주가가 오르면 최소 몇 배는 수익이 가능할 것이다'라는 것을 다 계산해서 투자하죠. 그리고 시간이 지나 보면 그들의 그림대로 실적이 나오고 주가가 올라 있습니다.

셋째는 저렴할 때 사서 비쌀 때 판다는 건데요. 이건 당연한 말 같아도 정말 쉬운 일이 아닙니다. 주가가 오르면 사고 싶은 것이 사람의 마음이거든요. 떨어지면 팔고 싶어 괴로운 것이 또 주식이고요.

이들의 접근은 이렇습니다.

'앞으로 이렇게 될 건데 지금 잃으면 10~20% 정도고, 가능성은 낮다. 반대로 내 생각대로 움직이면 주가는 최소 3배 이상은 오르는데 가능성이 높다' 이렇게 판단이 끝났다면 과감히 투자하죠. 잃을 가능성이 거의 없는 투자는 부자들이 가장 좋아하는 투자 방법입니다.

『손자병법』에서도 이겨 놓고 싸우라고 말하죠. 그래야 내 돈을 지키고 벌 수 있습니다.

■ 부자들은 왜 장기투자를 할까

그럼 부자들이 왜 장기투자를 하는지도 알려 드릴게요.

그들이 생각하는 돈의 개념은 우리와는 좀 다릅니다.

우리는 돈을 '절약하고, 모으고, 불린다' 정도로만 생각하고 있습니다. 2차원적이죠. +와 −만 있는 형태입니다.

그런데 부자들은 돈에 시간의 개념을 더합니다. 3차원적으로 생각하는 것이죠.

돈에 시간을 더하면 어떤 일이 벌어질까요?

지금의 100만 원과 미래의 100만 원이 다르다는 것을 알게 됩니다. 시간이 지나는 만큼 이자가 붙고, 수익률이 붙는다는 것을 깨닫죠.

돈이 스스로 이자를 붙여서 들어옵니다. 그리고 이자는 다시 이자를 벌어 오죠. 그래서 시간이 지나면 돈이 눈덩이처럼 불어나는 것이 복리입니다. 즉 부자는 복리라는 개념을 알고 있습니다.

물론 가난한 사람도 복리라는 개념을 알고 있습니다. 그런데 거꾸로 알고 있죠. 사채나 일수를 쓰면 원금에 이자가 어떻게 불어나는지를 알게 됩니다. 우리는 돈을 빌리는 것이 아니라 돈을 빌려주고 투자해서 불려야 합니다.

워런 버핏은 연평균 28.7% 수익률로 돈을 불려 세계 2위 부자가 되었습니다. 1억을 연복리 30% 수익률로 10년을 불리면 18억이지만 30년간 불리면 2,700억이 됩니다. 시간이 누적될수록 어마어마한 수익률을 주죠. 그러면 우리는 복리에 투자해야 합니다. 복리투자는 실질적으로 주식과 부동산밖에 없습니다.

주식은 매매차익이 비과세라 세금 부담이 없고, 돈이 조금만 있어도 살 수 있어서 돈이 생길 때마다 추가로 사들여 복리 효과를 극대화할 수가 있습니다. 반면에 부동산은 금액이 커서 추가로 사들이기가 쉽지 않죠. 규제 또한 심해서 실질수익을 내기도 어렵고요.

결국 직장인이 적은 돈으로도 복리에 투자할 수 있는 길은 주식이 현재로서는 최선입니다. 원금을 잃지 않고 복리로 수익을 계속 누적시키다 보면 여러분의 수익률은 극대화되어 있을 겁니다.

부자가 되는 꿀팁은 특별한 것이 아닙니다. 포기하지 않고 꾸준히 안정적인 투자를 하는 것이 그 어떤 것보다 중요합니다. 그렇게 경험이 쌓이다 보면 기회가 옵니다. 그 기회를 잡을 때마다 인생이 한 단계씩 업그레이드됩니다.

우리에게 그 기회가 언제 올지 모릅니다. 지금은 저와 여러분이 그 기회를 잡기 위해 차근차근 준비할 때입니다. 우리 같이 부자 됩시다!

10배 오르는 좋은 종목 발굴하기

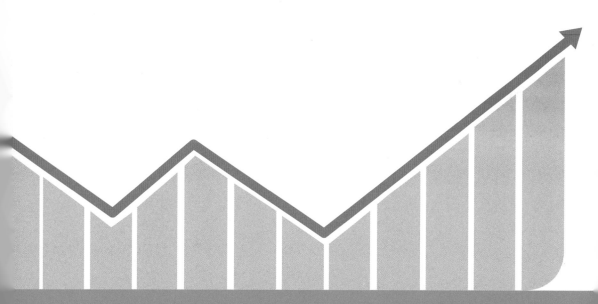

안전한 투자를 하기 위해서 가장 중요한 것은 그 기업의 재무 상태를 확인하는 것입니다.

돈은 제대로 벌고 있는지, 빚은 얼마나 되는지, 현금은 제대로 돌고 있는지를 확인해야 이 기업이 안전한지 위험한지를 알 수 있겠죠?

기업에 대한 이런 정보를 알려 주는 3가지 지표는 손익계산서, 재무상태표, 현금흐름표입니다.

이 3가지를 보면 기업의 건전성뿐만 아니라 적정 주가도 구할 수가 있죠. 그래서 이 기업의 주가가 비싼 상태인지 저렴한 상태인지, 부도가 날 가능성은 얼마나 되는지를 알 수 있습니다.

손익계산서, 재무상태표, 현금흐름표는 어디서 확인할 수 있을까

그러면 기업의 손익계산서, 재무상태표, 현금흐름표는 어디서 확인할 수 있을까요?

보통은 증권사 HTS를 활용하거나 전자공시시스템(DART)을 이용합니다. 증권사 어플을 통해서도 볼 수 있고요. 다만, 이것들은 복잡하다는 단점이 있어서 이번에는 편하게 네이버를 활용해 볼게요.

먼저 검색창에 원하는 기업 이름을 검색하면 주가와 기본정보가 나오게 됩니다. 여기서 주식에 대한 아주 기초적인 정보를 바로 볼 수 있죠. 주가, 시가총액은 매일 바뀌기 때문에 먼저 보셔야 하고요.

LG생활건강의 기본정보와 주가

그리고 주가나 차트를 클릭하면 좀 더 자세한 정보를 볼 수 있습니다.

차트 오른쪽에 기업에 대한 자세한 정보들이 나와 있죠. PER, PBR, 상장주식 수, 액면가, 외국인 보유비율, 배당수익률 등 기초적인 수준의 정보가 클릭한 번에 나옵니다.

LG생활건강의 기업 정보

우리는 이 기업이 얼마를 벌고, 얼마가 있다는 것을 볼 줄 알아야 합니다. 그래야 장사를 잘하는 기업인지, 자산이 넉넉해서 부도 날 걱정이 없는지를 확인할 수가 있죠.

그래서 기업의 재무를 보면 투자에 많은 도움이 됩니다. 그럼 하나씩 보도록 할까요?

'종목분석'을 누르고 나서 아래 '재무분석'을 누르면 포괄손익계산서, 재무상태표, 현금흐름표, 이 3가지를 확인할 수가 있습니다.

LG생활건강의 종목분석

먼저 포괄손익계산서를 볼 건데요.

포괄손익계산서는 회사가 일정 기간 동안 얼마의 상품을 팔아서 어느 정도 이익을 냈는지를 알려 줍니다. 회사라면 당연히 돈을 잘 벌어야겠죠? 그래서 꼭 확인해야 하는 보고서입니다.

회사가 물건을 팔고 얼마를 남겼는지에 대한 정보를 보면서 매출이 느는지, 이익이 느는지를 확인해 봐야 합니다. 매출과 이익이 꾸준히 늘어나는 기업이 안정적으로 성장한다고 볼 수 있겠죠?

여기서 꼭 확인해야 하는 것이 먼저 매출액과 영업이익입니다.

매출액이란 기업이 영업활동으로부터 얻는 수익을 말하고, 영업이익은 매출액에서 매출원가와 판관비를 제외한 금액입니다.

그리고 영업외이익은 부수입으로 벌어들이는 돈이며, 당기순이익은 간단하게 매출에서 모든 비용을 빼고 남은 금액이라고 보시면 됩니다.

여기에 약간의 조정을 하면 총포괄이익이 나오는데요. 매년 총포괄이익이 증가하고 있다면 이익이 늘어나고 있는 기업이라는 뜻입니다.

당연히 우리는 이익이 늘어나고 있는 기업에 투자해야 하겠죠? 다행히 이 기업은 매출과 이익이 꾸준히 성장하고 있네요.

항목	2015/12 (IFRS연결)	2016/12 (IFRS연결)	2017/12 (IFRS연결)	2018/12 (IFRS연결)	2019/12 ⊕ (FRS연결)	전년대비 (YoY)
⊕ 매출액(수익)	53,284.9	60,940.6	61,051.4	67,475.4	76,854.2	13.9
•내수						
•수출						
⊕ 매출원가	22,261.8	24,340.4	26,096.8	26,964.1	29,172.5	8.2
매출총이익	31,023.2	36,600.2	34,954.6	40,511.2	47,681.8	17.7
⊕ 판매비와관리비	24,182.2	27,790.8	25,654.4	30,118.7	35,917.7	19.3
영업이익	6,841.0	8,809.4	9,300.2	10,392.5	11,764.1	13.2
⊕ •기타영업손익						
영업이익(발표기준)			9,300.2	10,392.5	11,764.1	13.2
•[구K-IFRS]영업이익						
⊕ 금융수익	76.1	41.2	42.9	64.9	170.9	163.4
⊕ 금융원가	358.8	201.7	154.3	127.1	177.7	39.9
⊕ 기타영업외손익	-175.7	-1,1940.0	-591.0	-757.0	-905.6	-19.6
⊕ 종속기업,공동지배기업및관…	63.3	72.5	13.0	-13.2	69.2	624.6
법인세비용차감전계속사업…	6,447.8	7,527.4	8,610.8	9,560.1	10,920.8	14.2
법인세비용	1,744.1	1,735.0	2,427.7	2,637.3	3,039.1	15.2
종속회사매수일전순손익						
처분된종속회사순손익						
계속사업이익	4,703.6	5,792.4	6,183.1	6,922.8	7,881.7	13.9
중단사업이익						
•중단사업법인세효과						
⊕ 당기순이익	4,703.6	5,792.4	6,183.1	6,922.8	7,881.7	13.9
⊕ 기타포괄이익	239.2	227.7	-160.5	2.0	136.9	6,626.7
⊕ 총포괄이익	4,942.8	6,020.1	6,022.5	6,924.8	8,018.6	15.8

• 단위 : 억원, %, 배, 천주　　• 분기 : 순액기준

LG생활건강의 포괄손익계산서

다음으로 재무상태표를 봅시다.

재무상태표에서는 기업의 자산과 부채를 확인할 수가 있습니다. 자산이 얼마나 많은지, 빚은 또 얼마나 많은지를 알아야 이 기업이 안전한지 위험한지를 가능할 수 있죠.

항목	2015/12 (IFRS연결)	2016/12 (IFRS연결)	2017/12 (IFRS연결)	2018/12 (IFRS연결)	2019/12 ⊕ (IFRS연결)	전년대비 (YoY)
자산총계	42,146.4	45,021.6	47,785.2	52,758.7	64,936.7	
유동자산	13,311.3	14,246.1	15,136.0	16,912.0	21,630.7	
⊞ 재고자산	4,412.6	5,358.9	5,469.1	6,147.5	7,463.2	
유동생물자산						
당기손익-공정가치측정금융…						
기타포괄손익-공정가치측정…						
상각후원가측정유가증권						
상각후원가측정금융자산						
⊞ 단기금융자산	309.0	269.0	169.0	169.0	726.6	
⊞ 매출채권및기타채권	4,364.3	4,934.0	5,398.2	5,818.9	6,463.4	
당기법인세자산(선급법인세)	3.9	4.5	5.0	4.9	8.4	
계약자산						
반품(환불)자산						
배출권						
⊞ 기타유동자산	252.1	291.2	232.9	805.3	498.1	
현금및현금성자산	3,969.4	3,388.5	3,861.9	3,966.4	6,471.0	
⊞ 매각예정비유동자산및처분…						
비유동자산	28,835.0	30,775.5	32,649.2	35,846.7	43,305.9	
⊞ 유형자산	12,900.7	14,637.8	16,165.9	18,132.9	20,364.4	
⊞ 무형자산	13,802.7	14,199.1	13,928.0	15,449.7	17,873.1	

* 단위 : 억원, %, 배, 천주   * 분기 : 순액기준

LG생활건강의 재무상태표

자산은 자본과 부채의 합입니다. 여러분이 가진 돈 3억과 대출 2억을 받아

5억짜리 아파트를 샀다고 하면 자본은 3억이 되는 것이고, 부채는 2억, 자산은 5억이 되는 것이죠.

어떤 이는 100억의 자산가라고 불렸지만 부채 95억을 빼고 났더니 자본이 5억 밖에 없는 사기꾼도 있었어요. 그래서 우리는 자산총계, 부채총계, 자본총계를 잘 확인해야 합니다. 자산총계를 보면 이 기업의 자산이 총 얼마인지를 알 수 있어요.

지금 보는 기업의 2019년 기준 자산총계는 6조 4,936억이네요.

여기에 1년 안에 현금화할 수 있는 유동자산은 2조 1,630억이고, 재고품의 가치를 측정한 재고자산은 7,463억입니다. 재고품이 음료, 화장품, 생활용품이다 보니 시간이 길어지면 재고품의 가치가 사라지겠죠? 반대로 재고품이 금, 은, 철인 기업도 있어요. 그런 기업은 재고자산이 많아도 시간이 지나 시세가 오르면 재고자산 가치가 오르겠죠?

비유동자산은 1년 안에 현금화하기 어려운 자산입니다. 부동산이나 공장, 설비, 영업권 등이 있겠죠? 이 기업은 비유동자산이 4조 3,305억입니다.

자산총계는 유동자산과 비유동자산을 합치면 나오는데요. 개인으로 치면 금융자산과 부동산자산이 얼마나 되느냐 정도로 생각하시면 됩니다.

이제 부채를 볼까요? 부채의 총합인 부채총계를 찾으면 됩니다.

	2017년	2018년	2019년
자산총계	47,785	52,759	64,937
부채총계	16,967	16,819	22,566
자본총계	30,818	35,940	42,371

LG생활건강의 자산총계

자산총계에서 부채총계를 빼면 순수한 기업의 돈이라 할 수 있는 자본총계가 나오죠. 이 자본총계가 기업의 순수한 재산입니다.

여기서 기업이 얼마나 안전하게 운영되는지 위험하게 운영되는지를 보려면 부채비율을 확인하면 되는데요. 부채총계를 자본총계로 나누면 부채비율이 나옵니다.

$$부채비율(\%) = \frac{부채총계}{자본총계}$$

이 기업은 부채비율이 52%가 나오네요. 굉장히 안정적으로 기업을 운영한다고 볼 수 있어요.

부채비율이 100% 이하면 안정적이라고 보고, 400%가 넘으면 투자를 주의해야 합니다. 600%가 넘는 기업은 이익으로 대출이자도 갚기 어려운 경우가 많으니 추천하지 않습니다.

이제 현금흐름표를 볼까요?

	2017년	2018년	2019년
영업활동현금흐름	7,355	8,171	11,396
투자활동현금흐름	-3,338	-4,303	-4,614
재무활동현금흐름	-3,511	-3,780	-4,294

LG생활건강의 현금흐름표

현금흐름표에는 영업활동현금흐름, 투자활동현금흐름, 재무활동현금흐름이 있는데, (+), (-), (-) 이런 순으로 나오는 게 좋습니다. 이유를 설명해 드릴게요.

영업활동현금흐름은 영업을 통해서 현금을 벌어들이는 것을 보여 주죠. 당기순이익과 같은 의미인 걸로 생각할 수 있겠지만 그렇지 않습니다.

포괄손익계산서상에는 돈이 나가지 않아도 나간 것으로 회계처리 해야 되는 경우가 있어요. 예를 들어 설비나 차량을 사면 감가상각비라고 해서 가격을 몇 년으로 나누어 처리를 합니다. 실제로 돈은 첫해에 나갔는데 5년 동안 비용을 나누어서 나간 것으로 처리하는 거죠. 그러면 순이익이 실제와 맞지 않게 됩니다.

현금흐름표는 이렇게 하지 않고 오로지 한 해 동안 현금이 들어오고 나간 것을 고스란히 보여 줍니다. 그래서 이걸 통해 기업의 현금 사정을 정확히 알 수 있게 되죠. 그래서 영업활동현금흐름이 (+)가 되어야 정상적인 기업입니다.

투자활동현금흐름은 투자를 통해서 기업의 돈이 들어오고 나간 것을 보여 줍니다. 투자를 해서 돈이 나가면 (-)가 되고, 투자한 돈을 찾아 왔다면 (+)가 됩니다. 일반적인 기업들은 꾸준히 투자를 해야 하기 때문에 보통 투자활동현금흐름이 (-)가 됩니다.

재무활동현금흐름은 자본이나 금융으로 돈을 가져오거나 지출하는 것을 말합니다. 유상증자 등을 통해 현금이 들어오면 (+)가 되고, 배당을 하면 (-)가 되죠. 은행에서 돈을 빌려도 (+)가 되고, 돈을 갚으면 (-)가 됩니다. 즉 정상적인 궤도에 있는 기업들은 증자나 돈을 빌리기보다 이익을 배당하고 대출을 갚아 나가기 때문에 재무활동현금흐름이 (-)가 나오는 것이 일반적입니다.

이번에는 가치투자를 위한 기초 지표들을 보도록 할게요. '종목분석'에서 '투자지표'를 누르면 다음 화면이 나옵니다.

LG생활건강의 기초 지표

이게 무슨 의미인지 잘 모르시겠죠? 제 설명을 들으시면 금방 이해할 수 있습니다.

EPS는 주당순이익입니다(당기순이익÷주식 수).

이 기업의 주가가 현재 136만 6,000원이죠? 그리고 EPS를 보면 2019년에 4만 3,916원이죠? 이는 136만 6,000원인 주식 1주당 4만 3,916원을 벌어들인다는 뜻입니다.

아래를 보면 PER이 있습니다. PER은 주가 나누기 EPS입니다(주가÷EPS=PER).

현재 EPS로 몇 년을 벌어야 주가가 되느냐, 즉 투자해서 본전을 몇 년 안에 찾을 수 있느냐는 말이죠. 현재 주가 기준으로 보면 28.7년이네요. 2015년에는 40.4년이었는데 이익이 빠르게 늘면서 PER이 줄고 있습니다.

PER은 10~12 정도를 '적정하다'라고 하는데, 현재는 28로 적정 PER보다 훌쩍 높으니 기업의 이익 대비 주가가 고평가라고 말할 수가 있죠.

BPS는 주당순자산입니다. 기업의 자본총계를 주식 수로 나눈 것이죠.

이 기업의 BPS는 24만 7,477원입니다. 그런데 현 주가는 136만 6,000원이니 자본 대비 꽤나 고평가가 되어 있죠? 몇 배가 고평가 되어 있는지를 보려면 PBR을 보면 됩니다. 136만 6,000원을 BPS인 24만 7,477원으로 나누면 현재의 PBR이 5.1배라는 것을 알 수 있습니다.

PBR이 1 이하면 주가가 회사가 가진 자본만도 못하다는 것으로 자본 대비 저평가라고 말할 수 있고, 1보다 높으면 자본 대비 고평가라고 할 수 있습니다.

다음으로 EV/EBITDA인데요.

EV는 기업 가치를 말합니다. EV=시가총액+총부채-현금 및 현금성 자산으로 기업을 인수할 때 필요한 돈입니다.

EBITDA는 세금을 내기 전 순이익+이자비용+감가상각비입니다. 즉 벌어들인 돈이라고 볼 수 있죠.

그래서 EV/EBITDA를 풀이해 보면, 기업을 인수할 때 필요한 돈에서 그 기업이 벌어들인 돈을 나눈다는 뜻입니다. 예를 들어 기업을 인수할 때 10억이 들었고, 그 기업의 영업이익이 5억이라면 10억÷5억=2가 되겠죠. 그러면 그 기업이 벌어들인 돈의 2년간의 합이 투자 원금과 같게 된다는 말입니다. 이 말은 결국 그 기업을 인수하고 나서 본전을 뽑는 데 기간이 얼마나 걸리는가를 나타내는 거죠.

이 기업의 2019년 EV/EBITDA는 약 15년이네요. 원금 회수 기간이 짧을수록 투자 매력이 있는 기업이겠죠?

마지막으로 배당성향도 볼 수 있는데요. 기업이 순이익의 몇 퍼센트를 배당금으로 주느냐입니다.

이 기업은 순이익의 23.7% 정도를 배당하고, 나머지는 사업에 재투자한다고 볼 수 있습니다. 기업은 연구를 하고 설비에 투자해서 계속 이익을 발생시켜야 하니 배당성향이 100%가 되기는 어렵겠죠?

투자 꿀팁을 드립니다

손익계산서; 재무상태표, 현금흐름표를 보면서 주식투자를 하면 위험한 기업을 피할 수 있어 돈을 잃을 확률을 낮출 수가 있습니다. 또한 기본적 분석을 통해 좋은 기업을 발견했다면 좀 더 살펴보고 나서 이 기업에 투자할지 말지를 결정할 수 있겠죠?

저는 이렇게 간단하게 분석한 뒤, 정말 좋은 기업이다 싶으면 정밀 분석을 하는데요. 정밀 분석을 하면 6개월 정도가 걸려요.

그러니까 기본적 분석 결과가 좋았다고 바로 투자하지 마시고, 나머지 부분들도 살펴보고 나서 투자를 결정하는 것이 좋겠습니다.

가치투자자의 기본은 원금을 잃지 않는 것입니다. 아무리 좋은 투자여도 원금을 잃으면 아무런 소용이 없죠. 부실한 기업들은 재무제표에 다 드러나 있습니다. 다만 우리는 그것을 보지 않고 투자했을 뿐이죠.

부실한 기업들은 몇 년 이상 버티지 못합니다. 그래서 우리가 부실기업에 투자하면 돈을 잃을 위험도 그만큼 올라가요. 그래서 이번에는 이 기업이 투자해도 될 만한 안전한 기업인지 아닌지를 알아보는 안전 지표들을 분석해 보겠습니다.

📍 투자 여부를 알 수 있는 안전 지표들

부채비율

부채비율은 이 기업이 얼마나 빚이 많은지를 알아보는 겁니다.

어떤 기업은 빚이 90조가 있고, 어떤 기업은 12조가 있다고 해 보죠. 겉보기에는 빚이 90조나 있는 기업이 더 위험해 보이겠죠? 하지만 우리는 알아야 합니다. "빚도 능력이다"라는 말을요.

어떤 기업이길래 90조라는 엄청난 빚을 안고 있는지 확인해 봐야죠. 90조라는 빚이 있지만 자본이 262조인 기업 삼성전자의 이야기입니다.

삼성전자의 부채비율은 34.3%(90조 원÷262조 원)죠. 매우 건전한 상태입니다. 부채비율이 0%인 기업은 없습니다.

여러분의 퇴직금도 부채로 잡고 있고, 외상금 같이 아직 못 준 돈도 다 부채로 잡고 있죠. 개인으로 치면 다음 달 내야 할 카드값도 부채입니다. 따라서 부채비율이 30% 정도면 '부채가 없는 기업이다'라고 생각해도 무방합니다.

반대로 부채가 12조가 있는 기업은 삼성전자에 비해 부채가 적어 보이죠? 그런데 자본이 1조가 되지 않는다면 얘기는 다릅니다. 부채비율이 1200%를 넘어가는 부실기업인 거죠.

12조에 대한 이자를 생각해 보면 연 4% 이자라고 해도 4,800억입니다. 이자만 2년간 9,000억이 넘어갑니다. 정확히 2년 만에 회사의 자본을 사라지게 할 수 있죠. 회사의 자본이 0 밑으로 사라지면 '자본 잠식'이라고 합니다. 주식시장에서 상장폐지가 될 수 있는 기업이죠.

투자자라면 부채비율을 확인하고 투자하는 것은 기초 중의 기초입니다.

부채비율이 200%가 넘는 기업은 주의해야 해요. 부채비율이 400%가 넘는 기업은 투자를 하지 않는 것이 좋습니다. 굉장히 위험한 상태죠.

여러분이 가진 돈이 1억인데 2억을 대출 받아 3억짜리 가게를 열면 부채비율이 200%가 됩니다. 또 여러분이 가진 돈이 1억인데 4억을 대출받아 5억짜리 가게를 열면 부채비율이 400%가 되고요.

돈을 잘 벌 때는 이 부채비율은 문제를 일으키지 않습니다.

하지만 장사가 안 되기 시작하면 이 부채가 이자를 발생시켜 수익을 다 까먹고, 자본을 까먹는 괴물로 바뀌죠. 그래서 부채비율이 높은 기업은 불황이 올 때 순식간에 부도가 나는 경우가 많습니다. 부채비율이 높았던 항공사들이 코로나 위기 때 순식간에 무너지는 것을 봤을 겁니다.

업종별로도 부채비율은 다릅니다.

항공사의 경우 비행기가 워낙 비싸다 보니 이를 리스로 운용해서 씁니다. 그래서 비행기 채무 가격이 다 부채로 잡혀 부채비율이 다른 업종보다 훨씬 높은 편입니다.

아시아나항공이 1200%, 대한항공이 870%, 제주항공이 350%, 진에어 267%로 항공기 보유 대수가 많은 곳은 부채비율이 높은 편이고, 상대적으로 항공기 보유 대수가 적은 저가항공사들의 부채비율은 낮은 편입니다.

은행주, 증권주들도 고객의 돈을 담보로 해서 다른 곳에 돈을 꿔 주고 이익을 내는 업을 하다 보니 부채비율이 상당히 높은 편입니다. 업종의 특성상 부채비율이 높을 수밖에 없는 거죠. 이런 업종은 부채비율이 낮다고 마냥 좋다고 할 수는 없을 것입니다.

유동비율

유동비율이란 유동자산을 유동부채로 나눈 것입니다.

$$유동비율(\%) = \frac{유동자산}{유동부채}$$

유동자산이란 1년 안에 현금화할 수 있는 자산을 말하죠. 유동부채는 반대로 1년 안에 갚아야 하는 빚입니다.

즉 유동비율이 100%가 넘는다는 것은 1년 안에 갚아야 할 빚보다 1년 안에 만들 수 있는 현금이 더 많다는 것이고, 유동비율이 100% 아래라는 것은 1년 안에 만들 수 있는 현금보다 1년 안에 갚아야 할 빚이 더 많다는 것입니다. 지금 현금이 부족한 상태로 위험하다는 것을 나타내죠.

그래서 유동비율이 낮은 기업들은 1년 안에 돌아오는 빚을 막기 위해 건물이

나 땅을 팔거나 계열사를 팔아서 현금을 만들려고 하죠. 우리도 기업에 투자할 때 이 유동비율이 100%가 넘는지를 확인하고 투자해야 손해를 보지 않습니다.

이자보상배율

이자보상배율은 기업이 수입에서 얼마를 이자비용으로 쓰고 있는지를 나타내는 비율입니다.

예를 들어 내가 한 달에 벌어오는 돈이 200만 원인데 매달 100만 원이 넘는 은행이자를 낸다면 생활비가 부족하겠죠? 마찬가지로 기업도 영업을 해서 벌어오는 영업이익에서 이자로 빠져나가는 비용인 영업외이자비용을 나누면 이자보상배율이 나옵니다.

$$이자보상배율(\%) = \frac{영업이익}{영업외이자비용}$$

삼성전자의 이자보상배율은 40배입니다. 이자보다 버는 돈이 40배가 많다는 이야기죠. 이자를 감당하고도 충분히 이익을 잘 내고 있습니다.

반대로 아시아나항공의 2018년 이자보상배율은 0.17배입니다. 이익보다 대출이자가 6배는 더 많이 나간다는 뜻이죠. 2019년은 영업이익 4,400억 적자에 이자비용이 3,500억 나가서 이자보상배율은 마이너스가 났습니다.

이자보상배율이 1이 나오면 버는 돈을 전부 이자 갚는 데 쓴다고 볼 수 있죠. 그래서 이자보상배율이 1 아래인 기업에도 투자하면 안 되겠지만 1에 가까운 기업에도 투자하지 않는 것이 좋습니다.

그럼 적당한 이자보상배율은 몇 배일까요?

여러분은 월급에서 몇 퍼센트 정도를 은행이자로 내고 있나요? 이자가 월급의 10% 이하가 되어야 생활비도 쓰고, 저축도 하고, 월세도 내고 할 수 있겠죠?

대한민국 우량기업이라 불리는 기업들을 보면 이자보상배율이 10을 훌쩍 뛰어넘습니다. 그러니 가급적 이자보상배율이 10이 넘는 기업에 투자하는 것이 안전합니다.

현금보유량

여기에 좀 더 응용을 해 보겠습니다.

우리는 월급에서 이자 내고, 생활비 쓰고도 남는 돈을 저축하죠. 그리고 저축한 돈을 모아 목돈을 만들고 무엇을 하나요?

네, 재테크를 하죠? 주식을 사든, 부동산을 사든, 가게를 사든 돈이 돈을 벌어오게 하기 위해 어떤 행동을 합니다.

기업은 어떨까요? 이자 낼 거 다 내고도 현금이 여유 있는 기업이라면 말이죠.

① 그냥 들고 있는다.

② 주주들에게 배당을 준다.

③ 기업을 인수한다.

④ 빼돌린다.

정상적인 대답을 기대하겠습니다.

보통은 ①~③ 중에서 하나를 선택합니다. 그중에서 주주들에게 가장 좋은 것은 ③이고, 그다음이 ②입니다. 그냥 현금을 들고 있는 것은 주주들에게 그리 반가운 일이 아닙니다.

이익을 재투자해서 복리로 수익을 내줘야 하는 기업이 현금을 가만히 들고 있으면 수익이 떨어지게 되죠. 배당을 줘서 주주들 살림살이에 돈을 보태 주는 것도 좋지만, 그럼 배당소득세로 15.4%가 사라집니다.

반대로 이 돈을 가지고 알짜 기업을 사들여서 더 많은 돈을 벌어 오면 주주로서는 훨씬 이득입니다. 배당소득세를 내지 않아도 되고, 이익에 이익이 얹어져서 더 많은 이익이 나오고, 주가는 더 올라갈 수 있죠.

예를 들어서 현금 부자 기업 중 하나인 SK텔레콤이 있습니다. 통신회사다 보니 매출도 일정하고 돈은 쌓여 가고 심심하죠. 그래서 가지고 있는 현금 1조 7,000억을 가지고 2011년에 기업 쇼핑을 나섭니다. 대출을 받아서 총 3조 4,000억에 하이닉스반도체(현재 SK하이닉스)를 인수했는데요. 현재 지분가치가 12조에 이릅니다. 1조 7,000억을 투자해서 10조를 넘게 번 재테크를 한 것이죠. 2018년 반도체 시장이 좋을 때 하이닉스 1년 순이익이 15조 5,000억이었는데 SK텔레콤 몫만 떼어도 3조가 됩니다.

배당을 주는 것보다 이렇게 과감히 현금으로 알짜 기업을 인수하는 기업들이 정말 주주를 생각하는 기업이겠죠. 그러려면 이 회사가 동원할 수 있는 현금이 얼마나 있는지를 알아봐야 하는데요.

저는 재무분석으로 들어가서 재무상태표를 확인해 봅니다.

여기에서 유동자산과 유동부채를 빼면 간단하게 1년 안에 사용할 수 있는 현금이 나오는데, 막상 1년 안에 (현금이라고는 하지만) 돈으로 환전이 어려운 것들도 있습니다.

예를 들어 재고자산은 팔리면 현금이 되지만, 팔리지 않으면 현금으로 만들 수가 없죠. 대표적으로 휴대폰의 경우 잘 팔리지 않으면 실시간으로 값이 떨어지고 1년 후에는 자산가치가 뚝 떨어지게 됩니다.

제가 여기서 진짜 현금이라고 보는 자산은 단기금융자산과 현금 및 현금성자산입니다. 어떤 기업을 인수할 때 실제로 쓸 수 있는 돈이죠. 물론 이 돈을 다 쓸 수도 없습니다. 1년 안에 갚아야 할 빚들이 있을 테니까요.

그래서 유동자산에서 유동부채를 빼도 자산이 넉넉한 기업 중에서 이 단기금융자산과 현금 및 현금성자산이 많이 있는 기업이 어딘지를 파악해 둡니다. 그러면 이런 기업들은 후에 알짜 매물을 인수하는 깜짝 이벤트를 벌일 수 있죠.

물론 줘도 안 가질 것 같은 기업을 돈 주고 사는 경우도 있는데, 그러면 보통 주가가 떨어지니 주의해야 합니다.

SK하이닉스의 재무분석과 재무상태표

이렇게 기업의 안정성 지표를 알아봤는데요.

부채비율(부채총계÷자본총계), 유동비율(유동자산÷유동부채), 이자보상배율(영업이익÷영업외이자비용)의 의미를 꼭 이해하고, 앞으로 안전한 주식투자를 위하여 한 번씩은 점검하셔야 합니다.

모든 주어진 기회에 꼭 다 움직일 필요는 없다.

워런 버핏

03 기업이 얼마나 빠른 속도로 성장하는지 확인하는 법

PER, PBR을 배우고 나면 이런 생각이 들 때가 있을 겁니다. '이 주식은 PER과 PBR이 낮으니까 안전한 주식이네. 이 주식을 사서 나도 워런 버핏처럼 부자가 되어야겠다'라고 말이죠. 하지만 생각처럼 주가가 잘 오르지 않습니다. 오류가 있기 때문인데요.

수익 대비, 자산 대비 저평가로서 가치 대비 비싸지 않으므로 안전하다는 것이지, 주가가 오르는 것과는 또 별개의 문제가 됩니다.

안전한 주식을 샀는데 내가 사자마자 주가가 오르고 부자가 되는 것을 바라는 것은 욕심입니다. 그래서 워런 버핏도 스승에게 가치투자를 배웠지만 성장성을 중요하게 생각했던 겁니다. 그럼 성장 지표에는 어떤 것들이 있는지 보도록 합시다.

📍 주목해야 할 성장 지표 4가지

우리가 주목해야 할 성장 지표로는 매출성장률, 영업이익률, 순이익증가율, ROE가 있습니다. 이 4가지만 잘 확인해도 이 기업이 성장하고 있는 기업인지 아닌지를 알아낼 수가 있습니다.

매출성장률

4가지 성장 지표 중에서 매출성장률이 주가에 가장 큰 영향을 준다고 볼 수 있어요.

장사를 해 본 분들은 아시겠지만, 장사를 하다 보면 이익이 더 나올 때도 있고 덜 나올 때도 있습니다. 회계처리를 어떻게 하냐에 따라서 이익이 늘어날 수도 있고, 경쟁사랑 경쟁을 하다 보면 이익이 좀 줄어들 수도 있죠. 하지만 매출이 줄어드는 것은 안 됩니다. 매출이 줄어든다는 것은 기업이 죽어 간다는 뜻이에요. 경쟁업체와의 경쟁에서 밀렸다는 뜻이거나 업종 자체가 성장을 멈추고 사양길로 들어갔다는 의미이기 때문에 매출이 줄어드는 것은 주가에 굉장히 안 좋은 일입니다.

반대로 매출이 급격히 성장한다는 뜻은 산업이 급성장하거나 경쟁사를 이겨 내고 있다는 뜻으로 풀이되므로 주가에 굉장히 좋은 소식이죠. 그래서 이익이 나지 않는 상황에서도 매출만 증가하면 주가가 오르는 경우도 많습니다.

경기민감주의 경우 경기에 따라 업종 전체의 매출이 들쭉날쭉한 편입니다. 그렇기 때문에 매출에 따라서 주가도 출렁이게 됩니다. 경기민감주의 경우 짧은 주기는 4년, 긴 주기는 10년 정도로 보기 때문에 매출 감소가 끝나고 이제 매출이 증가하기 시작하는 타이밍에 투자하는 방법도 있습니다.

그럼 매출액증가율을 확인해 보는 방법을 알아볼까요?

가장 기본적인 방법으로는 재무제표를 보면서 매출액이 매년 몇 퍼센트씩 상승했는지를 확인하는 겁니다. (올해 매출÷작년 매출)×100 = 매출액증가율(%)이 나오게 되죠.

전체	연간	분기			
주요재무정보					연간
	2015/12 (IFRS연결)	2016/12 (IFRS연결)	2017/12 (IFRS연결)	2018/12 (IFRS연결)	2019/12 (IFRS연결)
매출액	53,285	60,941	61,051	67,475	76,854
영업이익	6,841	8,809	9,300	10,392	11,764
영업이익(발표기준)	6,841	8,809	9,300	10,392	11,764
세전계속사업이익	6,448	7,527	8,611	9,560	10,291
당기순이익	4,704	5,792	6,183	6,923	7,882

LG생활건강의 매출액증가율

매출액증가율을 보면 이 기업의 매출이 얼마나 증가했는지 알 수 있죠. 그런데 일일이 계산하지 않고 더 쉽게 보는 방법이 있습니다.

'네이버증권 - 종목분석 - 투자지표 - 성장성'을 클릭하면 이미 다 계산된 것을 볼 수 있습니다.

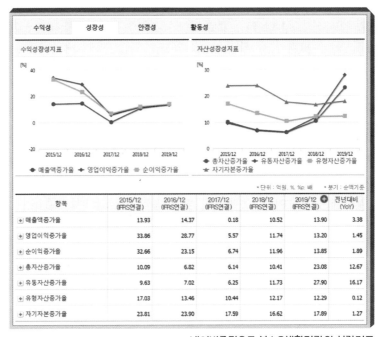

네이버증권으로 본 LG생활건강의 성장지표

LG생활건강을 예시로 들었는데 매출액 증가가 마이너스로 된 적이 없고, 2017년을 제외하고는 매년 10% 넘는 고성장을 하고 있습니다.

그럼 주가도 매출성장률과 일치했는지 볼까요?

LG생활건강의 5년간 주가 추이

일치하는 모습이네요. 매출이 연 10%씩 성장할 때는 주가가 계속 상승하다가 2017년 매출이 주춤했을 때 주가도 하락했어요.

이게 우연의 일치였을까요? 믿음의 기업이라 불리는 LG생활건강이라는 초우량기업조차도 매출증가율이 주가에 큰 영향을 줍니다. 그렇기 때문에 관심 있는 기업이 있다면 이 지표를 꼭 보셔야 합니다.

영업이익은 매출액에서 매출원가, 판매관리비를 빼 준 것입니다.

영업이익 = 매출액 − 매출원가 − 판매관리비

영업을 통해 남은 이익이라고 볼 수 있죠.

매출이 100억이어도 영업이익이 1억인 기업이 있을 수 있고, 10억인 기업도 있을 수 있습니다. 그래서 같은 매출이라도 마진이 얼마나 좋은 기업인지를 알아볼 수 있는 지표가 영업이익입니다. 매출이 아무리 증가해도 매년 영업이익이 적자라면 계속 땅 파서 장사하고 있는 자선단체라는 소리죠. 5년 연속 영업이익이 적자가 나면 상장폐지 조건에 해당됩니다.

그럼 영업이익이 계속 증가한다는 것은 기업에게 좋은 소식인데요. 매출이 증가하면서 영업이익이 증가한다는 것은 매출이 정상적으로 성장하고 있다는 뜻입니다. 예를 들어 매출은 증가하는데 영업이익이 그대로거나 성장하지 않는다는 것은 기업이 무리하게 매출을 끌어올리고 있다는 뜻이 되죠.

반대로 매출은 오르지 않았는데 영업이익만 올라갔다는 것은 구조조정이나 원가절감 등을 통해서 이익이 늘어나고 있다는 뜻입니다. 좋은 소식이긴 하지만 한계가 명확한 방법이죠.

영업이익+영업외이익-영업외비용-법인세비용으로 구한 것이 당기순이익입니다.

기업은 영업으로도 돈을 벌지만 자산매각이나 부가사업 등으로도 돈을 벌 수 있습니다. 그래서 당기순이익이 영업이익보다 더 많이 나오는 경우도 생깁니다. 이런 것들을 다 더해 주고 세금도 빼고 하면 이제 진짜 순수한 이익이 나올 수 있죠. 쉽게 말하면 당기순이익은 기업이 다 쓰고 남은 돈, 저축이 가능한 돈으로 보시면 됩니다.

　당기순이익은 기업의 주가가 고평가인지 저평가인지 가장 먼저 활용하는 지표인 PER에 쓰입니다. 앞서 설명한 대로 시가총액÷당기순이익=PER이기 때문에 당기순이익이 증가할수록 PER이 낮아지게 됩니다.

　이게 돈 버는 데 중요한 말이에요. 잘 이해해 봅시다.

　즉 지금은 PER이 높더라도 순이익증가율이 높은 기업이면 시간이 지날수록 PER이 낮아진다는 뜻이죠. 그러니까 지금의 PER이 높으냐 낮으냐가 중요한 것이 아닙니다. 순이익증가율을 봤을 때 5년 후, 10년 후의 순이익이 얼마쯤 되겠다는 계산을 하고, 그 순이익 대비 PER이 어떻게 될지를 고려해야 합니다. 그렇게 해서 투자를 결정하는 것이 워런 버핏식 투자법입니다.

　LG생활건강 같은 경우 순이익증가율이 높은 편입니다.

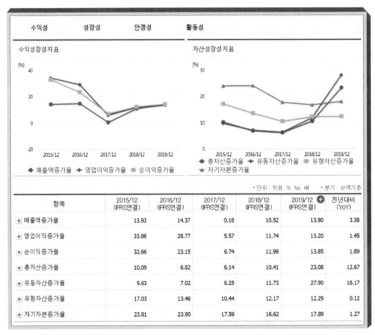

항목	2015/12 (IFRS연결)	2016/12 (IFRS연결)	2017/12 (IFRS연결)	2018/12 (IFRS연결)	2019/12 (IFRS연결)	전년대비 (YoY)
매출액증가율	13.93	14.37	0.18	10.52	13.90	3.38
영업이익증가율	33.86	28.77	5.57	11.74	13.20	1.45
순이익증가율	32.66	23.15	6.74	11.96	13.85	1.89
총자산증가율	10.09	6.82	6.14	10.41	23.08	12.67
유동자산증가율	9.63	7.02	6.25	11.73	27.90	16.17
유형자산증가율	17.03	13.46	10.44	12.17	12.29	0.12
자기자본증가율	23.81	23.90	17.59	16.62	17.89	1.27

LG생활건강의 성장지표

이렇게 고성장을 하는 기업들은 지금 PER이 높아도 시간이 지날수록 순이익이 커지면서 PER이 낮아지게 됩니다. 결국 '당장의 PER이 높고 낮은 것이 중요한 게 아니다. 순이익증가율을 같이 고려해서 미래의 PER을 계산해 보라'고 정리할 수 있겠네요.

ROE

앞서 말한 대로 자기자본 대비 순이익 비율이 ROE입니다.

$$ROE(\%) = \frac{당기순이익}{자본총계}$$

워런 버핏이 좋아하는 지표 넘버원이라고 보시면 됩니다.

부동산으로 치면 실투자금 대비 임대수익률이라고 볼 수 있죠. 부채 다 빼고 실제로 기업에 얼마가 투입되었고, 그 돈으로 실제 이익이 몇 퍼센트가 나오는지를 통해서 이 회사가 얼마나 효율적으로 기업을 운영하고 있는지 알 수 있는 방법이죠. 우리는 주가에 투자하는 것이 아니라 사업에 투자하고 있는 것이기 때문에 얼마나 효율적으로 돈을 잘 버는 사업인지를 확인하고 투자하는 것이 중요합니다.

앞서 말한 대로 워런 버핏의 연평균 수익률은 27.8%라고 합니다. 그리고 버핏은 자주 매매를 하지 않는 장기투자자죠. 그렇다면 기업의 주가가 연평균 그렇게 올랐다는 뜻이기도 합니다. 기업의 주가가 장기적으로 연 30%씩 오르려면 실적이 연 30%씩 좋아졌다는 뜻이고, ROE도 30% 수준이 나와야 정상적이라는 이야기죠.

그래서 버핏처럼 부자가 되려면 ROE가 30% 넘는 기업에 투자해야 하지만, 애석하게도 국내 대기업 중에 ROE 30%를 꾸준히 넘는 기업은 없습니다. 그나마 눈을 낮추면 LG생활건강이 ROE 20%대로 유일한 선택지가 됩니다. 예전처럼 고성장 시대가 아니다 보니 우리의 기대 투자수익률도 20% 수준으로 낮추는 것은 어떨까요? 매년 20%의 투자수익률을 올리는 것도 나쁘지 않습니다.

투자 꿀팁을 드립니다

이렇게 성장 지표들을 통해서 기업의 성장 속도를 확인하는 방법을 알아봤습니다. 예시로 LG생활건강을 들었는데, 그렇다고 이 주식을 사라는 말이 아닙니다. 말한 대로 매출액, 이익증가율, ROE 모두 좋기는 한데, 단점은 본인도 본인 기업이 완벽하다는 것을 안다는 것이죠.

제가 측정한 바로는 적정 주가가 60만 원인데, 현 주가는 150만 원이 넘는 고평가 상태입니다.

프리미엄을 더 주고 산다고 해도 저는 저 가격에는 살 수 없죠. 그래서 항상 아쉬워하는 주식입니다. 언젠가 LG생활건강을 100만 원 이하에서 살 수 있는 날이 오겠죠?

이렇게 좋은 주식들을 찾아 놓고 저렴하게 나올 날을 기다리면 됩니다.

많이 찾아 둘수록 더 좋은 기회가 빨리 오겠죠? 그래서 공부를 통해 성공 확률을 높여 나갈 수 있는 겁니다.

04 부도 나기 직전의 기업은 냄새를 풍긴다

오늘도 수많은 기업들이 탄생하고 수많은 기업들이 사라집니다. 사람이 태어나고 성장하고 기력이 쇠하고 죽듯이 기업도 같은 길을 걷습니다. 천천히 사라지기도 하고 급격히 사라지기도 하는데, 보통 투자자들이 피해를 보는 경우는 후자입니다.

부도가 나거나 상장폐지가 되면서 주주들에게 피해를 주는 기업들이 많은데요. 다행히도 제가 투자한 기업들 중에서는 부도가 난 적이 없습니다. 그 이유는 간단합니다. 초우량기업들 위주로 투자를 했기 때문입니다.

매출과 이익이 성장하고 부채비율이 낮은 기업이 부도가 날 일이 없죠. 부도가 나는 기업들의 특징은 적자가 나고 부채가 많습니다. 초보자라면 적자를 내는 기업, 부채가 많은 기업은 투자하지 않는 것이 좋습니다. 그러면 부도를 쉽게 피할 수 있죠.

부도가 나는 회사들은 분명히 그 전에 어떤 신호들을 줍니다. 다만, 우리가 욕심에 눈과 귀가 멀어 이를 보지 못하고 듣지 못할 뿐이죠.

그래서 이번에는 부도가 나기 전의 기업들은 어떤 특징이 있는지 설명해 드리겠습니다.

📍 부도가 나기 전 기업들의 4가지 특징

기업은 돈이 필요하면 보통 은행에서 빌립니다. 은행에서 돈을 못 빌리는 수준이라면 그 기업의 재무 상태는 말 안 해도 알 만합니다. 투자하지 말아야죠.

기업은 은행에서 돈을 못 빌리면 회사채를 발행합니다. 투자자들을 대상으로 원금에 이자를 줄 테니 우리 회사 채권을 사 달라고 광고하는 것이죠. 여기까지는 이해할 수 있어요. 딱 여기까지가 한계입니다. 회사채를 발행해도 사 줄 사람이 없을 것 같다는 생각이 들면 발행하는 것이 전환사채와 신주인수권부사채입니다. 이 기업에 투자할 사람이 없으니까 주식까지 줘 가면서 투자자를 모집하는 것이죠.

전환사채(CB)는 처음에는 채권이지만 향후에 투자자가 원하면 약정한 가격에 주식으로 바꿀 수 있는 채권입니다. 하이브리드 채권이죠. 처음에는 채권으로 돈을 빌려줘서 부도가 나도 원금을 회수할 수 있는 길을 열어 두고, 나중에 기업이 회복되면 주식으로 전환해서 막대한 차익을 남기겠다는 투자죠.

워런 버핏도 전환사채에 투자했는데 우리도 그런 기업에 투자하면 안 되냐고 물을 수도 있지만, 버핏은 질레트라는 세계적인 면도기 회사에 투자할 때 그렇게 한 겁니다. 망할 수가 없는 회사들을 가장 싸게 사는 방식으로 들어간 거죠. 그리고 우리는 전환사채를 사는 것이 아니라 주식을 사는 것이잖아요. 부도가 나면 회사 땅과 건물을 팔아서 채권을 가진 사람한테 먼저 주고, 혹시라도 여분이 남으면 주식을 가진 사람한테 줍니다. 즉 채권이 선순위, 주식이 후순위인데 부도가 날 정도의 기업이 후순위까지 챙겨 줄 자산이 있을 리가 없겠죠.

신주인수권부사채(BW)는 전환사채보다 더 나쁜 거라고 보면 됩니다. 전환사채는 채권이었다가 주식으로 바꿀 수 있다고 했는데, 투자자가 채권을 주식으로 바꿔 가면 이 기업의 부채가 사라지는 효과가 있죠. 물론 주주들은 피해를 보겠지만, 기업은 빚이 줄어들어 재무가 건전해집니다.

하지만 신주인수권부사채는 채권은 채권대로 가고 여기에 옵션으로 주식을 살 수 있는 권리를 줍니다. 투자자는 채권으로 돈을 빌려줘서 원금도 챙기고 이자도 받고 여기에 향후 회사의 주가가 오르면 약정했던 헐값으로 주식을 사들일 수가 있는 방법이죠.

워런 버핏이 뱅크오브아메리카를 이렇게 가져갔습니다. 채권으로 가져가지는 않았고 배당 6%를 받는 우선주 50억 달러 치를 사면서 BW 방식으로 2021년까지 주당 7.14달러에 주식을 살 수 있는 권리를 받았죠. 이 회사 주가가 35달러까지 치솟았으니까 버핏은 6조를 투자해서 32조 이상을 벌어들이는 효과를 냈죠. 반면 기존 주주들은 그만큼 피해를 본 겁니다.

세 번째는 유상증자를 하는 기업인데요.

예를 들어 3명에서 동업을 하고 있는데 회사의 돈이 부족하니까 투자자를 3명 더 받아서 6명에서 동업을 하게 됩니다. 그러면 기존 1/3로 가져가던 회사의 수익을 이제는 1/6로 가져가야 하니까 내 이익이 줄어들겠죠? 이게 유상증자입니다.

주식 수를 더 늘려서 그 돈으로 회사 운영비를 마련하는 방법인데 채권이 아니라 주식으로 돈을 끌어오기 때문에 회사의 빚은 늘지 않아요. 다만 주주들만 피해를 볼 수 있죠. 회사가 은행 대출도 안 돼, 회사채도 안 돼, 이럴 경우에 내는 방법입니다.

그런데 어이없게도 유상증자를 하면 주가가 오르는 경우도 있어요. 유상증자를 하는 이유를 잘 설명하면 그래요. '우리가 어떤 기업을 인수하기 위해서이다' '특정 연구를 해서 대박을 내기 위해서다' 이러면 유상증자인데 주가가 올라요. 그래도 하지 마세요. 그렇게 올린 다음에 상장폐지되는 기업들 많이 봤습니다.

사람 말 쉽게 믿는 거 아닙니다.

네 번째는 감자인데 주식 수를 줄이는 겁니다.

예를 들어 10주를 1주로 압축하는 것을 10 대 1 감자라고 합니다. 그럼 생각을 해야 해요. '왜 주식 수를 줄일까?'

무서운 이유가 있죠. 앞서 회사가 가진 자본총계가 자본금 이하로 들어가면 자본 잠식이라고 했죠? 창업할 때 들어간 돈을 까먹기 시작한다는 것이죠. 이러면 상장폐지 사유가 됩니다. 그걸 막기 위해서 자본금을 줄이려고 감자를 하는 것이죠.

예를 들어서 자본금이 5,000억인데 자본총계가 2,000억으로 벌써 3,000억을 까먹은 기업이다. 이럴 경우 10 대 1 감자를 하면 자본금이 500억으로 줄어들죠. 그럼 자본금 대비 자본총계가 1,500억이 더 많으니까 회사의 **이익잉여금**[회사가 장사를 해서 남은 돈을 쓰지 않고 비축해 둔 돈입니다. 가정으로 치면 저축잔액이라고 보면 됩니다]이 1,500억 있는 것이고, 재무상 건전한 기업으로 바뀌는 것이죠. 숫자 놀음입니다.

물론 감자를 해서 주가가 오른 적도 있어요. '차등 감자'라고 해서 대주주 주식은 10 대 1로 하고 일반주주 주식은 2 대 1로 감자를 하면 상대적으로 일반주주가 이득이니까 주가가 일시적으로 오릅니다. 하지만 장기투자자라면 이런 주식에 투자하지 않는 것이 속 편한 일이죠.

흑자 부도가 나는 경우

이번에는 좀 더 고급 기술로 들어가 볼까요?

기업은 돈이 잘 돌아야 해요. '흑자 부도'라는 말 들어 보신 적 있으세요? 회계상으로 이익이 나도 현재 내 지갑에 돈이 없어서 빌린 돈을 못 갚아 부도가 났다는 말입니다. 반대로 회계상 적자여도 내 주머니에 현금이 있으면 부도가 안 나죠.

고급 기술 첫 번째는 매출채권회전일수 파악입니다. 개인들은 물건을 살 때 바로 즉석에서 돈을 주지만 기업들은 그렇지가 않아요. 세금계산서를 발행하면 거래처에서 확인하고 돈을 주죠. 한 달 치 정산해서 주는 곳도 있고, 석 달 치를 정산하는 곳도 있는 등 받아야 할 돈이 일정 기간 동안 외상으로 물려 있습니다. 이 외상 기간이 짧으면 괜찮지만, 길어지면 운영자금이 모자라서 곤란을 겪게 되겠죠?

매출채권회전일수를 알면 대략적으로 이 기업의 상황이 어떤지를 알게 됩니다.

공식은 365일에 매출채권회전율을 나누면 됩니다. 매출채권회전율은 매출에서 매출채권을 나누면 되고요.

$$매출채권회전일수 = 365일 \div 매출채권회전율$$
$$매출채권회전율 = 365일 \div (매출 \div 매출채권)$$

이렇게 해서 매출채권회전일수를 봤더니 편의점을 운영하는 BGF리테일은 매출채권회전일수가 8일 정도예요. 일주일 만에 돈이 회수되니 현금이 잘 돌아가는 회사죠. 이런 기업들은 당장 망할 일이 없습니다. 항공사나 제약회사들도 보면 20~35일 정산금이 돌아오는 구조입니다. 이런 기업들도 현금이 잘 돌고 있죠. 한 달 주기여도 좋은 겁니다.

그런데 건설업이나 조선업의 경우 회전일수가 1년에서 2년입니다. 돈이 잘 들어오지가 않는 것이죠. 돈이 들어올 곳은 없는데 나갈 곳은 많다 보니까 현금을 넉넉하게 들고 있어야 하고, 그러다가 도중에 돈이 부족해지면 부도가 날 확률도 높아지는 것이죠. 그래서 몸집이 크다고 안전한 기업이 아니라 현금이 잘 돌아야 안전한 기업인 겁니다.

고급 기술 두 번째는 재고자산회전일수 파악입니다.

제조업이나 유통업은 물건을 만들고 팔고 돈이 들어오는 삼박자 구조가 원활해야 합니다. 그런데 물건은 잘 만들었지만 팔지를 못해 돈이 안 들어오면 기업이 위험해질 수 있죠. 그래서 기업의 재고가 쌓이고 있는지 줄어들고 있는지 적당하게 유지가 되고 있는지를 확인해 봐야 합니다.

재고자산회전일수를 통해서 기업의 재고회전 속도가 얼마나 느려졌는지를 확인하는 것도 중요해요. 재고가 쌓여 가면서 재고자산회전일수가 떨어지고, 이후에는 기업이 돈이 말라 부도가 나는 경우도 많기 때문입니다.

재고자산회전일수는 365일에 재고자산회전율을 나눠 주면 되고요. 재고자산회전율은 매출에서 재고자산을 나누면 됩니다.

$$재고자산회전일수 = 365일 ÷ 재고자산회전율$$
$$재고자산회전율 = 365일 ÷ (매출 ÷ 재고자산)$$

투자를 고려 중인 기업이 최근에 재고자산회전일수가 크게 늘어났다고 판단되면 하지 않는 것이 좋습니다. 업종 전체가 그런 상황이라면 현재 이 업종에 위기가 온 것이고, 다른 기업들은 괜찮은데 그 기업만 재고자산회전일수가 늘어났다면 그 기업에 어떤 문제가 생겼다고 볼 수 있습니다.

예전에 눈여겨보던 제약회사가 있었는데요. 다른 제약회사들에 비해 매출채권회전일수가 10배가량 갑자기 늘어났더라고요. 알아보니 역시나 생산 – 판매 – 수금 과정에서 문제가 있었습니다. 그래서 저는 그 기업에 투자를 하지 않았는데, 나중에 그 기업은 상장폐지 위기에까지 몰렸습니다. 천만다행이었죠.

지금까지 사지 말아야 할 기업들의 지표들에 대해서 알아보았는데요. 좋은 기업을 고르는 눈도 길러야 하지만, 나쁜 기업을 보는 눈도 길러야 합니다. 그래야 잘못된 투자를 하는 일을 막을 수 있으니까요.

시장을 예측하려는 것은 어리석은 일이다.

피터 린치

코스톨라니의 4계절 투자법

수많은 주식투자자들이 사라지는 가장 큰 이유는 주식을 하지 않아야 할 시기에 주식으로 돈을 벌려고 하다가 큰 손실을 입고 시장을 떠나기 때문입니다. 제가 두 번의 폭락장에서 살아남은 이유 중 하나가 쉴 때 쉬고 들어갈 때 들어가는 시기를 알려 주는 이 '코스톨라니의 4계절 투자법' 덕분입니다.

주식을 하면 안 되는 시기에는 과감하게 주식을 하지 않는 것도 좋습니다. "쉬는 것도 투자다"라는 말이 있죠. 남들이 모두 손실을 볼 때 내가 손실을 보지 않았다면 상대적으로 돈을 번 것과 마찬가지입니다. 내 자산을 지켜 주는 효율적인 투자 방식인 코스톨라니 투자법에 대해서 같이 알아봅시다.

유럽의 워런 버핏이라고 불리는 앙드레 코스톨라니는 헝가리 출신으로 유럽 전역을 돌아다니며 투자한 사람입니다. 전설적인 투자자들 대부분은 미국에서 나왔는데, 유럽권에서 이런 투자자가 나왔다는 점이 의외죠. 대중의 열광과 심리를 반대로 가는 역발상 투자자라는 점에서 워런 버핏, 피터 린치와 공통점이 많습니다.

그가 낸 수익들 중 3건의 대박 투자를 소개해 드리면 2차 세계대전 후 이탈리아 자동차 회사에 투자해서 10배, 독일 국채 투자로 140배, 1989년 러시아 국채를 매수해서 60배의 수익을 거두었죠.

2차 세계대전 직후, 소련 붕괴 등 거대한 공포가 시장을 지배할 때 과감하게 투자했다는 점이 그의 배짱을 가늠해 볼 수 있습니다.

■ 금리로 보는 달걀 모형

세계 경기는 호황과 불황을 왔다 갔다 합니다. 호황일 때는 자산시장에 버블이 일어나고, 불황이 오면 자산시장의 거품이 꺼집니다. 국가는 금리를 조절하면서 호황과 불황을 조절하는데요. 금리를 내리면 대출이자가 줄어드니 빚을 내서 공장을 세우고, 직원을 뽑고, 집을 삽니다. 경기가 불황이라 경기를 좋게 만들고 싶으면 금리를 내리죠.

반대로 경기가 좋아져서 투기가 늘어나고, 실업률이 낮아지고, 물가가 치솟으면 금리를 올려 시중의 돈을 가져갑니다. 금리가 오르니 대출받기가 부담스러워지고, 은행에서 돈을 빌리는 것을 꺼리다 보니 투자가 줄고, 물가 상승에 브레이크가 걸리는 것이죠.

즉 금리를 내리는 것은 경기상승을 위한 액셀 페달이고, 금리를 올리는 것은 경기억제를 위한 브레이크 페달입니다. 이 두 페달을 번갈아 밟으면서 국가의 경제를 조절하는 것이 중앙은행입니다.

그럼 우리는 중앙은행이 금리를 올리고 내리는 것을 통해서 앞으로 경기가 어떻게 될지를 예상해 볼 수가 있죠. 그리고 그 예상을 바탕으로 남보다 더 저렴하게 주식을 사서 비쌀 때 팔 수 있습니다.

코스톨라니는 이 금리 변화에 따라서 어떻게 투자하면 좋을지 봄, 여름, 가을, 겨울 투자법을 만들었는데요. 달걀모형이라고 부르기도 합니다. 그럼 어떤 건지 살펴봅시다.

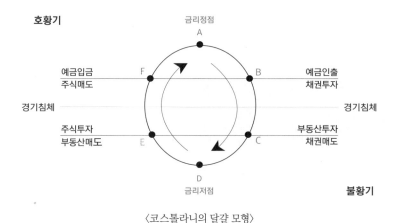

〈코스톨라니의 달걀 모형〉

금리가 저점을 찍고 오르는 시기가 봄이에요.

금리가 처음으로 올라간다는 뜻인데, 경제가 좋아졌다는 신호들을 확인하고 국가가 브레이크를 밟기 시작했다는 뜻이기도 합니다.

이때는 주식에 투자해야 합니다. 경기가 좋아지는 호황기 초기에 투자해서 호황기가 끝날 때까지 수익을 취하는 전략을 씁니다. 부동산은 금리가 올라가면 대출이자가 늘어서 부담이 되므로 매각을 하라고 합니다만, 최근의 추세와 우리나라의 역사를 보면 이 봄 시기에 주식과 부동산이 같이 상승하기도 했습니다.

이제 여름을 봅시다.

경기는 계속 과열되고 국가는 계속 금리를 올려 브레이크를 꾹 밟습니다. 금리를 최대치로 올려도 경기과열이 멈추지 않는 이유는 관성의 법칙이 있기 때문인데요. 돈이 돈을 벌어 오는 시기이다 보니 사람들이 계속 주식에 돈을 넣는 것이죠. 모두가 주식에 열광하는 시기이기도 합니다. 주식의 주자도 모르는 사람들이 주식한다고 하는 시기이기도 하고요.

이럴 때는 과감하게 주식을 던지고 빠져나와야 합니다. 대신 그 돈으로 예금에 가입하는 것이 좋습니다. 예전에 2007~2008년이 딱 이 시기였는데요. 이때는 연 8% 예금 구하기가 쉬웠습니다. 모든 자산을 예금으로 넣어서 높은 이자를 받으며 소나기를 피하는 시기죠.

이제 가을입니다.

금리가 잔뜩 오른 시기에 외부 충격이 더해지면서 주식시장에 곡소리가 나기 시작합니다. 이때 주식을 팔려고 해도 늦은 경우가 많습니다. 더 이상 비싼 가격에 주식을 사 줄 사람이 없기 때문이죠. 먹구름을 보고 소나기를 피해야지, 이미 비가 내린 뒤에 피하려고 하면 옷이 다 젖는 법입니다. 금리가 오르는 시기보다 금리가 내리는 시기가 더 깁니다. 이제 한동안 주식투자 자체를 안 하는 것이 더 이익일 수 있는 시기입니다.

폭락장이 끝난 후, 국가는 경제를 살리기 위해서 금리를 장기간 하락시킬 겁니다. 그러면 금리 인하 시 가장 이익이 나는 자산은 채권입니다. 예금에 넣어 둔 돈을 채권에 투자해서 또 수익을 내면 됩니다.

실제로 2010년대에 채권펀드 수익률은 연 20%에 가까울 정도로 고수익을 냈습니다. 반대로 이 때 코스피 지수는 오르지 않거나 떨어지는 시기였죠. 주식형펀드도 인기가 없었고요.

금리를 지속적으로 내리다 보면 사람들이 빚을 내서 투자를 하기 시작합니다. 천천히 고용이 늘고, 공장이 늘고, 실업률이 줄어들기 시작합니다. 그리고 금리가 너무 낮아서 더 이상 내릴 금리도 없고, 예금이자는 거의 없다시피 한 시기가 오죠. 이때는 부동산이 떠오릅니다. 대출이자 부담이 없기 때문에 빚을 내서 사야 하는 부동산 투자에 부담이 줄기 때문입니다.

연 3% 이자 대출을 받아 연 7% 임대업에 투자하면 가만히 앉아서 연 4% 수익을 얻을 수 있죠. 이 시기가 겨울입니다.

물론 이 이야기는 유럽을 무대로 한 코스톨라니의 생각이고, 전반적으로 맞다고 볼 수 있지만 우리나라의 경우에는 약간 다를 수도 있습니다. 주식이 탄생한 유럽과 달리 우리나라는 부동산에 대한 믿음이 강하고, 임대수익보다 매각 수익을 보고 투자하기 때문에 우리나라는 겨울에도 부동산이, 봄에는 주식과 부동산이 같이 오르는 경향이 있습니다.

다만, 주식은 언제든지 실시간으로 사고팔 수 있어 폭락이 올 것으로 예상되면 얼른 빠져나올 수 있다는 장점이 있지만, 부동산은 세금 문제로 몇 년 이상은 투자를 해야 되기 때문에 얼른 빠져나오는 것이 불가능하다는 단점이 있습니다.

■ 주식시장의 4계절 투자법

주식시장만 보면 거래량을 중심으로 4계절 투자법이 가능합니다. 예전에 제가 알던 슈퍼개미도 코스피 거래대금을 기준으로 주식투자를 해서 몇 백억의 자산가가 되었습니다.

사람들이 주식에 열광하면 거래량이 늘어 거래대금이 늘어나고, 주식에 관심이 떨어지면 거래량이 줄어 거래대금이 줄어듭니다. 주식 거래대금은 매일 실시간으로 공개가 되기 때문에 일반인들도 파악하기가 쉽죠.

달걀 모형을 볼까요?

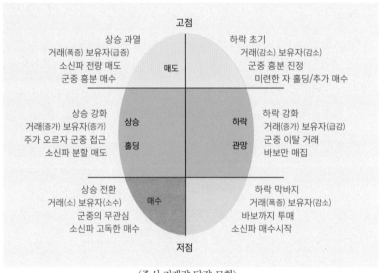

〈주식 거래량 달걀 모형〉

저점에서는 주식에 관심을 가지는 사람이 없습니다. 주식을 보유한 개인이 굉장히 적고, 주식거래도 활발하지 않은 시기입니다. 이럴 때 투자하면 돈을 번다는 것을 알고 있지만, 주변 사람들이 주식을 하지 않으니 과감하게 들어가기가 겁나는 때이죠.

이제 주식시장이 슬슬 달아오르면 주식을 하는 사람이 늘어나기 시작합니다. 서점 재테크 코너에 가면 부동산 책 대신 주식 책들이 조금씩 늘어나기 시작하는 시기이기도 하죠. 코스피 거래대금이

4조를 넘어가고 주가가 조금씩 오르면서 투자자들이 점점 불어나기 시작합니다. 제가 알던 슈퍼개미는 이때 증권사 주식을 잔뜩 샀었죠. 거래대금이 늘면 수수료 또한 늘어나 증권사에도 봄이 올 거라면서요.

주식으로 돈을 벌었다는 이야기가 주변으로 삽시간에 퍼지고 주식의 주자도 모르는 사람들이 주식시장으로 들어옵니다. 물론 초반에는 그들도 돈을 법니다. 주식 전체가 거의 오르는 시기니까요. 그러면 초보자도 주식으로 쉽게 돈 벌 수 있다는 이야기가 돌고 과열의 시기가 옵니다. 코스피 거래대금으로 저는 10조를 보고 있는데요. 이 시기가 오면 저는 주식시장을 떠날 준비를 합니다. 이때가 되면 증권주들 주가가 하늘을 날아다닙니다. 몇 배씩 올라 있죠. 거래대금 4조 시절에 증권주를 투자했던 슈퍼개미는 이 시기에 증권주를 팔아 10배의 수익을 얻었습니다.

물론 그런 시기가 다시 오기는 어려울 겁니다. 국내주식 수수료를 무료로 해 주는 증권사가 많기 때문이기도 하고, 증권사가 이제는 해외주식, 기업 상장, 직접투자 등을 통해 수익을 내는 비중이 늘었기 때문에 거래수수료가 늘었다고 수익이 몇 배씩 늘지는 않기 때문입니다.

이제 외부적으로 큰 충격을 맞고 나서 주식시장은 하락세를 걷습니다. 사람들이 떠나기 시작하지만 이때가 저점이라며 들어오거나 남아 있는 자들이 생깁니다. 어떤 주식을 가지고 있느냐에 따라 다르겠지만 대부분의 투자자들은 일명 '물린 상태'가 되는 것이죠.

이제 장기간 주식이 하락하는 시기가 옵니다. 한 번에 확 내리는 것이 아니라 조금씩 오랫동안 주가가 내려가는 시기죠. 서점 재테크 코너에서 주식 책을 보기 어려워지는 시기가 옵니다. 다른 종류의 투자들이 인기를 얻기 시작하죠.

이제 주식이 바닥으로 오면 거래대금은 4조 이하로 내려가고 주변에서 주식을 하는 사람을 볼 수가 없습니다. 주식들의 가격은 실적 대비 매우 저렴해진 상태입니다. 다시 말하지만 정상적인 기업이라면 실적이 우상향하기 때문에 10년 전 가격과 비교하면 안 됩니다. 주가는 이미 폭락 전으로 회복

되었지만 실적은 몇 배가 되어 있을 수도 있는 것이죠. 그러면 이 회사의 주가는 실적 대비 저평가인 겁니다. 코스피 전체 PER을 비교해 보는 것도 하나의 방법이 됩니다. 아무도 주식에 관심을 가지지 않는 이때 주식에 투자하는 것이 워런 버핏, 피터 린치, 코스톨라니가 한 역발상 투자입니다. 일반인들이 하는 주식투자는 모두가 주식에 관심을 가질 때 하는 투자고요. 결과는 다 알다시피, 누가 수익을 냈는지 아시겠죠?

세상에 영원한 것은 없습니다. 좋아졌다 나빠졌다 하고, 사라지는 것이 있으면 태어나는 것이 있죠. 인생사와도 많이 닮았습니다. 새옹지마의 정신을 가지고 앞으로 좋아질 것에 투자하는 것이 진정한 투자라고 할 수 있습니다. 이미 좋아질 대로 좋아진 것이 더 좋아질 것이라며 비싼 값을 치르고 사는 것은 투자라고 보기보다는 투기에 가깝죠.

투기는 가치를 묻고 따지지 않습니다. 가격이 오르면 사는 것이 투기예요. 투자는 가치를 따집니다. 가치보다 저렴할 때 사서 가치보다 가격이 오르면 팝니다. 우리는 투자를 해야 합니다.

CHAPTER 4
고수들의 투자 방법 따라 하기

01 외국인을 따라 투자하면 어떨까

국내 주식시장 투자자는 3개로 나뉘어 있습니다. 지수를 움직이고 주가를 움직이는 데 가장 영향력을 끼치는 외국인투자자들, 국내 금융사들과 연기금으로 이루어진 기관투자자, 그리고 가장 힘이 약한 우리들 개인투자자로 말이죠.

여태껏 외국인투자자들은 꾸준히 주식시장에서 돈을 벌었습니다. 기관투자자는 벌기도 하고 잃기도 했고요. 개인투자자들은 길게 보면 잃기만 했습니다.

그래서 나온 말이 '외국인 따라 하기' 전략입니다. 그럼 과연 이 전략은 얼마나 효과가 있는지 같이 확인해 보죠.

외국인이 사면 주가가 오른다?

2019년 중반부터 다시 **랠리**[주가가 상승하는 분위기로 전환되는 상황]를 시작한 SK하이닉스를 보시죠.

5월 9일부터 6월 13일까지 딱 3일 빼고 외국인들은 신나게 주식을 팔았습니다. 그 물량을 개인들이 거의 다 받아 냈죠. 주가는 6만 3,000원까지 떨어졌습니다.

그러다가 6월 14일부터 9월 9일까지 외국인들은 신나게 사들입니다. 반대로 개인들은 주식을 신나게 팔아 댑니다. 주가가 1단계 상승하는 구간인데 말이죠. 8만 원까지 주가가 오릅니다.

SK하이닉스 주가 추이

그 후에 2단계 랠리가 시작되는데 주가가 10만 원을 넘기죠. 12월 초까지 외국인은 주식을 많이 팔아 치웁니다. 그리고 12월 말에서 1월 초에 다시 좀 더 사들이고요.

개인은 외국인과 거의 반대로 갑니다.

주가가 오른 기간은 대체적으로 외국인이 팔 때입니다. 외국인은 내릴 때 사고, 오를 때 팔았다는 것을 알 수 있고, 개인들은 오를 때 사고, 내릴 때 판다는 것을 알 수 있습니다.

이를 해석하자면 외국인은 주가가 오르기 전에 미리 샀다고도 볼 수 있고, 반대로 쌀 때 사서 비싸게 파는 전략을 썼다고도 볼 수 있습니다. 그리고 주식을 사는 중에도 잠시 팔았고, 그 후 다시 사면서 주가를 끌어올린 뒤 팔았다는 점도 알 수 있죠.

모든 종목에서 이런 패턴을 보이지는 않지만 영리하게 사고판다는 것은 확실합니다.

반면 개인은 외국인이 사고팔 때마다 반대의 모습을 보여 주는데, 누군가가 팔아야 누군가는 살 수 있기 때문입니다. 그래서 반대의 모습을 보여 주죠. 하지만 주가가 오르는 추세에서 개인들이 많이 사들이는 것은 문제가 있습니다. 왜냐하면 물론 주가가 장기적으로 상승하게 되면 오르는 추세에서 산 개인들이 이익이지만, 우리나라의 증시는 '박스피'라는 별명이 붙어 있을 정도로 주가의 오름세가 오랫동안 유지되지 못하고 금방 떨어지는 경우가 많기 때문입니다. 따라서 주가가 오르는 추세에 주식을 살 때는 신중해야 합니다.

📍 외국인이 산다고 따라 사면 안 되는 이유

10년 전쯤에는 외국인을 따라 주식을 사는 전략이 유효했습니다. 그때는 외국인이 산 주식은 오르고 판 주식은 내리는 확률이 꽤나 높았죠. 하지만 지금은 전혀 그렇지 않습니다. 외국인이 산다고 해서 주가가 반드시 오르는 것도, 판다고 해서 떨어지는 것도 아닙니다.

이유를 생각해 봅시다. 내가 산다고 다들 따라 사고 내가 팔면 다들 따라서 팔면 돈을 벌기가 어려워지죠? 서로 팀이 갈라져야 경기를 할 만한데 말이죠.

그래서 그들은 다른 무기를 갖춥니다. 바로 공매도, 선물과 옵션입니다. 이 3

가지 기술을 통해 주가가 떨어져도 돈을 버는 구조를 만들었죠.

공매도는 주가가 떨어질수록 이익이 나는 기술입니다. 주식을 팔면 가격이 내리고 가격이 내리면 싸다고 덥석 사 주는 개인들이 있으니 공매도로 수익을 내기가 쉽죠. 그런데 개인은 공매도 투자가 거의 불가능합니다. 우리는 올라야지만 돈을 벌고, 저들은 내려도 돈을 법니다.

두 번째는 선물, 옵션인데요. 주식에서 손실이 나도 지수를 미리 예측해서 돈을 걸어 두는 선물, 옵션 투자를 통해 수익을 낼 수 있습니다.

아래 그림은 SK하이닉스가 상승 랠리를 펼치던 2019년 하반기입니다. 코스피지수도 400포인트 가까이 올랐죠. 그 기간 동안 외국인들은 주식을 팔았죠. 개인도 좀 팔았는데 기관이 주식을 받아서 올려 줬네요. 상승 기간 동안 팔아서 현금화를 했으니 개인과 외국인이 돈을 좀 벌었다고 볼 수 있습니다. 그런데 개인이 더 팔았으니 개인의 승인가요?

아닙니다. 선물 수급을 볼까요? 개인과 기관은 팔았습니다. 그리고 외국인은 선물에 몰빵을 했죠. 코스피지수가 400포인트나 올랐으니 외국인들은 주식에서 번 돈보다 선물 투자로 번 돈이 더 엄청날 겁니다. 이 엄청난 수익을 개인과 기관은 먹지 못하고 외국인이 홀로 먹었네요.

매매 동향과 코스피지수

그래서 외국인이 주식을 얼마나 팔았고, 선물을 얼마나 사들였는지를 알아두어야 합니다. 이런 수급들을 파악하고 있어야 외국인투자자들이 주식에서 이익을 내려고 하는지, 선물에서 이익을 내려고 하는지를 어느 정도 가늠할 수 있습니다.

물론 외국인들이 주식이면 주식, 선물이면 선물, 이렇게 한 가지씩만이 아니라 선물과 옵션, 주식, 공매도를 모두 섞어서 투자를 하니 이들의 투자 방향을 알기가 쉽지 않습니다. 또 설령 안다고 하더라도 어느 날 갑자기 투자 패턴을 바꿔 버리기도 하기 때문에 이들을 따라서 투자하는 것은 결코 쉽지 않습니다.

📍 외국인, 기관, 개인 수급 상황 확인하기

하루, 1주, 한 달, 3개월간 외국인, 기관, 개인이 얼마나 사고팔았는지를 알려면 몇 가지 방법이 있는데요. 네이버증권에서 '국내증시-투자자별매매동향'을 클릭하시면 볼 수 있고, 좀 더 특정 기간까지 조회해서 알고 싶으면 증권사어플로 들어가서 '투자자동향'을 검색하시면 됩니다(특정 기간 조회가 안 되는 어플도 있습니다).

구분	KOSPI(억원)	KOSDAQ(억원)	선물(억원)
개인	7,600	2,146	-309
외국인	-2,954	-937	3,977
기관	-4,577	-1,107	-3,796
금융투자	-3,803	-471	3,285
보험	-165	-103	-397
투신	-514	-483	-6,595
사모펀드	-477	-115	0
은행	-14	-4	15
기타금융	7	-19	5
연기금	389	90	-111
기타법인	-100	-100	128

KOSPI 1,825.76 ▼ 34.94 9,422,984 백만 1.88%

날짜	개인	외국인	기관
2020-04-13	7,600	-2,922	-4,577
2020-04-10	2,519	-558	-2,059
2020-04-09	2,940	-1,782	-1,295
2020-04-08	4,519	-1,345	-2,819
2020-04-07	1,492	-1,951	328
2020-04-06	-8,430	-2,019	10,360
2020-04-03	3,486	-2,882	-833
2020-04-02	2,700	-6,233	3,599
2020-04-01	11,507	-5,751	-6,199
2020-03-31	3,845	-710	-2,901

투자자 동향 확인하기

개인과 외국인 투자자의 수급 상황만 보는 것보다 하나의 주체를 더 보는 것이 좋습니다. 제가 하락장에서 꼭 체크하는 것이 연기금인데요. 코스피지수가 하락할 때마다 등장해서 주식을 사 주는 주체가 연기금입니다. 연기금 덕분에 떨어질 지수가 떨어지지 않고 버틴 경우가 많았죠. 우리가 낸 돈으로 떨어지는 주식을 산다고 말이 많지만, 길게 보면 저가에 주식을 사고 있는 셈이니 코스피지수가 많이 오르면 수익도 많이 나 있을 겁니다.

그래서 하락장에서는 연기금이 얼마나 샀는지도 한 번씩 확인해 보시면 좋습니다.

이쯤 되면 주식시장이 개인투자자에게 공평하지 않을 수 있다는 생각이 들 겁니다. 누구는 주가가 떨어져도 돈을 벌고 올라도 돈을 버는데, 개인투자자는 올라야지만 돈을 버니 말이죠. 그래도 개인투자자가 외국인과 기관 투자자보다 유리한 점이 하나 있습니다. 바로 시간이죠.

개인은 자신의 돈이기 때문에 당장 수익이 나지 않아도 버틸 수가 있지만, 외인과 기관 투자자의 돈은 주로 펀드 자금입니다. 펀드수익률이 잘 나와야 계속 펀드로 돈이 들어오죠. 그래서 장기간 버티는 투자가 어렵습니다.

그럼 우리는 오를 때까지 끈질기게 버티는 투자를 해야겠죠? 외인과 기관이 공포심을 심어 주고 흔들어도 흔들리지 않는 뚝심이 필요합니다.

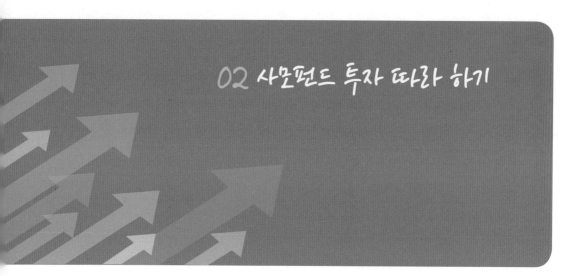

02 사모펀드 투자 따라 하기

"고기도 먹어 본 사람이 잘 먹는다"는 말이 있습니다.

기업도 마찬가지입니다. 기업 인수를 한 번도 안 해 본 회사가 갑자기 다른 기업을 삼키면 탈이 납니다. 기업 인수도 자주 해 본 기업이 이 기업을 어떻게 인수하고 어떻게 키워서 언제 팔고 나가면 되는지를 잘 안다는 거죠. 이런 기업이 무언가를 인수할 때 같이 들어가면 우리도 유리한 지점에서 시작을 하는 겁니다.

그럼 누가 기업 좀 인수해 본 기업들인지 살펴보겠습니다.

⚲ 주요 사모펀드

① MBK파트너스

2005년에 혜성처럼 나타난 MBK파트너스는 **세계 4대 사모펀드**[콜버그크래비스로버츠(KKR), 블랙스톤, 칼라일그룹, 아폴로글로벌매니지먼트]에서 일했던 분이 독립해서 우리나라에 세운 사모펀드입니다.

블라인드펀드가 2020년 현재 5호까지 나왔는데 규모가 점점 커지며 이제 다

합치면 총 153억 달러(19조)가 있습니다. 이 정도면 시장을 한 번 움직일 수 있는 자금이죠. 그래서 이 총알을 기반으로 화려한 인수 경력을 보여 주는데요.

한미캐피탈(KB캐피탈), HK저축은행, 코웨이, 네파, 오렌지라이프(ING생명), 홈플러스, 대성산업가스, 두산테크팩, 두산공작기계, 롯데카드, 유니버셜스튜디오재팬, 인보이스, 뉴차이나생명, CJ CGV(해외), BHC 등 한국, 중국, 일본의 기업들을 마구 인수합니다.

실적은 어땠을까요?

먼저 펀드 전체로 보면 작년에 청산한 1호 펀드는 7.5%, 2~4호 펀드는 20% 이상의 내부수익률을 기록했습니다.

〈MBK파트너스 펀드 개요〉

종류	결성 시기	규모 (억 달러)	내부수익률(%) (2018년 말 기준)	주요 포트폴리오
블라인드펀드 1호	2005년	10	7.5	딜라이브, 한미캐피탈, HK저축은행
블라인드펀드 2호	2008년	15	26.5	코웨이, KT렌탈, 네파, 테크팩솔루션, 영화엔지니어링
블라인드펀드 3호	2013년	27	22.6	두산공작기계, 홈플러스, 오렌지라이프
블라인드펀드 4호	2017년	41	20.4	대성산업가스, 골프존카운티, 모던하우스
SSF 1호	2018년	7.5	18	BHC, CJ CGV 해외법인
블라인드펀드 5호	2020년	60	-	-

이걸 기업 단위로 보면 수익률이 어마어마합니다. 얼마나 싸게 사서 비싸게 팔았느냐면 2017년에 1조 8,600억 원을 주고 인수한 대성산업가스를 2년 만에 2조 9,000억에 되팔아 버립니다. 기업 하나 투자해서 2년 만에 1조 넘게 벌어들인 거죠. 그런데 대성산업가스를 살 때 1조 9,000억을 다 자기 자본으로 줬냐 하면 그것도 아니죠.

실제로 준 돈은 8,600억이고, 나머지 1조는 대출을 받았습니다. 그리고 대성선업가스를 인수하고 나서 자본조정으로 4,000억을 회수하고 배당으로 250억을 또 회수했으니 실제 투자금은 4,350억 정도입니다. 여기에 이자로 좀 더 들어갔다고 치면 4,500억으로 1조를 먹었으니 200% 수익률, 연 100%의 수익률을 내는 투자가 되었습니다.

비슷한 예로 2013년 12월에 산 ING생명보험(현재 오렌지라이프생명보험)을 1조 8,400억에 사서 5년 뒤인 2019년 2월에 2조 3,000억에 팔아 버립니다. "5,000억도 못 벌었네?"라고 하겠지만 투자금 회수라는 기술이 들어가죠. 배당으로 시가총액의 연 10% 가까운 배당을 내렸으니 5년 내리 배당을 했다고 하면 배당만 해도 1조 좀 안 되겠는데요? 아무튼 배당, **자본재조정(Recapitalization)**[부동산으로 치면 아파트 살 때 담보대출을 받는데 아파트 시세가 오르니까 시세만큼 추가대출을 더 받는 것을 뜻합니다. 이걸 통해 사모펀드는 투자금을 회수합니다], 매각 차익을 합쳐서 ING생명보험을 통해 5년 만에 남긴 수익이 2조가 넘습니다.

이런 기술로 웅진코웨이도 사들여서 배당과 자본재조정으로 현금을 다 뽑아내고, 다시 비싸게 되팔아서 6년 만에 1조를 법니다.

웅진코웨이 매수와 매각에 따른 주가 추이

공통점은 조 단위로 큰 투자를 감행하는 대신 수익도 조 단위로 뽑아낸다는 것이죠. 이렇게 확실한 실적들을 보여 주니 이 펀드로 돈이 들어오는데 5호 펀드가 60억 달러 규모잖아요. 이 펀드 규모면 아시아 3위입니다.

② 한앤컴퍼니

젊은 사모펀드의 반란이라고 부를 수 있는 한앤컴퍼니는 모건스탠리PE 출신인 한성원 대표가 독립해서 2011년에 만든 사모펀드입니다. 한 대표는 모건스탠리PE 시절 쌍용, 전주페이퍼, 중국 산수이시멘트 등에 투자해 좋은 성적을 거뒀었죠.

'젊은 사모펀드'라는 이미지와 달리 인수하는 업종은 주로 전통적인 제조업인 굴뚝기업들인데요. 설립 이듬해인 2012년에 대한시멘트 인수를 시작으로 2014년에 세계 2위 공조 회사인 한라공조(현재 한온시스템)와 한진해운 벌크사업부, 그리고 2016년 쌍용양회와 현대상선 벌크사업부를 인수했습니다. 또 2019년에는 SK해운을 인수하는 데 성공했고요.

이들 굴뚝기업들은 사이클만 제대로 맞춰서 사고팔면 높은 수익률을 낼 수 있습니다.

그럼 어떻게 투자하고 수익을 내는지 알아봅시다.

대표적인 사례가 쌍용양회예요. 2016년 4월 8,800억에 지분 46%를 사들입니다. 그리고 나서 유상증자와 2대 주주(일본 태평양시멘트)의 지분을 사들여 총 1조 4,000억에 지분 80%를 확보합니다. 이제 물량을 묶었으니 유통물량 수가 줄었죠. 조금만 바람이 불어도 주가가 훌훌 올라가게 되는 구조를 만들었습니다.

쌍용양회 인수

그럼 이제 기업에 꿈과 희망만 심어 주면 되죠. 가장 좋은 꿈과 희망은 매출과 이익의 성장 그리고 고ROE입니다.

우선 매출과 이익이 성장하는 몇 년 동안 투자금부터 회수해야겠죠? 1조 4,000억을 투입할 때 절대 이 돈을 다 쓰지 않습니다. 대출을 끌어당기죠. 8,000억 정도를 대출받았으니 실투자금은 6,000억입니다. 매년 한 차례씩 대출을 더 받고 있어요. 그렇게 2018년 1월에 2,600억, 2019년 2월에 2,600억을 받아서 총 1조 3,000억 원의 대출을 받았습니다. 그럼 실투자금이 1,000억밖에 안 들어갔죠.

문제는 1조 3,000억을 대출받았으니 이자가 나가겠죠? 게다가 인수 금융이니까 이자가 좀 쎕니다. 그럼 이 이자는 어떻게 해결했는가 하면 기업의 배당금을 확 늘려 버립니다. 당시 인수 가격 대비 배당수익률이 연 10%가 되니까 솔직히 말하면 이자를 갚고도 투자금까지 다 회수한 상태입니다. 즉 4년 사이에 이미 투자금 이상을 회수했고, 이제 남은 것은 매출과 이익이 늘어난 이 기업을 얼마나 비싸게 되팔면 되느냐겠죠?

현재 시가총액이 2조 4,000억 원. 가장 좋은 시절 시총이 3조에 지분이 80%니 경영권 프리미엄을 안 줘도 2조 4,000억에 넘길 수가 있습니다. 대출 갚고 나면 1조를 벌겠네요.

어차피 투자금은 다 회수했으니 다음 건설 경기가 좋아지는 시기에 이 기업을 팔면 최소 1조 이상을 남길 수가 있습니다. 그 사이에는 배당금을 최대로 뽑아내면서 말이죠.

주요재무정보	연간				
	2015/12 (IFRS연결)	2016/12 (IFRS연결)	2017/12 (IFRS연결)	2018/12 (IFRS연결)	2019/12 (IFRS연결)
매출액	19,864	14,303	15,171	15,100	15,385
영업이익	2,142	2,578	2,509	2,469	2,284
영업이익(발표기준)	2,206	2,618	2,509	2,469	2,284
세전계속사업이익	825	2,163	1,760	2,002	1,683
당기순이익	771	1,751	3,012	1,470	1,316
당기순이익(지배)	769	1,728	3,021	1,463	1,311
당기순이익(비지배)	2	23	-8		
자산총계	29,345	32,162	35,012	34,293	33,288
부채총계	15,862	14,022	14,801	14,497	15,263
자본총계	13,483	18,140	20,211	19,796	18,025

쌍용양회 재무제표

재미있는 점은 매출과 이익이 크게 늘어나지 않았다는 점입니다. 그럼에도 불구하고 배당을 이익보다 늘려서 자본이 감소하고 있죠.

	2015년	2016년	2017년	2018년	2019년
현금DPS(원)	0	32	214	370	420
현금배당수익률	0.00	1.08	5.74	5.88	7.41
현금배당성향(%)	0.00	16.21	34.97	127.81	161.94

쌍용양회 배당성향 추이

배당성향이 100%를 넘어간다는 것은 기업의 순이익보다 더 많은 돈을 배당한다는 이야기입니다. 즉 기업의 곳간을 털어서 배당을 내려 준다는 것이죠. 왜 그럴까요?

정답은 시가배당수익률에 있습니다. 배당수익률이 높은 기업의 주가는 잘 내려가지 않습니다. 배당수익률이 오를수록 주가는 상승하게 되죠.

갖고 있는 현금으로 투자를 하기보다 배당을 많이 줘서 배당수익률을 높이고, 그에 따라 주가가 오르면 투자금 회수도 되고, 기업매각 차익도 커집니다. '꿩 먹고 알 먹고'죠.

③ 맥쿼리PE

국내 1위와 2위 사모펀드를 알아봤는데요. 요새 떠오르는 강자로는 맥쿼리PE가 있습니다.

맥쿼리PE는 LG CNS, 코엔텍, 새한환경, ADT캡스, 대전열병합발전 등 굵직한 기업과 발전소들을 인수합니다. 특히 2017년에 인수한 코엔텍은 2년 만에 실적과 배당이 증가하면서 주가가 4배나 오릅니다.

코엔텍 인수와 주가 추이

📍 사모펀드와 기업

사모펀드는 어떻게 기업의 매출과 이익을 상승시키는 것일까

사모펀드가 기업의 매출과 이익을 상승시키는 방법은 업황이 안 좋을 때 기업을 싸게 사서 업황이 좋아지면 팔아 버리는 것입니다. 이건 일반적인 주식 투자자들도 할 수 있죠. 피터 린치도 즐겨 했던 방법이고요.

사모펀드는 기업의 주인이기 때문에 더 극단적인 수익을 올릴 수가 있습니다. 마른 걸레를 짜듯 구조조정을 하면 기업의 주가가 더 올라갑니다. 돈이 안 되는 사업부 매각 및 폐쇄, 직원 해고로 비용을 줄이고, 기업의 연구개발비를 삭감해서 또 비용을 줄입니다. 기업의 부동산이나 계열사를 매각해서 현금으로 만들고, 이 돈을 배당으로 내려서 기업의 자본을 줄입니다. 그러면 자본이 줄고 이익이 그대로여도 자본 대비 이익률인 ROE가 올라갑니다. 이익이 늘지 않았어도 이 기업은 고효율 기업으로 탈바꿈을 하는 것이죠.

만약 이익이 늘지 않는데 자본이 쌓여 가면 ROE가 자연스럽게 떨어집니다. 그러면 기업을 팔 때 제값을 못 받기 때문에 이런 전략을 쓰는 겁니다.

사모펀드가 인수한 기업들의 공통점

사모펀드가 인수한 기업들은 '구조조정→비용 절감→배당 증가→주가 상승 →매각'이라는 과정을 거친다는 공통점이 있습니다. 단순한 과정이지만, 기업을 인수할 돈만 있다면 합법적으로 확실하게 이익을 만들 수 있는 구조죠.

투자 꿀팁을 드립니다

사모펀드가 투자하는 기업은 보통 높은 확률로 주가가 오릅니다. 하지만 사모펀드이기에 우리는 이 펀드에 투자할 기회도 없습니다.

가장 좋은 방법은 이 사모펀드가 인수하는 기업에 투자하는 것이죠. 물론 사모펀드가 인수했다고 해서 주가가 무조건 오르라는 법은 없습니다. 다만 이들의 투자 역사로 볼 때 주가가 떨어진 적이 적고, 그 폭도 낮았습니다. 반대로 주가가 오른 기업은 많고, 그 폭이 컸습니다.

따라서 사모펀드가 투자한 기업의 주식을 사는 전략은 꽤나 안전한 방법 중 하나입니다. 다만, 주가가 충분히 오르기까지는 몇 년의 세월이 걸리기 때문에 장기투자가 가능한 자금으로 해야 합니다.

03 이모작 투자로 두 배 수익을 얻는 방법

가치투자를 하는 사람들은 투자한 주식이 언제 오를지 모르기 때문에 기다리는 기간이 굉장히 깁니다. 그런 만큼 큰 수익률을 내야 제대로 보상을 받을 수가 있겠죠. 저도 가치투자를 하면서 7년을 기다린 주식이 있었는데요. 아무리 수익률이 높아도 7년으로 나누면 연평균 수익률이 30%로 낮아지더군요. 그래서 개발한 방법이 이모작이에요.

예전에 우리 조상들은 벼를 심기 전에 보리를 심어서 수확을 했죠. 같은 땅에서 두 배의 곡식을 거두는 전략을 썼습니다. 주식에도 그 방법을 적용해 봤어요. 한 종목을 기다리면서 2단 콤보 또는 3단 콤보 수익률을 얻는 방법이에요. 제가 노리는 주식이 오르기 전에 먼저 오르는 주식을 사서 수익을 보고, 기다리던 주식으로 또 수익을 보고, 이후에 오르는 주식을 사서 또 수익을 보는 3단 콤보 전략이 가능합니다.

물론 모든 업종이 가능한 것은 아닙니다. 몇몇 업종들에 한해서 가능한 방법이기 때문에 아쉽기는 하지만, 본인이 노리는 종목이 이 업종에 해당한다면 기왕 기다릴 거 두세 배의 수익을 내서 수익을 극대화하는 전략을 쓰시면 좋습니다.

만약 2014년에 건설주를 이모작 전략으로 들어갔다면 50배도 넘는 수익이 가능했죠. 단독으로 들어가면 3~5배 정도의 수익밖에 가져갈 수 없었고요.

그럼 어떤 업종이 이런 이모작 전략이 가능한지, 그리고 어떤 방법으로 투자해야 하는지 알아봅시다.

◉ 이모작 투자의 성공 사례 살펴보기

제가 성공했던 방식을 하나 알려 드릴게요.

건설주는 경기민감주로 보통 10년마다 성수기가 옵니다. 그래서 7년가량을 잠복해서 기다렸습니다. 건설경기 붐이 다시 오기는 오는데 언제 오는지는 몰라요. 그냥 기다리면서 확실하게 벌어 보자는 생각으로 관련 업종주를 다 뒤졌습니다.

먼저 찾아낸 업종은 시멘트예요. 성신양회, 쌍용양회, 아세아시멘트. 정확히 2007년 좋은 시기에 사서 2011년 최악의 사이클을 맞고, 2014년에 전량 매도를 합니다.

성신양회(위), 쌍용양회(아래) 주가 추이

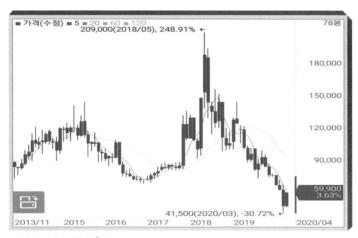

■ 가격(수정) ■ 5 ■ 20 ■ 60 ■ 120   78봉

209,000(2018/05), 248.91% ←

180,000
150,000
120,000
90,000

59,900
3.63%

41,500(2020/03), -30.72% ←

2013/11   2015   2016   2017   2018   2019   2020/04

아세아시멘트 주가 추이

2011년 대비 2014년에는 3개 회사 모두 3~4배가량 주가가 올랐죠. 이것만 딱 먹고 나가면 섭섭하죠. 저는 7년을 기다렸습니다. 기왕 방망이 휘두르는 거 크게 힘주고 휘둘러 봅니다.

시멘트가 필요하다는 것은 건설 현장이 늘었다는 겁니다. 그렇습니다. 제가 2013~2014년에 투자금을 확 늘린 이유는 신도시가 지어지면서 아파트 공사 현장에 골리앗크레인이 수도 없이 들어오고, 모델하우스마다 사람들이 득실거리는 모습을 봤기 때문입니다. 그럼에도 불구하고 아직은 집을 사면 안 된다는 분위기가 팽배했죠.

그러면 선택을 해야 합니다. 집을 살 것인가, 아니면 건축 자재를 파는 회사를 살 것인가?

시멘트와 비슷하게 가구 회사도 아사 직전에 호황을 맞이하며 주가가 크게 오릅니다.

한샘 34배, 현대리바트 15배가 올랐죠. 아파트 분양 현장에 들어갈 가구들의 도급계약이 터지면서 2012년부터 꾸물거리던 주가가 2014~2015년에 급하게 오릅니다.

한샘(위), 현대리바트(가운데), 노루페인트(아래) 주가 추이

아쉽게도 시멘트와 시기가 겹칩니다. 이걸 사야 했다는 생각이 들었지만 그건 이후의 반성이죠. 그래도 자산주인 시멘트주로 버틴 것이 더 안정적인 선택이어서 저로서는 어쩔 수 없었습니다. 2014년도에 시멘트를 팔고 2015년도에 페인트주로 갈아탔다면 1년 만에 3배를 더 벌었을 겁니다.

이제 건설자재주들로 재미를 봤으니 건설주에 투자해야죠.

아파트는 분양 후 계약금, 중도금, 잔금 순으로 돈을 지불하는데 실제 수익은 잔금에서 발생합니다. 그래서 재무제표상 이익이 뒤에 잡히는 편입니다. 조선주도 마찬가지고요.

건설주에 투자할 때는 대형건설주를 사면 안 됩니다. 대형건설사는 국내 아파트 건설 매출 비중이 낮아요. 해외 건설로 먹고사는 회사입니다. 유가와 연동이 강하죠.

우리는 국내 아파트를 위주로 먹고사는 건설사를 고릅니다.

계룡건설, 서희건설, 태영건설이 있네요. 화성산업은 당시 시기가 겹쳐서 좀 아쉬워요.

계룡건설 주가 추이

서희건설(위), 태영건설(아래) 주가 추이

　　2015~2016년에 사서 2018년 아파트 분위기가 가장 좋을 때 팔아 버렸으면 계룡건설은 1만 원에 사서 3만 원에 팔아 3배, 서희건설은 2배, 태영건설은 3배를 벌 수 있었습니다.

　　아파트 분양이 활발해지면 아파트 수가 늘었다는 뜻이고, 건설 경기가 좋아지면서 바닥 경제가 좋아집니다. 이때 경제지표를 보면 경기 호조로 가고 있죠. 어쨌든 이러면 늘어나는 것은 대출입니다. 은행이 좋을 수밖에 없죠.

　　은행주는 건설자재주보다 한 박자 뒤에 움직이는데 2016, 2017년이 대세 상승 해입니다.

　건설주 중에 서희건설만 2014~2015년에 움직였을 뿐, 계룡건설과 태영건설은 은행주와 대세 상승기가 동일합니다. 은행주는 2년간 2배가 올랐습니다. 시간차가 존재하지 않았기 때문에 당시에는 건설과 은행 중 하나만 선택해야 하는 해였죠.

　그래서 건설자재주 - 건설주 - 은행주로 이어지는 3단 콤보는 쉽지 않았습니다. 이모작 정도로 만족해야 했었죠.

KB금융지주(위), 하나금융지주(아래) 주가 추이

그럼 최종 수익을 계산해 볼까요?

	2014년	2015년	2016년	2017년	2018년	합계
경우1	한샘	한샘	계룡건설	계룡건설	계룡건설	102배
경우2	아세아시멘트	서희건설	KB금융지주	KB금융지주	KB금융지주	18배
경우3	성신양회	리바트	하나금융지주	하나금융지주	하나금융지주	24배

만약 2014년에 한샘, 2016년에 계룡건설에 투자했다면 2단 콤보가 이루어져 자그마치 102배의 큰 수익을 얻을 수 있었습니다. 이 두 기업이 아니라 다른 건설자재주나 건설주, 은행주 중 두 업종에만 투자했더라도 20배 정도의 수익을 냈습니다. 업종당 2~4배의 수익을 안겨 준 셈이죠.

그래서 이때 이 흐름을 파악해 재빠르게 움직인 사람은 1억을 투자해 5년 만에 20억을 거머쥘 수 있었습니다.

📍 업종별 시간차 살펴보기

그럼 다른 업종들도 봅시다. 여러분이 좋아하는 반도체입니다.

반도체 장비주가 오른 다음에 반도체주가 오르지 않을까 싶지 않나요? 반도체 장비주의 대표격인 한미반도체와 솔브레인을 보겠습니다.

한미반도체(위), 솔브레인(아래) 주가 추이

한미반도체는 2012년부터 2014년까지, 그리고 2017년에 크게 상승합니다. 또 솔브레인은 2012~2013년까지 그리고 2015년에서 2017년에 크게 상승합니다.

2017~2018년은 반도체 슈퍼사이클이었기 때문에 둘 다 올랐고, 그전에는 서로의 전성기가 조금 차이가 나네요. 그러면 반도체 주식은 어떻게 되었는지 볼까요?

SK하이닉스(위), 삼성전자(아래)의 주가 추이

SK하이닉스는 2012년에서 2015년까지 오르고 잠시 1년 내린 뒤, 2016년 중반부터 2019년 말까지 3년간 내리 오릅니다. 삼성전자는 2016년과 2017년 2년 크게 오르고, 1년 쉰 다음 2019년에 다시 오릅니다. 반도체 관련주인데도 서로 전성기가 차이가 납니다.

표로 정리해 봅시다.

	2012년	2013년	2014년	2015년	2016년	2017년	2018년
한미반도체	4배 상승			-50%	3배 상승		-30%
솔브레인	2배 상승		-60%	3배 상승			-30%
SK하이닉스	2.5배 상승			-50%	3배 상승		
삼성전자					2.5배 상승		

이렇게 보면 반도체 장비주와 반도체주의 시간차가 거의 존재하지 않습니다. 2015년까지 삼성전자만 들고 있지 않으면 무엇을 사도 크게 오르는 해였죠.

반도체 업종이 건설과 다르게 시간차가 존재하지 않는 이유는 뭘까요? 아파트는 2~3년 동안 지어지는 대공사라 전에 돈을 버는 업종과 후에 돈을 버는 업종이 나뉘지만, 반도체는 부품주와 반도체주의 시간 격차가 짧기 때문에 거의 같이 오르는 경향을 보이기 때문입니다.

단타투자를 하는 사람은 그 짧은 틈을 발견해서 들어갈 수도 있겠지만, 가치투자자에게는 이 중에서 가장 저평가되어 있고 많이 오를 주식 하나를 사서 보유하는 것이 가장 좋은 선택이죠.

이번에는 조선주와 관련된 사이클을 보시죠. 보통 해운주가 오르고 난 다음 조선주가 오릅니다. 해운업이 활황을 맞아 유럽과 중동에서 대규모로 선박을 발주하면 조선업 활황이 오죠. 시간차가 존재합니다. 하지만 2007년도 대호황 시절에는 거의 시간이 겹치는 모습입니다. 그 후에는 해운업에 호황이 온 적이 없지만 조선주는 2010~2011년에 또 한 번 전성기가 왔죠. 왜 그랬을까요?

펜오션(위) , 한국조선해양(가운데), 삼성중공업(아래) 주가 추이

그 이유는 고유가 때문입니다.

고유가 때 해운업은 연료비가 많이 들어 죽을 맛이지만, 기름을 비싸게 판 중동은 그 돈으로 배를 주문하고 해양플랜트 건설도 많이 하죠. 조선업은 이때 이전의 전성기 주가를 회복합니다. 조선주는 해운업보다는 고유가와 관련이 깊다는 것을 알 수 있죠.

조선업과 정유업의 시간차는 얼마나 날까요?

에쓰오일(위), SK이노베이션(아래) 주가 추이

조선업은 2010년 중반부터 전성기가 왔습니다. 정유업도 2010년 중반부터 전성기가 옵니다. 딱 겹치네요. 시간차가 발생하지 않습니다.

자동차주는 어떨까요? 2009년 자동차주 대호황 시절을 봅시다.

평화정공(위), 현대모비스(아래) 주가추이

현대자동차 주가 추이

자동차 부품주인 평화정공, 현대모비스, 현대자동차 모두 2009년부터 대상
승이 시작돼서 2011년에 정점을 찍습니다. 평화정공 13배, 현대모비스 8배, 현
대자동차 7배의 상승을 보이죠. 대기업보다는 부품을 납품하는 재료주가 더
많이 오르는 모습입니다.

이번에는 현대자동차를 나르는 물류업체인 글로비스입니다.

현대글로비스 주가 추이

2011년에 15만 원하던 주가는 2014년에 30만 원을 합니다. 2배가 올랐네요.

자동차부품주인 평화정공을 사서 13배를 먹고, 현대글로비스로 2배를 먹으면 5년간 총 26배가 가능한 투자가 되었겠네요.

하지만 자동차부품주라고 다 크게 오른 것은 아닙니다. S&T모티브는 같은 기간 50% 정도만 올랐습니다. 이후에 전기차 테마로 엮여서 크게 올랐을 뿐입니다.

S&T모티브 주가 추이

업종은 서로 연관이 되어 있습니다. 한 업종이 오르면 이와 관련된 전방산업(최종 소비자에게 판매), 후방산업(재료를 공급)도 약간의 시간차를 두고 오릅니다. 하지만 모든 업종이 시간차가 있지는 않습니다. 시간차가 없는 업종들도 존재합니다.

한 업종에 투자해서 돈 벌어도 좋지만 시간차를 이용해 연관된 업종에 투자하면 안전하게 추가 수익률을 올릴 수 있습니다. 서술한 업종들 외에 시간차가 존재하는 업종들이 있는지 계속해서 찾아보고, 그 흐름을 파악해 대박 수익을 내시길 바랍니다.

비즈니스계에서는 백미러가 앞 유리창보다 더 선명하다.

워런 버핏

04 잃지 않고 10배를 먹는 역발상 투자법

세계 2위 부자 워런 버핏, 세계 최대 펀드를 이끌었던 피터 린치, 유럽의 버핏이라 불린 코스톨라니의 공통점은 가치투자가이자 전설의 투자가라는 것입니다. 그런데 진짜 공통점은 모두 역발상 투자가였다는 점입니다. 제가 아는 주식 부자들, 슈퍼개미들 또한 역발상 투자로 큰 수익을 얻었습니다. 역발상 투자자들의 공통점은 큰 수익을 낸다는 데 있습니다. 어떻게 그것이 가능한지, 그리고 역발상 투자의 장점과 단점은 무엇인지 알아보도록 하겠습니다.

📍 역발상 투자란

간단하게 말하면 대중이 사는 것을 팔고, 대중이 파는 것을 사는 거꾸로 매매 기법이죠.

남들이 쳐다보지 않는 종목들을 매수해서 기다리고, 남들이 그제야 관심을 가지고 투자하면 이때 팔아서 수익을 내는, 대중과는 거꾸로 투자하는 방법을 역발상 투자라고 합니다.

초보자들은 의아하게 생각할 수도 있을 겁니다.

"남들이 살 때 같이 사야 돈을 벌지. 혼자 팔면 망하는 거 아니야?"

하지만 역사적인 결과는 그렇지 않았습니다. 역발상 투자를 통해 워런 버핏은 세계 2위 부자가 되었고, 피터 린치는 10배가 오른 종목을 다수 보유할 수 있었으며, 코스톨라니는 유럽에서 140배의 대박을 터트렸습니다.

그런데 우리는 왜 거꾸로 투자할 때 두려워할까요?

사람들은 남들이 가는 방향으로 가지 않고 거꾸로 갈 때 두려움을 느낍니다. 사람이란 종족은 본능적으로 무리 안에서 같이 움직일 때 편안함을 느끼게끔 만들어져 있기 때문입니다.

인류가 세상을 지배하기 전, 강력한 포식동물들에게서 살아남기 위해 인간이 선택한 방법이 무리 생활입니다. 무리 안에 있어야 살아남을 가능성이 높아지기 때문입니다. 그래서 사람들은 다 같이 돈을 잃을 때 오히려 편안함을 느낍니다. "나도 힘들지만, 쟤도 힘들잖아. 괜찮아." 이렇게 말이죠. 반대로 나는 돈을 못 벌었는데 주변 사람들이 돈을 벌면 초조함을 느낍니다.

"이러다가 나만 낙오되는 것 아닌가? 빨리 뭐라도 사야겠다."

이것이 역발상 투자의 핵심입니다.

누군가가 싸게 사서 돈을 벌고 나면 이를 추종하는 누군가가 다시 사서 더 가격을 올립니다. 그러면 주변에서 이걸로 돈 벌었다는 사람이 마구 등장하게 되고, 나는 불안해지는 것이죠.

남들이 다 돈 버는데 나만 못 벌면 안 될 것 같아 많이 오른 가격임에도 불구하고 사람들이 사들입니다. 이제 살 사람은 다 샀으니 더 이상 비싼 가격으로 사 줄 사람이 없죠?

그러면 가격은 잠시 더 올랐다가 떨어집니다. 그럼 누가 가장 위험한 투자를 했을까요?

아무도 뛰어들지 않을 때 뛰어든 사람은 저렴하게 살 수 있지만 남들이 다 돈을 버는 것을 보고 난 뒤에 투자하는 사람은 큰 손해를 볼 수 있습니다. 비트코인, IT버블, 바이오주, 테마주 투자들이 다 이런 예에 해당됩니다.

서양도 다르지 않아요. 17세기 유럽에서도 튤립버블이 일어나 튤립 한 송이가 집 한 채 가격까지 오른 적이 있었어요. 이것이 역발상 투자의 핵심이에요.

역발상 투자에 대한 두 현인 워런 버핏과 피터 린치의 공통점은 사람들이 관심 없을 때 주식을 사고, 주식 중에서도 남들이 공포에 질린 기업을 샀다는 것입니다.

주가가 오르는 가장 큰 이유는 기업의 실적도, 자산가치도, CEO도 아닙니다. 이것들은 다 보조적인 이유고, 결국은 대중의 관심을 받아야 주가가 오릅니다.

실적이 중요하다고 하지만 매년 적자를 기록하는 기업도 주가는 오릅니다. 오히려 자산을 많이 가지고 있는 기업들 중에 주가가 오르지 않는 기업이 더 많은 편이죠.

다시 한번 말씀드리지만, 주식은 꿈을 먹고 자랍니다. 지금의 순간보다 미래를 더 높게 평가해 주죠. 그래서 미래가 있는 종목이 사람들에게 더 많은 관심을 받습니다.

그런 이유에서 실적은 2배가 올랐을 뿐인데 사람들은 이에 열광하고 주가를 10배나 올리는 상황을 만들어 버리죠. 롯데칠성이 그랬고, 오뚜기가 그랬습니다.

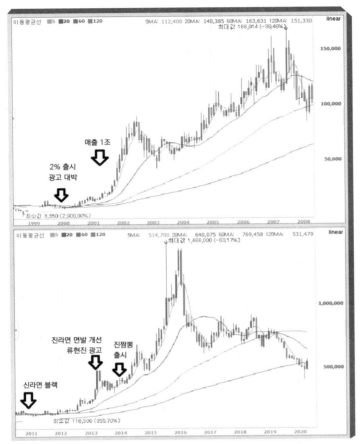

롯데칠성(위, 2000~2007년), 오뚜기(아래, 2015~2017년) 주가 추이

📍 대중의 관심을 받는 경우와 버림을 받는 경우

'어떻게 하면 대중의 관심을 받을 수 있을까?'를 정리하면 다음과 같습니다.

- 실적 대박의 꿈을 심어 주는 경우
- 배당수익률이 높은 경우

- 매출과 이익이 꾸준히 오르는 경우
- 가지고 있는 부동산, 주식 자산이 대박 나는 경우
- 좋은 뉴스 보도, CEO가 주가에 영향을 주는 언급을 하는 경우 등

이와 반대로 다음과 같은 경우 대중에게서 버림을 받을 가능성이 높습니다.
- 실적 충격 우려, 매출과 이익이 오를 기미가 없을 경우
- 배당금이 끊기는 경우
- 자산 손실, 채무 연장 불가
- 특허 분쟁, 좋지 않은 뉴스 보도 등

다음은 버핏이 그동안 크게 투자했던 기업들과 경제위기의 연표입니다. 무언가 공통점이 느껴지지 않나요?

〈워런 버핏의 기업 인수 시기〉

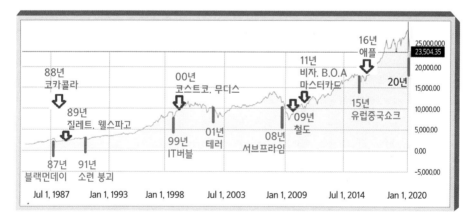

네, 버핏은 아무 때나 주식을 사지 않았습니다. 큰 경제위기가 오고 난 다음 해 또는 그다음 해에 주식을 샀죠. 주식을 산 정도가 아니라 거의 기업을 인수

하는 수준의 지분을 사들였습니다. 그리고 이름만 들어도 알 법한 글로벌 기업들을 인수합니다.

버핏 자신이 한 말을 그대로 인용하면 공룡 같은 기업을 "공포에 싸게 샀습니다".

평소에는 이런 훌륭한 기업이 매물로 나오지도 않을뿐더러 나오더라도 매우 비싼 값을 치러야 살 수 있지만, 위기 때는 좋은 기업이 헐값에 나오곤 합니다.

모두가 공포에 질려 있을 때 이런 기업을 사들이는 것이 역발상 투자입니다.

📍 역발상 투자인지 확인하기

여러분들도 생각하고 있는 주식이 있다면 빈칸에 하나씩 적어 보면서 역발상 투자가 맞는지 확인해 보고 투자를 해 보면 좋겠습니다.

단계	A:	B:	C:
주가가 저렴한가?			
실적 회복 가능성			
현재 문제와 해결 가능성			
현재 PER, PBR, ROE는?			
예상 순이익과 적정 시가총액은?			
몇 배를 먹나?손실 가능성은?			

📍 역발상 투자의 장점과 단점

역발상 투자는 남들보다 싸게 주식을 살 수 있어서 손실 가능성을 최소화할 수 있다는 장점이 있습니다. 워런 버핏이 말한 "원금을 잃지 말라"는 말과 일치합니다.

그리고 제대로 걸리면 몇 퍼센트 수준의 수익이 아니라 수 배에서 수십 배 이상의 수익이 나옵니다. 워런 버핏이든 피터 린치든 역발상 투자를 했기 때문에 10배 이상 수익이 난 종목들이 많습니다.

반대로 역발상 투자의 단점도 있죠. 주가가 언제 오를지 모르는 상태로 오랫동안 기다려야 할 수도 있다는 점입니다. 대중의 관심이 없는 상태에서 다시 대중의 관심을 받기까지는 꽤 오랜 시간이 걸립니다. 즉 몇 배의 수익을 낼 수도 있지만, 기다린 기간으로 나눠 보면 연간 수익률이 높지 않을 수도 있다는 것이죠.

제가 7년을 기다려서 4배의 수익이 났던 투자도 연평균 수익률로 나눠 보면 그리 높지 않습니다. 워런 버핏도 연평균 수익률이 연 28.7%였고, 피터 린치도 이와 비슷한 수준이었습니다.

그리고 대중의 관심을 끝내 받지 못하고 사라질 가능성도 높죠. 이것이 역발상 투자의 또 하나의 단점입니다.

투자 꿀팁을 드립니다

역발상 투자를 하기 위한 접근법

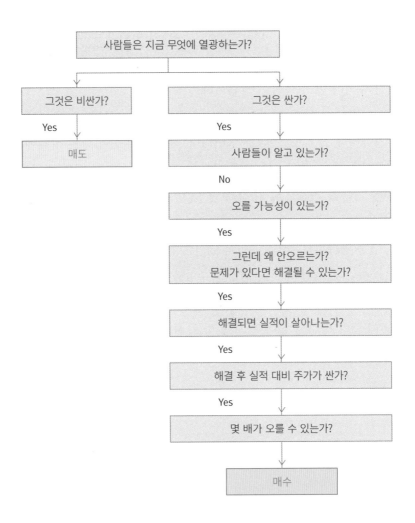

05 1등주만 사는 블루칩 투자

예전 개그 프로그램의 유행어 중에 "1등만 기억하는 더러운 세상"이라는 것이 있었습니다. 또 스웨덴 혼성그룹 아바의 「Winner takes all」이라는 노래 제목도 있죠. 그리고 맛집 투어를 다니다 보면 맛집이라고 소문 난 가게에만 손님들이 줄을 서 있고, 나머지 가게들에는 사람이 별로 없는 모습을 종종 볼 수 있습니다.

주식의 세계에서도 마찬가지입니다. 1등 기업은 엄청난 이익을 얻어 가지만, 그렇지 못한 기업들은 재미를 보지 못하는 경우가 많죠.

우리는 이 1등 기업들과 경쟁을 하는 것이 좋을까요? 아니면 같이 동업을 하는 것이 좋을까요? 주식투자자는 이 1등 기업들과 같이 동업을 할 수 있다는 장점이 있습니다. 그럼 이제 블루칩 투자에 대해서 알아보도록 합시다.

📍 블루칩이란

칩(chip)이란 포커에서 현금 대용으로 쓰는 용어인데, 가장 비싼 칩인 블루칩은 대형 우량주를 뜻합니다. 시장 지배력, 재무 건전성이 뛰어나고 수익과 안정성이 우수한 기업들입니다.

우리나라 투자자가 외국에 투자하거나 반대로 외국인투자자가 우리나라에 투자할 때 가장 많이 하는 방법 중 하나가 블루칩 투자입니다. 특히, 어떤 기업이 끝까지 살아남을지 알 수 없는 신흥국에 투자할 때는 블루칩 투자가 기본입니다.

🔍 왜 1위 기업인가

한 분야에서 1등을 하기란 쉬운 일이 아닙니다. 당해 업종의 1위에 있는 기업이라면 1위를 유지하는 기술, 경쟁력, 영업 능력, 자본, 홍보 능력이 충분히 있다고 보는 것이죠. 이렇듯 그 나라 또는 기업에 대한 정보가 부족할 때 블루칩에 투자하는 것은 나쁘지 않은 방법입니다.

좀 더 구체적으로 말하면 매출과 이익을 가장 많이 내고, 시장점유율이 높고, 강력한 브랜드를 갖추고 있으며, 경쟁사보다 망할 확률이 낮은 1등주에 투자하는 것만큼 안전한 투자 방법은 없습니다. 그렇기 때문에 주식형펀드들과 연기금도 1등주 주식을 일정 비중으로 담아 두고 있습니다.

즉 블루칩 주식들은 수요가 많다는 것이죠. 개인이든 펀드든 서로 사서 담아 두려고 하기 때문에 공급보다 수요가 많아 가격에 웃돈이 붙는 현상이 벌어집니다. 그래서 기업 적정 주가 대비 더 높은 가격으로 거래가 많이 되고 있는데, 우리는 이를 '프리미엄'이라고 합니다.

그런데 1등주가 좋기는 하지만 주가가 싼 것은 아닙니다. 제가 좋아하는 1등주인 LG생활건강의 적정 주가는 60만 원 정도인데, 최근 몇 년간 100만 원 이하로 내려간 적이 없죠.

LG생활건강 주가 추이(2010~2020년)

위의 차트를 보면 알 수 있듯이, 블루칩 주식을 싸게 사는 방법은 일찍 사는 겁니다. 모든 주식이 떨어지는 폭락장이 와도 1등주는 다른 주식들에 비해 하락률이 낮습니다. '2등, 3등 기업이 먼저 망하고 나서야 1등 기업이 망할 것'이라는 생각 때문이죠.

그리고 업황이 나빠져서 부실한 기업들이 부도가 나고 사라지면 그 기업의 거래처를 1등 기업이 가져가게 됩니다. 다음 호황이 오면 1등 기업은 더 높은 시장점유율을 바탕으로 이전보다 더 많은 매출을 기록하게 되죠. 불황이 오든 호황이 오든 1등 기업에게는 불리할 것이 없다는 증거입니다.

그래서 주식에 대한 정보가 부족한 초보 투자자는 1등 기업 위주로 투자하는 것이 안전한 투자가 될 수 있습니다.

그래도 돌다리도 두들겨 보고 건너는 것이 좋겠죠?

우리나라 업종별 1등주의 차트를 같이 보죠. 눈으로 그 역사를 직접 확인해 보고 투자하셔야 합니다. 주식투자의 제1원칙은 '원금을 잃지 마라'이고, 제2원칙은 '항상 의심하라'입니다.

먼저 반도체, 가전, 스마트폰, 무선스피커 분야 1위 업체인 삼성전자의 주가입니다. 10년 만에 5배가 오른 모습이죠.

- 스마트폰 D램 점유율 : 47%(1위)
- 5G 스마트폰 점유율 : 43%(1위)
- 미국 가전제품 점유율 : 20.5%(1위)
- 세계 무선스피커 점유율 : 35.7%(1위)

삼성전자 주가 추이(2010~2020년)

삼성전자는 국내 1위뿐만 아니라 세계시장에서도 1위인 제품이 많이 있습니다. 국내 프리미엄뿐 아니라 글로벌 프리미엄을 받고 있는 회사죠. 단기적으로는 주가가 상승과 하락을 거듭하는 것처럼 보이지만, 10년을 기점으로 보면 주가가 꾸준히 안정적으로 올라가는 모습을 보여 줍니다. 그래서 1등 기업에 투자하면 마음이 놓이고 본업에 충실할 수가 있는 것이죠.

그런데 경기민감주인 화학업종은 1등 기업이라고 해서 무조건 주가가 꾸준히 오르진 않습니다. 2010년에는 화학산업의 경기가 좋아서 주가가 5배나 올랐었지만 2015년에는 차이나쇼크로 주가가 고점 대비 1/3 토막이 났었죠. 블루칩이라고 무조건 사라는 말이 아닙니다.

LG화학은 전기차 배터리 분야 1위, 석유화학 분야 1위 기업으로 강력한 경쟁력을 가진 회사입니다. 업계 2위 기업에 비해 매출 차이가 두 배이고, 기술력과 시장지배력이 뛰어난 회사죠. 그 덕분에 주가가 하락할 때도 롤러코스터 주가를 보이는 경쟁사들에 비해 덜 하락하는 모습을 보여 줬습니다.

− 전기차 배터리 점유율 :
  29.6%(1위)
− 석유화학 점유율 :
  1위

LG화학 주가 추이(2010~2020년)

    LG화학은 업황을 많이 타는 석유화학 분야를 만회할 만한 요소를 가지고 있는데요. 바로 전기차 배터리 시장입니다. 현재 세계 1위 점유율을 기록하고 있죠. 앞으로 전기차 시장의 미래가 밝기 때문에 배터리 판매로 꾸준한 매출을 기록하면 예전보다 더 주가가 상승하는 모습을 보여 줄 수 있을 것이라 믿습니다.

    다음은 우리나라 화장품 매출 1위 기업 아모레퍼시픽입니다.

    2014년부터 우리나라 화장품의 수출이 크게 늘어나고, 중국 진출을 하면서 아모레퍼시픽의 주가는 6배 가까이 올라갑니다. 이후 사드, 코로나 사태를 거치며 주가가 주춤하기는 했지만 1위 기업의 저력을 보여 줬습니다. 화장품업계가 중국 수출 부진으로 고생을 하고 있지만, 이후에 이 문제가 해결되면 다시 저력을 보여 줄 수 있으리라 생각합니다.

아모레퍼시픽 주가 추이(2010~2020년)

　우리나라 검색엔진 1위 기업인 네이버는 점유율 57%입니다. 2017년 87%나 되던 점유율이 구글의 공격으로 인해 많이 떨어진 상태지만, 그래도 주가는 견고한 모습을 보여 줍니다.

네이버 주가 추이(2010~2020년)

　네이버는 매출 6조 5,000억이 넘는 회사로 전자상거래 시스템, 네이버페이 등 다양한 수익원 창출에 노력을 하고 있습니다. 그동안은 1위 프리미엄을 받아 항상 PER이 30을 넘었는데 1위 자리를 물려주고 나면 주가가 꽤 떨어질 것으로 보입니다. 유튜브의 구글, 카톡의 카카오와 치열한 1위 경쟁을 해야 하는 네이버의 운명은 어떻게 될까요?

절대 빼앗기지 않을 것 같은 또는 경쟁이 치열하지 않고 완전 독점을 한 1위 기업에 투자해야 투자자도 마음이 편하다는 것을 알 수 있습니다.

통신 1위 기업인 SK텔레콤도 대표적인 블루칩 주식입니다. 외국인 지분이 76%일 정도로 외국인들이 선호하는 기업이기도 하고, 배당수익률이 평균 연 4% 정도로 우수하며, 통신업 외에도 SK하이닉스와 11번가를 보유한 알짜 회사이기 때문입니다. 이렇게 훌륭한 기업을 외국인들이 그냥 놔둘 리가 없죠. 게다가 경기방어주로 호황과 불황을 타지 않는 주식이니 안정성도 뛰어납니다.

SK텔레콤 주가 추이(2010~2020년)

그럼 우리나라 업종별 1등주를 한번 볼까요?

〈업종별 1등주 현황〉

*2020년 4월 기준

업종	기업	시가총액	PER
조선	한국조선해양	6조 440억	37
건설	현대건설	3조 4131억	8.4
은행	신한금융지주	14조	4.15
증권	미래에셋대우	3조 3903억	6.35
라면	농심	1조 7609억	25
가구	한샘	1조 4309억	33.5
음료/주류	하이트진로	2조 374억	-50
교육	메가스터디	4516억	9.6
여행	하나투어	5875억	-61

생각해 보면 업종이 수도 없이 많으니 1등주도 그만큼 많겠죠. 그렇기 때문에 1등주라고 아무 업종이나 사라는 게 아니라 유망한 업종을 찾아 1등주에 투자해야 합니다.

방금 말한 기업들 중에도 적자기업이 있었듯이 1등주들 가운데서도 사양산업, 부실기업들 또한 굉장히 많습니다. 그러니까 무조건적으로 블루칩 투자를 하는 게 아니라 확실한 1등을 찾는 눈을 길렀으면 합니다.

블루칩 투자는 처음 들으면 쉬워 보이지만 공부하면 할수록 이것도 쉬운 투자가 아니라는 것을 깨닫게 됩니다. 하지만 잘만 투자하면 하락장에서도 상승장에서도 다른 투자보다 안전합니다. 특히, 직장생활 때문에 주식을 계속 관찰하기 어려운 투자자라면 이 블루칩 투자는 정말 매력적입니다.

저 같은 경우 해외 주식에 투자할 때 블루칩 투자를 주로 합니다. 외국 기업은 재무제표가 자세히 나와 있지 않은 경우도 많고, 그 수치조차도 믿을 수 없는 경우가 많기 때문입니다. 그렇기 때문에 그 나라에서 가장 유망한 업종에 있는 확실한 1등 기업에 투자하는 것이 더 안전한 투자가 될 수 있습니다.

'제2의'라는 수식어가 붙은 기업에 투자하지 마라.
좋은 기업에게 제2란 단어는 필요 없다.

피터 린치

06 2등주에 투자하는 옐로칩 투자

안정적인 1등주인 블루칩에 투자하는 사람이 있는가 하면, 2등주인 옐로칩에 투자를 하는 사람도 있습니다.

언뜻 이상해 보이지만, 옐로칩 투자를 하는 이유는 블루칩에 없는 장점을 옐로칩이 가지고 있기 때문입니다. 그 매력에 빠진 투자자들은 블루칩보다 옐로칩을 즐겨 투자하기도 합니다. 대체 어떤 매력이 있기에 옐로칩 투자를 하는지 알아보도록 하시죠.

옐로칩이란

우선 용어 정리를 확실히 하자면 '1등주가 블루칩, 2등주가 옐로칩'이라고 생각하는 경우가 많은데, 옐로칩은 2등 기업이라는 뜻뿐만 아니라 중저가 우량주의 의미로도 쓰입니다.

블루칩은 대형 우량주, 예를 들어 삼성전자, LG화학, SK텔레콤, 포스코 같은 기업들이고, 옐로칩은 중저가 우량주를 말합니다. 운동선수로 치면 블루칩은 1

군 에이스들이고, 옐로칩은 2군 에이스라고 보시면 됩니다. 매출이나 시가총액의 규모는 작지만 나름 자신의 업종에서 강력한 경쟁력을 지닌 이런 기업들은 시가총액이 작아서 블루칩 주식들보다 가격 변동성이 크다는 특징이 있습니다. 즉 오를 때는 블루칩보다 더 많이 오르고, 떨어질 때는 블루칩보다 더 떨어질 수 있다는 것이죠.

옐로칩 투자는 블루칩 투자의 장점이자 단점인 안정적이지만 주가가 많이 오르지 못한다는 점을 어느 정도 보완해 줄 수 있는 투자죠.

대표적인 예를 하나 볼까요?

아래는 세무회계 프로그램 1위 업체인 더존비즈온입니다.

업계 1위지만 블루칩이라고 할 수 없는 이유는 제가 투자하던 당시에는 시총 1,000억 정도의 작은 기업이었기 때문입니다. 시가총액이 10년 내리 쉬지 않고 올라 20배 가까이 주가가 상승한 모습이죠. 이제는 시가총액이 2조를 훌쩍 넘어 옐로칩에서 블루칩으로 넘어갔다고 볼 수도 있는 기업입니다.

더존비즈온 주가 추이(2010~2020년)

블루칩의 특징은 외국인 보유 비중이 50%가 넘느냐인데, 이 기업은 아직 44% 수준으로 50%를 넘지는 못했습니다. 그리고 매출이 2,000억대로 시가총액 대비 기업의 매출 규모가 작은 편이에요. 그래서 저는 더존비즈온을 옐로칩으로 보고 있습니다.

이 기업은 10년 전부터 작지만 탄탄한 회사, 세무회계 프로그램 만족도가 좋은 회사로 알려져 있었어요. 주가가 오를 줄은 알고 있었지만 이렇게 20배나 오를 줄은 저도 몰랐죠.

그동안 해외업체가 장악한 시장에 국내업체가 발을 들이기까지 어려움이 많았지만 점차 인정받아 점유율을 늘려 가는 모습입니다. 늘어나는 기업의 매출 속도보다 주가가 더 많이 상승하고 있는데, 이는 그만큼 미래가 밝다고 생각하는 투자자들이 많기 때문입니다.

이렇게 옐로칩은 우량주이면서도 블루칩보다 주가 상승률이 높은 편이기 때문에 외국인투자자, 기관투자자, 개인투자자 모두가 탐을 내고 있습니다.

예를 하나 더 들어 볼까요?

앞에서 소개한 솔브레인입니다. 반도체, 디스플레이 재료 및 2차 전지 전해액을 파는 기업인데 주가가 10년간 5배나 오른 모습을 보여 줍니다.

솔브레인 주가 추이(2010~2020년)

이 기업을 알게 된 것은 우연이었어요. 제가 살던 동네에서 식당일 하는 사람들 상당수가 일을 그만두고 솔브레인 식당으로 취업했다는 이야기를 들었습니다. 대체 뭐하는 회사인데 이렇게 식당 직원을 많이 뽑는가 해서 알아봤죠.

반도체, 디스플레이 관련 회사로 우리는 들어 본 적이 없는 편이지만 업계에서는 유명한 회사였습니다. 매출과 이익이 꾸준히 성장하고 기업의 사세 또한 빠르게 확장되고 있는 중이었죠. 이때 주가가 1만 원이었는데 지금 10만 원까지 찍었으니 10년간 10배나 오른 회사입니다. 우리 동네에서 이런 대박 종목이 나올 줄은 생각하지 못했죠. 피터 린치의 '생활 속의 발견'이라는 말을 다시 한번 되새기는 순간이었습니다.

반도체 1위 기업인 삼성전자의 주가가 10년간 5배 상승에 그친 반면, 같은 반도체 옐로칩인 솔브레인은 10배가 오른 점을 보면 옐로칩이 상승 시에 더 많이 오른다는 것을 알 수 있습니다. 실제로 이런 투자를 즐긴 사람이 피터 린치인데요. 그는 펀드매니저들의 관심에서 뒤로 밀려난 중소형주에 주로 투자했는데, 그중에 10배씩 오른 종목이 많았다고 합니다.

📍 옐로칩 투자 시 주의해야 할 점

옐로칩이 주가가 오를 때는 블루칩보다 더 많이 오른다는 장점이 있지만, 반대로 위기가 왔을 때는 안정적인 블루칩보다 주가 하락 폭이 더 크다는 단점 또한 있습니다. 주가 하락 폭만 더 크면 그래도 괜찮은 편이죠. 만약 위기가 길어지면 다시 호황이 오기도 전에 기업이 사라질 수도 있습니다.

여행주 1등 기업인 하나투어와 2등 기업인 모두투어를 비교해 봅시다. 2020년 코로나 위기 때 어느 회사의 주가가 더 많이 빠졌을까요?

하나투어 54.2% 하락, 모두투어 63.4% 하락으로 1등주보다 2등주가 더 많이 하락하는 모습을 보여 줍니다.

하나투어(위), 모두투어(아래) 주가 하락 폭 비교

예를 하나 더 들어 볼까요? 이번에는 항공사입니다.

코로나 사태로 주가가 많이 하락한 업종 중 하나인데요. 항공사 전체 부도가 예상될 정도로 큰 위기가 온 업종입니다. 그중 한창 떠오르는 업종으로 각광받았던 저가항공사 1위 기업인 제주항공과 2위 기업인 진에어의 주가에는 어떤 변화가 있었을까요?

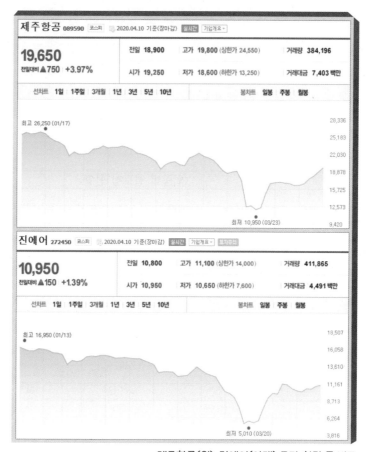

제주항공(위), 진에어(아래) 주가 하락 폭 비교

    제주항공 주식은 58.3%가 하락했습니다. 진에어 주식은 70.4%가 하락했죠. 진짜 심각한 위기가 오면 2등 기업은 부도가 날 가능성이 있다고 판단되어 주가가 더 많이 하락하는 모습입니다.

    이렇듯 옐로칩 투자는 주가가 오를 때는 블루칩보다 더 많이 오르지만 나쁠 때는 더 많이 떨어진다는 단점이 있습니다. 그런 의미에서 볼 때 안정성을 원하면 블루칩, 수익성을 원하면 옐로칩이라고 볼 수 있죠.

옐로칩 주식들은 주가가 오를 때 확 오른다는 특징이 있다고 말씀드렸는데요. 오뚜기는 2011년 12만 원에서 2015년에 130만 원을 넘겼죠. 라면회사의 주가가 10배나 오르는 기적을 보여 줬습니다. 반면 업계 1위인 농심의 주가는 당시 두 배 좀 넘는 데 그쳤어요.

그럼, 우리나라 업종별 옐로칩 기업들을 한번 볼까요?

〈업종별 옐로칩 현황〉

*2020년 9월 기준

업종	기업	시가총액	최저/최대	PER
조선	현대미포조선	1조 1,800억	51배	19.7
건설	화성산업	1,451억	19배	5.23
은행	DGB금융지주	9,000억	1/5배	2.9
화학	롯데케미칼	7조 2,000억	10배	40
라면	오뚜기	2조 1,127억	10배	16.7
가구	현대리바트	3,162억	15배	13.2
음료/주류	무학	1,887억	20배	적자
교육	디지털대성	1,438억	9배	11.1
카지노	파라다이스	1조 2,500억	14배	적자

카지노 주식 1위는 강원랜드예요. 2010년에 최저가였다가 2014년에 가장 고점을 찍었는데 3배 올랐어요. 반면 카지노 옐로칩인 파라다이스는 같은 기간에 14배가 올라갑니다.

화학 분야 블루칩 주식인 LG화학도 2009년에 10만 원에서 60만 원까지 6배가 되는 사이에 옐로칩인 롯데케미칼은 4만 7,000원에서 47만 원으로 10배나 올라갑니다. 또 조선업 블루칩인 한국조선해양도 2004~2007년 25배가 될 때 옐로칩인 현대미포조선은 51배가 올랐습니다.

확실히 옐로칩들은 한 방이 있어요. 그래서 옐로칩 주식을 하는 사람들은 이 걸 잘 못 끊어요.

대신에 반대의 한 방도 있어요. 은행주들 주가가 추풍낙엽일 때 블루칩인 신한지주가 50% 하락하는 데 그친 반면 옐로칩인 DGB금융지주는 80%가 하락 했습니다. 즉 다른 업종들을 봐도 옐로칩의 변동성이 크다는 것을 알 수 있네요.

 투자 꿀팁을 드립니다

제가 투자할 당시 주가가 10배 오르는 것은 흔했습니다. 그런데 내가 10배가 올라도 직장 동료가 50배 오르면 배 아픈 것이 주식입니다. 참 이상하죠? 그래서 사람들이 블루칩 투자가 좋은 것을 알면서도 수익률에 혹해서 옐로칩으로 넘어가요. 차라리 옐로칩은 괜찮아요. 그래도 기업이 사라질 가능성은 적으니까요.

'3등주'라는 것이 있어요. 위기가 오면 기업이 사라질 수도 있지만 호황이 오면 엄청 오를 수도 있는 주식들이에요. 여러분의 올바른 길을 위해서 이건 아예 언급을 하지 않으려고 합니다.

대박이라는 동전 뒷면에는 쪽박이 있습니다. 그렇기 때문에 대박을 쫓는 투자를 해서는 안 됩니다. 초보자는 딱 옐로칩까지만 합시다.

전설적인 3대 투자가 중 한 명으로 이름을 날린 피터 린치는 세계 최대 펀드인 마젤란 펀드를 운용했습니다. 그는 13년간 연 29% 수익이라는 전설을 기록하고서 업계를 떠났죠. 좀 더 오랫동안 투자했으면 워런 버핏보다 더 부자가 되었을지도 모르는 분인데요. 피터 린치가 했던 전략 중 하나가 '생활 속의 발견'이라는 전략입니다.

'좋은 주식은 멀리 있지 않다'.

마치 파랑새처럼 내 주변에 좋은 주식이 있으니 주변부터 찾아보라는 전략이죠. 믿기지 않겠지만 주변에 어떤 대박 주식들이 있었는지 제가 알려 드리겠습니다. 같이 한번 찾아보시죠.

📍 동네 마트에서 좋은 주식 찾기

우선 좋은 주식은 마트에 많이 있습니다. 좋은 주식을 못 찾을 때는 마트에 한번 가 보세요.

저는 마트를 자주 갑니다. 물건을 사기 위해서가 아니라 물건을 사는 사람들을 보기 위해서죠. 외국에 가도 마트를 꼭 가 봅니다. 그러면 괜찮은 주식들이 보일 때가 있어요.

예전에 꼬꼬면이 유행했던 적이 있었죠? 허니버터칩이 유행하기도 했었고요. 마트에 가 보면 최근의 소비 트렌드를 볼 수 있습니다. 가전제품 매장에 가면 언제부터인가 안마기가 제일 좋은 자리에 위치해 있죠? 이런 변화들을 하나씩 보셔야 합니다. 맥주 코너에 가면 없던 맥주가 생겼는데 불티나게 팔리는 게 보이시죠? 그 맥주회사 주식을 바로 검색해 보세요. 마트에 장 보러 갔다가 인생 주식을 만날 수도 있습니다.

대표적인 사례가 진라면입니다. 당시 라면 매대는 농심의 라면들이 꽉 잡고 있었습니다. 수십 년간 신라면, 너구리, 짜파게티, 안성탕면의 독주 시대라고 불러도 무방할 정도였죠. 이 아성에 대항할 수 있는 유일한 라면이 오뚜기의 진라면이었습니다.

2013년에 진라면의 반격이 일어났는데요. 메이저리거인 류현진 선수를 써서 대대적인 제품 광고를 했고, 면발 개선 작업을 통해 라면 맛을 상승시켰습니다. 고객들은 바로 반응했죠. 제품 판매량이 급증하기 시작합니다. 그리고 2014년에 진짬뽕, 진짜장이 출시되면서 오뚜기에 대한 기대감이 커지게 됩니다. 이때 진라면 맛을 보고, 마트에서 팔리는 것을 보고, '이 회사 주식 사야겠다'라는 생각을 했다면 여러분은 지금쯤 부자가 되어 있을 겁니다.

오뚜기 주가 추이

물론, 저도 놓쳤어요. 진라면의 바뀐 면발 맛을 확인하고 주식을 샀어도 당시 20만 원이었어요. 그 후로 3년 뒤, 주가는 140만 원을 넘어갑니다.

주가는 대중의 관심을 받아요. 매출이 상승하는 비율보다 주가는 더 많이 올라갑니다. 예를 들어 매출이 2배가 올라도 사람들의 기대는 더 크기에 주가가 7배나 올라갈 수 있는 것이죠.

그런데 이렇게 매출과 주가가 불일치할 때는 꼭지이기 때문에 주식을 팔아서 수익을 확정 지어야 합니다.

📍 먼저 발견한 사람이 임자

최근에도 또 기회가 있었죠.

회식 자리에서 젊은 직원들이 녹색병 맥주를 자꾸 시키는 겁니다. 그래서 꼰대처럼 "아니 대중성 있게 카스를 시켜야지. 이게 뭐야?"라고 했습니다. 그러니까 한 직원이 한번 믿고 먹어 보라는 겁니다. 요새 이게 '핫'하다고요.

맥주병 목부분에 회오리가 있어서 잔에 따를 때 거품이 탁 난다고 합니다. 그리고 마셔 보니까 맛이 좋았어요. 국산 맥주답지 않게 괜찮더라고요. 그리고 '테슬라(테라+참이슬)'라는 별칭이 붙을 정도로 젊은 층에서 각광을 받기 시작합니다. 자연스럽게 분위기가 이 녹색병으로 가더군요.

이때, 그냥 먹고 즐기는 것으로 그치지 말고 주식을 샀어야 했습니다. 정확히 2년도 안 돼서 하이트진로의 주가가 2배가 되었거든요. 물론 실적이 제대로 나오기도 전에 주가는 벌써 날아갑니다. 이게 주식이에요.

하이트진로 주가 추이

    그리고 당시 하이트진로는 고배당주였습니다. 대략 연 5~6%의 배당수익률을 기록하는 중이었기 때문에 주가가 하락해도 크게 부담이 없었습니다. 주가가 하락하면 배당수익률은 더 높아지고, 배당투자자들이 주식을 사러 들어오기 때문에 주가 하락에 한계가 있거든요. 여기서 더 떨어져 봤자 10% 정도 하락이라고 본 것이죠. 그동안 소주에서 흑자를 내고 맥주에서 적자를 기록하던 기업이, 이제 맥주가 불티나게 팔리는데 실적이 더 나빠질 것 같지도 않았고요. 차트에서 보다시피 주가는 최저점이었습니다.

    분명 신은 나에게 자꾸 기회를 주지만 내가 눈치 없이 발견을 못하고 있는 겁니다. 지금 어딘가에서도 트렌드가 생기고, 그 트렌드를 만든 기업의 주식이 아직 오르지 않고 여러분의 선택을 기다리고 있을 겁니다. 먼저 발견하고 먼저 사는 사람이 임자입니다.

    건설업이 바닥을 다지고 고개를 다시 내밀려고 할 때쯤 아파트 분양이 활발해지고, 재건축에 생기가 돌고, 리모델링이 유행하는 시절에 '가구회사 주식을 사 볼까?' 하는 고민을 했다면 34배를 벌었을 겁니다. 한샘이라는 주식이 그랬거든요. 2014년에는 페인트, 가구, 시멘트, 건설 회사가 여러분에게 기회를 줬었습니다.

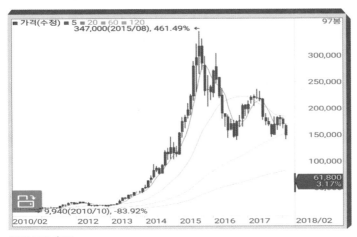

한샘 주가 추이

앞서 2012년쯤에 제가 사는 동네 식당에서 일할 사람을 못 구해서 난리 난적이 있었다고 했죠.

삼성전자에 반도체와 디스플레이 관련 제품을 납품하는 공장이었는데, 납품 물량이 쏟아지다 보니 사람들을 계속해서 채용하고, 또 거기에서 일하는 사람들에게 식사를 제공해야 하니까 식당에서 일할 사람 또한 비싼 돈을 주고 데려가고 있었던 거죠.

그 정도로 성장하는 기업이면 투자하지 않을 수 없잖아요? 솔브레인의 주가는 오르고 내리고를 반복하다가 마침내 5배나 올라 버립니다.

이 일화의 결론은 '스쳐 가는 정보에도 귀를 기울여 보자'입니다. 그러면 투자의 기회가 보입니다.

📍 핫한 제품에 대한 투자 결정 순서

저는 핫한 제품을 발견했을 때 다음과 같은 생각의 단계를 거치고 나서 최종적으로 투자 여부를 결정합니다.

① 사람들이 그것에 열광하는가?

② 그 열광이 얼마나 지속되는 것인가?

③ 그 기업의 주가는 현재 저렴한가? 아직 오르지 않았는가?

④ 주가가 오를 가능성이 있는가?

⑤ 기업에 문제가 있다면 해결 가능성은 있는가?

⑥ 문제 해결 시 기대주가는 얼마인가?

⑦ 상승 가능성이 50% 이상인가? 기대수익률은 얼마인가?

⑧ 실패 시 주가는 얼마까지 내릴 것 같은가?

⑨ 하락 가능성이 30% 미만인가? 예상손실률은 얼마인가?

⑩ 손실을 각오하고도 투자할 만한 확신이 드는가?

사람은 내가 발견한 정보가 대박일 것이라는 확증적 편향을 가질 수 있어요. 좋은 정보만 귀에 들어오고 나쁜 정보는 걸러 버리는 것이죠. 그런 실수를 막기 위해 이런 질문에 스스로 답을 해 가며 투자를 결정해야 합니다.

투자 꿀팁을 드립니다

투자의 귀재로 알려진 소프트뱅크의 손정의 회장은 "70%의 확률이라면 베팅을 걸어 볼 만하다"라고 했습니다. 50%의 확신은 위험하고, 90%의 확신에 투자하면 먹을 것이 없어서 70% 정도의 확신이 들 때 투자를 한다는 것이겠죠.

우리도 확신을 갖고 투자하는 것은 좋지만, 실적으로 모든 지표가 다 나오고 나면 먹을 것이 없다는 것을 알고 있습니다.

마트에서 사람들에게 반응이 좋고 불티나게 팔리는 것을 봤다면 지표가 좋아질 것은 뻔한 일입니다. 따라서 빠르게 기업을 조사하고 제가 앞서 제시해 드린 질문에 답을 한 후 신속하게 투자를 해 보는 것도 좋을 방법일 것 같습니다.

08 연 10% 월세 받는 배당주 투자법

워런 버핏은 '잃지 않는 투자를 하기 위해서 안전마진을 확보하라'고 합니다.

주식 가격이 내려가지 않도록 방어해 주는 무언가가 있다는 말인데, 이 '안전마진'에 대해 많은 사람들이 궁금증을 갖고 있습니다.

그래서 어떤 이는 "수익 대비 저평가인 저PER이 안전마진이다"라고 하고, 누구는 "자산 가치 대비 저평가인 저PBR이 안전마진이다"라고 하는 등 다양한 의견을 내놓습니다. 하지만 워런 버핏은 이것으로는 안전을 보장받을 수 없다고 했죠.

부동산에서는 월세 수익률이 안전마진인 경우가 많습니다. 아무리 안 팔리는 집이라도 월세 수익률이 10%가 나온다고 하면 사려는 사람이 생기기 마련이죠. 그래서 가격 하락이 어느 정도 방어가 됩니다.

주식시장에서는 이와 비슷한 배당수익률이 있습니다. 그리고 배당을 주는 주식을 사서 투자하는 것을 배당주 투자라고 합니다. 이 배당주 투자가 어떻게 안전마진을 확보해 주는지 같이 알아보시죠.

📍 배당주 투자란

은행에 예금을 하면 이자를 받고, 주택을 빌려주면 월세를 받고, 주식을 사면 배당을 받습니다. 주식을 샀다는 것은 그 기업의 주인이 되었다는 것이고, 기업은 이익을 주주들에게 다시 나눠 줍니다. 다만, 그 이익을 주주들에게 지금 돌려주지 않고 더 사업을 키우는 방향으로 가는 기업도 있고, 사업을 키우기보다는 주주들에게 지금 돌려주는 기업도 있습니다.

배당주 투자는 이렇게 이익을 주주들에게 꾸준히 돌려주는 기업에 투자하는 겁니다. 은행이자보다 더 많은 배당을 받아 수익을 얻는 시스템이죠.

보통 선진국에 있는 기업들은 성장이 완성된 상태고, 주식배당을 연금으로 활용하는 경우가 많아 배당금이 많은 편입니다. 반면 개발도상국들은 배당을 하기보다는 더 큰 성장을 위해 이익금을 재투자하는 경우가 많죠.

우리나라의 경우 예전에는 배당보다는 재투자를 주로 했지만 최근 들어 주주 친화정책으로 배당금을 늘리고 있는 추세입니다. 이제 배당주를 잘 골라서 준비를 해 두는 것이 좋겠죠?

📍 배당금을 얼마나 주느냐를 확인하라

맥쿼리인프라는 배당주의 롤모델이라고 불립니다.

매년 5~8%가량의 배당수익률을 기록하는 이 주식은 이렇게 고배당을 주면서도 주가가 10년간 4배나 올라 3,000원이었던 주식이 1만 2,000원이 되었습니다. 배당도 주고 주가도 올랐으니 가장 완벽한 배당주라고 할 수 있죠. 즉 배당을 많이 준다고 덜컥 사들이기보다는 배당금을 늘려 갈 수 있는 여력이 있는 회사, 매출과 이익이 증가하는 회사에 투자하셔야 합니다.

맥쿼리인프라 주가 추이

SK텔레콤의 경우 배당수익률이 높은 편은 아니지만 은행이자보다는 높습니다. 평균 3~4%의 배당수익률을 내는 회사인데요.

이런 안정적인 배당수익률뿐만 아니라 SK텔레콤은 여러 장점을 가지고 있습니다. 특히 미래는 언택트 사회가 될 가능성이 높은데, 그렇게 되면 5G를 기반으로 사물인터넷, 인공지능, 무인자동차, 무인화시스템, 온라인쇼핑이 유행할 것으로 보입니다.

그렇게 볼 때 성장성이 높은 반도체 제조업체 SK하이닉스와 온라인 쇼핑업체 11번가를 보유하고 있고, 우리나라 3개의 통신회사 중 시장점유율 50%를 차지하고 있는 SK텔레콤은 배당주를 넘어 엄청난 매력을 가지고 있는 주식임이 틀림없습니다.

SK텔레콤 주가 추이

쌍용양회는 배당의 힘이 무엇인지를 잘 보여 준 주식입니다.

사모펀드가 인수한 이후로 배당금을 대폭 늘렸는데요. 기업의 매출과 이익
이 그리 늘지 않았음에도 배당을 늘리자 주가가 4년 만에 2,000원에서 8,000
원을 넘는 기염을 토합니다. 주가가 내려갈수록 배당수익률이 올라가는 배당주
특성상 주가가 좀 떨어지려고 해도 받아 주는 세력들이 많아 주가 하락이 쉽지
않죠.

쌍용양회 주가 추이

반대의 경우도 있습니다. 코웨이의 경우 사모펀드에 인수되고 한창 배당금이 절정에 달하던 시기에는 주가가 4만 원에서 11만 원까지 상승했지만, 배당금이 줄어들자 6만 원으로 하락했습니다.

연도	배당금
2015년	2,800원
2016년	3,200원
2017년	3,200원
2018년	3,600원
2019년	2,400원

코웨이의 주가 추이와 연도별 배당금

📍 높은 배당수익률에 속지 마라

이렇듯이 배당주는 배당금을 얼마나 주느냐가 주가에 많은 영향을 주게 됩니다. 그럼 이제 응용문제를 내볼까요?

〈배당수익률 상위 종목〉

*2020년 9월 기준

순위	종목명	배당수익률	순위	종목명	배당수익률
1	동양고속	17.2%	8	삼양옵틱스	7.84%
2	대동전자	16.2%	9	유아이엘	7.7%
3	한국기업평가	14.7%	10	유성기업	7.5%
4	웅진싱크빅	10.4%	11	쌍용양회	7.4%
5	대신증권	8.4%	12	두산	7.4%
6	동부건설	8.2%	13	천일고속	7.14%
7	씨엠에스에듀	8%	14	푸른저축은행	7%

앞의 기업들은 고배당주 순서대로 나열한 것입니다. 이것을 보고 '무조건 1등에 투자해야지' 하면서 무턱대고 투자하지 마시고, 12개 기업들 중에서 공통점을 보고 의심을 해 보세요. 어떤 의심이 안 드세요?

우선 '연 17% 배당이 과연 가능한 일인가?'라는 생각을 해 봐야 합니다.

아무리 고배당이라고 하더라도 연 17% 수준의 배당이 가능하도록 내버려 두는 투자자들은 없을 겁니다. 배당을 많이 준다고 하면 너도나도 이 주식을 사려고 하기 때문에 주가가 올라서 자연스럽게 배당수익률이 떨어지겠죠. 따라서 이 주식은 배당을 많이 주든 말든 투자자들에게는 관심이 없다는 뜻으로 봐야 합니다.

동양고속의 경우 5년간 배당금이 1,300원, 100원, 600원, 1,000원 이러다가 마지막 해에 4,700원을 줬습니다. 동대구터미널을 팔면서 큰돈이 생겨 이 돈을 배당으로 줘 버린 것이죠. 따라서 내년에도 올해만큼 이런 배당을 줄 수가 없기 때문에 투자자들의 관심이 없는 겁니다.

두산은 매년 5,000원 수준의 배당을 꾸준히 해 줬지만 이렇게 배당수익률이 높게 나온 이유는 그룹에 부도 위기가 왔기 때문입니다. 아무리 배당을 잘 줘도 그룹이 무너지면 투자금을 잃게 됩니다.

그 외의 특징을 봅시다. 12개 기업 중 절반이 금융회사인데요. 금융회사들은 보통 8~9%의 배당수익률이 나옵니다. 그럼 왜 금융회사들은 배당수익률이 좋을까요?

배당도 꾸준하고, 매출과 이익도 늘어나는 완벽한 상황인데 말이죠. 그런데 주가는 자꾸 떨어지고 있습니다. 그럼 생각을 해 보죠. 과거와 현재는 완벽한데 왜 주가가 떨어질까요?

미래가 불안하기 때문이죠. 코로나 위기로 금융회사들에 불똥이 튀지 않을까 하는 우려로 금융주를 사려는 사람이 없기 때문입니다. 그래서 주가가 흘러내리는 중이죠.

또 고배당 기업들 중에는 자신의 올해 이익보다 더 많은 배당금을 주는 기업들도 있습니다. 예를 들어 올해 당기순이익이 100억인데 배당금을 400억씩 주는 기업들도 있어요.

왜 이럴까요?

네, 기업주가 더 이상 기업의 성장에 관심이 없기 때문입니다. 이제 회삿돈을 빼내고 싶은 것이죠. 버는 돈보다 더 많이 배당을 내리다 보니 기업의 현금은 계속 말라 가겠죠. 이런 기업을 배당주라고 투자하는 것이 옳을까요?

그래서 배당수익률이 높다고 무턱 대고 투자하는 것보다는 왜 수익률이 높을까를 의심해 봐야 합니다. 의심 전문가인 제가 의심하는 순서를 단계별로 설명해 드릴게요. 이에 맞게 배당주를 조사해 보면 투자해도 되는 주식인지 아닌지가 나올 겁니다.

첫째, 배당성향이 50% 이상인가

당기순이익 대비 몇 퍼센트를 배당금으로 주는지를 보면 이 기업의 특징을 알 수 있습니다.

일반적으로 배당성향이 50%를 넘기지 않는 것이 좋습니다. 기업은 다시 재투자를 해서 개발을 하고 상품을 만들어 경쟁력을 유지해야 돈을 벌 수 있습니다. 그런데 배당성향이 지나치게 높으면 개발할 돈도 없고, 결국은 경쟁력을 잃어버리겠죠. 적절한 배당성향은 35% 이내입니다.

배당성향은 '네이버증권 - 종목분석 - 기업현황'에 보면 나와 있습니다.

둘째, 배당금이 일정하거나 늘어나는 중인가

배당금이 들쭉날쭉하면 우리는 이 투자를 통해 배당수익률을 예상할 수가 없습니다. 투자에서 가장 나쁜 것은 예측이 불가능한 것입니다.

기업의 상황에 따라 배당금이 들쭉날쭉한 경우 그만큼 기업 자체도 안정적이지 못한 사업을 할 확률이 높습니다. 배당금을 꾸준히 주려고 노력하는 기업이 신뢰를 얻게 됩니다. 그런 면에서 보면 대신증권은 10년 넘게 배당금을 주기 위해 많은 노력을 기울이는 것을 보게 됩니다. 증권업의 미래가 밝다고는 못하겠지만 최소한 주주들에게 신뢰를 주려는 모습은 인상적입니다.

배당금이 꾸준히 늘어나는 회사는 최고의 상황입니다. 이익이 늘어나고 있기 때문에 배당을 늘린다는 것이고, 그만큼 성장하는 회사라 주가가 상승할 가능성도 높기 때문입니다.

꾸준히 배당금이 늘어나는 기업을 찾아서 투자해 주는 ETF에 투자하는 방법도 있습니다. 미국에 상장한 배당성장ETF인 SDY의 경우 2019년 수익률이 약 21%였습니다. 20년 이상 꾸준히 배당을 늘려 온 종목으로 구성되어 있죠.

셋째, 기업의 미래가 불안정한가

아무리 과거와 현재가 좋아도 기업의 미래가 불안하면 꽝입니다. 실적이 추락하고 배당이 줄어들 수밖에 없죠. 그렇기 때문에 모든 것이 완벽할수록 한 번 더 의심해 봐야 합니다. 이렇게 좋은 기회를 여러분에게만 줄 리가 없겠죠. 무슨 이유인지 찾고 그 문제가 해결 가능하다는 생각이 들 때 투자해야 합니다.

넷째, 매출과 이익이 늘어나고 있는가

아까도 봤듯이 매출과 이익이 늘지 않아도 배당금만 늘리면 주가는 올라갑니다. 혹시 내가 여기에 속고 있는 것은 아닌가를 확인해야 합니다. 무리하게 배당금을 늘린 회사들을 보면 매각 후에 주가가 하락하는 경우가 많았습니다. 사모펀드가 매각을 통해 수익을 내기 위해 배당금을 늘린 상태는 아닌지 확인해 보셔야 합니다.

안정적인 배당주에 투자하고 싶다면 방금처럼 꼼꼼히 따져 보고 투자하면 좋을 것 같아요. 그리고 꼭 국내에 투자할 필요는 없다고 말해 주고 싶습니다. 국내 주식이나 해외 주식이나 배당수익은 세율이 똑같기 때문이죠. 연간 2,000만 원 이하의 경우 15.4%입니다. 그 이상이 되면 금융소득종합과세에 걸려서 더 많은 세율이 나올 수 있어요. 최대 46.2%까지 나옵니다.

참고로 2023년부터는 주식에 대한 세금 제도가 변경됩니다. 국내 주식은 연간 5,000만 원 이하인 경우 양도차익을 감면해 주고, 해외 주식과 채권, 파생상품은 연간 250만 원을 감면해 줍니다. 그러니 세금도 잘 계산하셔서 적당한 비율로 배당주에 투자하셨으면 합니다.

단순한 바보도 이끌어 나갈 수 있는 사업의 주식을 사라.

워런 버핏

09 턴어라운드 기업과 업종은 과연 몇 배의 수익이 날까

인생을 살다 보면 전성기가 오고 슬럼프가 오고 다시 전성기가 오듯이, 기업도 전성기를 지나 슬럼프에 빠져 있다가 다시 전성기를 구가하는 기업들이 있기 마련입니다. 기업이 그럴 때도 있고 업종 전체가 그럴 때도 있는데요. 다시 돌아왔다는 의미로 '턴어라운드(Turn around)'라고 부릅니다.

넓은 의미로는 '기업회생'이라고 하는데, 구조조정을 해서라든지 경기가 불황에서 호황으로 돌아왔다든지 설비를 새로 갖추거나 업종을 전환하면서 새로운 성장의 불씨가 나타나면 턴어라운드라고 합니다.

이번에는 턴어라운드 기업과 업종 들은 주가가 얼마나 상승하는지, 어떻게 투자하는지에 대해 알아보도록 하겠습니다.

📍 턴어라운드 업종 찾기

왜 턴어라운드에 투자해야 하나

먼저 "턴어라운드에 왜 투자해야 하느냐?"라고 물을 수가 있는데, 이유는 하나예요.

기업의 내실이 큰 폭으로 개선되어서 주가가 급등하면, 다른 곳에 투자하는 것보다 상대적으로 큰 수익을 낼 수 있기 때문입니다. 물론 저렴할 때 주가를 샀기 때문에 하락 폭도 적죠. 그래서 나름대로 적게 잃으면서 크게 벌 수 있는 투자 방법입니다.

문제는 턴어라운드 하는 업종을 찾아내는 눈이 필요하다는 것이죠. 그냥 보고 지나치면 안 됩니다. '이 업종은 끝났다. 아무도 쳐다보지 않는데 오르겠나' 싶은 것을 다시 볼 수 있는 안목을 가져야 합니다.

이 안목은 저절로 생기는 것이 아니라 주변의 모든 것에 관심을 가지는 습관에서 나옵니다. 그러므로 보는 것, 듣는 것 하나하나 그냥 지나치지 말고 한 번씩 생각하는 습관을 길러 보세요. 그게 다 돈이 됩니다.

뉴스를 검색해 보는 것도 도움이 되는데요. '턴어라운드'라고 검색을 하면 요새 '어떤 기업 또는 어떤 업종이 턴어라운드 되고 있다'라는 정보가 나옵니다.

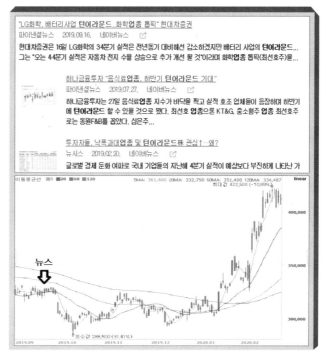

턴어라운드 업종 뉴스(위)와 LG화학 주가 추이(아래)

주가는 얼마나 올랐나

그럼 턴어라운드 기업 또는 업종이 정말 주가가 올랐는지 한번 확인해 볼까요?

우선 LG화학에 대한 뉴스였습니다. 배터리 사업이 턴어라운드 해서 LG화학의 주가가 좋아질 것이라는 뉴스였는데요. 테슬라, 자동차, 갤럭시, 아이폰 배터리 관련 매출과 수익성이 좋아지고 있다는 뉴스였습니다. 주가는 뉴스가 나오고 나서 넉 달 정도 고전을 하다가 30% 이상 급등을 했네요. 뉴스가 너무 빨리 나왔나 보네요. 턴어라운드 되는 사업의 경우 실적 반영까지 시간이 좀 더 걸릴 수가 있기 때문에 주가가 바로 오를지 나중에 오를지는 알 수가 없어요. 그래도 한 분기 뒤부터 주가가 급등하는 모습을 봤습니다.

그런데 뉴스가 과연 다 맞을까요? 이번에는 아래 뉴스를 볼게요. 이번에는 '음식료업종이 턴어라운드 될 것 같다. 특히 동원F&B와 KT&G가 가장 최선호주다'라는 뉴스였습니다. 그래프 자료를 통해 실적이 개선되고 있다는 객관적인 데이터까지 제공을 했죠.

그럼 주가는 어떻게 되었을까요? 이번에도 올랐을까요?

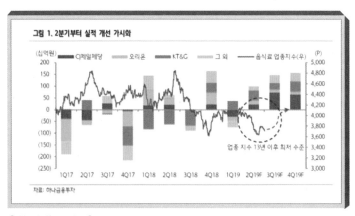

음식료업종의 턴라운드

동원F&B(위)와 KT&G(아래)

동원F&B는 기가 막히게 떨어집니다. 뉴스 나오고 나서 며칠 뒤부터 급락을 해서 30만 원짜리 주식이 20만 원이 됩니다. 30%의 손실을 가져다주는 투자가 될 뻔했죠. 그런데 KT&G는 달랐습니다. 뉴스가 나올 때 9만 8,000원이었는데 뉴스가 나오고 나서 9만 5,000원까지 하락했다가 주가는 두 달간 상승해서 10만 6,000원까지 올라갑니다. 음식료업종이라고 다 오르는 것도 아니고, 기자가 찍어 줬다고 해서 또 다 오르는 것도 아니라는 것을 알 수 있었어요.

그럼 다음 페이지에 나온 차트를 볼까요? SK하이닉스인데요, 반도체 업황이

2019년 2분기에 턴어라운드가 이루어질 것이라는 뉴스가 나왔습니다. 그럼 SK 하이닉스의 주가는 어떻게 되었을까요?

턴어라운드 업종 뉴스에 따른 SK하이닉스 주가 추이

　이게 뭐죠? 턴어라운드 뉴스가 나오고 나서 오히려 주가가 급락을 하네요. 8만 2,000원이었던 주가가 한 달도 채 되지 않아 6만 2,000원으로 약 25% 정도 하락을 합니다. 그러다가 7월에 가서야 8만 4,000원으로 회복했네요.

　2019년 5~6월은 주식시장이 안 좋았던 시기였습니다. 그래서 전반적으로 모두 하락할 수밖에 없었던 거죠. 이것은 제 아무리 턴어라운드 된다는 뉴스가 나오더라도 시장을 이길 수는 없다는 것을 뜻합니다.

📍 진짜 턴어라운드 투자

　제가 생각하기에 턴어라운드 주 투자는 단기간의 자잘한 실적을 보고 하는

게 아니라 길게 보고 해야 합니다. 그래서 세계 경기나 유가, 환율 등의 흐름을 파악해 진짜 턴어라운드가 되고 있는지를 판단해야 합니다.

턴어라운드 투자의 예로 디스플레이산업을 들어 볼게요. 디스플레이산업은 제품 개발을 해서 빨리 양산해 제품을 비싸게 팔아 수익을 내는 업종입니다. 그리고 경쟁업체가 제품을 개발해 따라오려고 하면 가격을 후려쳐서 상대를 무너뜨리는 전략을 쓰죠. 그래서 양산한 제품을 판매할 때와 상대를 따돌리기 위해 가격을 후려칠 때의 주가가 다릅니다.

아래 LG디스플레이를 보면 대체적으로 홀수년도에는 따라오는 경쟁업체의 추격을 피하기 위해 가격을 떨어뜨리다 보니 주가가 떨어졌고, 짝수년도에는 공격적으로 설비를 투자하고 제품 양산에 박차를 가해 주가가 오르는 모습을 보여 줍니다.

턴어라운드 업종 뉴스에 따른 LG디스플레이 주가 추이

설비투자로 턴어라운드가 일어나는 주식은 이렇게 주기를 띠는 모습을 보입니다. 예측이 쉬운 편이죠.

하지만 정유업체인 에쓰오일의 주가 추이를 보면 예측이 쉽지 않습니다.

에쓰오일은 2011년에 주가가 올랐다가 이후 계속 하락해 2014년에는 1/5 토막이 납니다. 그러고는 다시 2018년에 주가가 4배나 올라 버리죠. 주가가 참 다이나믹하죠?

에쓰오일은 왜 이렇게 예측 불가능한 주가 흐름을 보일까요? 그건 디스플레이산업과는 다른 정유업의 특성 때문입니다.

턴어라운드 업종 뉴스에 따른 에쓰오일 주가 추이

원유 가격이 비쌀 때는 정제마진도 올라가서 이익이 늘어나게 됩니다. 반대로 유가가 크게 하락하거나 오르락내리락할 때는 정유주의 주가가 안 좋은 편이죠. 2019년에는 5조를 들여 고도화설비 작업을 마쳤는데도 주가는 더 오르지 않고 크게 하락합니다. 정유주는 설비의 영향보다 유가의 등락에 더 큰 영향을 받는다는 것을 보여 준 사례죠.

마지막으로 보여 드릴 업종의 사례는 제지, 피혁주입니다. 제지산업과 피혁산업은 우리나라에서 끝난 사업이라는 인식이 강했습니다. 정말 오랜 기간 동안 주가가 오르지 않았어요.

사양산업에서는 경쟁업체들 상당수가 망하고 합병되면서 우량 기업이 서서히 경쟁력을 갖춥니다. 2018년은 제지주, 피혁주의 해였는데요.

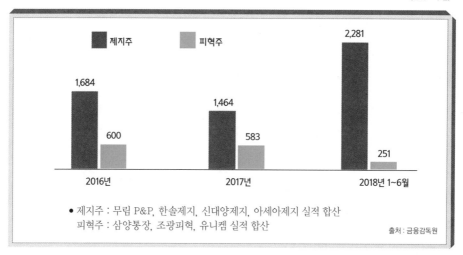

제지, 피혁주 연도별 영업이익

아세아제지 주가 추이

제지주의 경우 원재료인 펄프 가격이 내려가고 택배 호황이 오면서 수요가 늘자 가격이 치솟게 됩니다. 당연히 이익이 늘어나죠. 피혁회사들도 재료 가격이 내려가면서 마진이 늘고 이익이 늘어 업종 전체 주가가 상승됩니다.

제지주와 피혁주의 경우 원료를 해외에서 수입해서 국내에다 판매하기 때문에 재료 가격은 물론 환율도 중요합니다.

그러므로 유가, 환율, 재료비, 설비투자, 수요공급 등 영향을 주는 요소가 다르기 때문에 다양한 업종에 대해 미리 공부를 해 두고 관심을 가져야 합니다. 예를 들어서 환율이 내려가면 제지업은 요새 어떤지 한번 확인해 주고, 유가가 올라가면 정유업은 요새 어떤지 확인을 해 주면서 꾸준히 관심을 줘야 기회가 오는 찰나의 순간을 잡을 수가 있습니다.

투자 꿀팁을 드립니다

턴어라운드 업종이나 기업에 투자하는 것은 꽤나 고급 기술입니다. 뉴스에서 나온 기사를 보고 투자해서 잃을 수도 있듯이 이거는 좁게 보지 말고 넓게 보는 시각으로 투자를 해야 실패를 하지 않아요. 세계경제의 흐름에 대해서도 공부 좀 하고, 금리, 유가, 환율 등도 공부하면서 어느 정도 투자에 대한 시각이 넓어졌을 때 하시면 좋겠습니다.

다시 말해 여러분들의 식견이 턴어라운드 되어야 턴어라운드 종목을 발견할 수 있습니다.

10 주가가 떨어져도 돈을 벌 수 있는 투자 방법

기본적으로 주식은 주가가 낮았을 때 사서 올랐을 때 팔아야 돈을 벌 수 있습니다.

하지만 외국인투자자나 기관투자자는 그렇지 않죠. 주가가 떨어져도 돈을 버는 방법을 가지고 있습니다. 그래서 꽤 오랜 기간 동안 개인투자자들이 돈을 잃어도 그들은 벌었죠.

그래서 생각해 봤습니다. 개인들도 주가 하락 시에 돈을 벌 수 있는 방법이 없을까?

있더라고요. 그것도 한 가지가 아니고 몇 가지나 있었어요. 그래도 '이 방법으로 진짜 돈을 벌 수 있을까?' 고민이 되었습니다.

그래서 제가 직접 해 보고 수익을 내 본 다음 이제야 말씀드리게 되었습니다. 수익률은 나쁘지 않았습니다. 역사적인 하락장에서 대부분의 사람들이 원금의 1/3 정도를 잃었을 때 저는 하락에 투자해서 네 자릿대 수익률을 달성했으니까요.

그럼 어떻게 주가 하락 시에 투자할 수 있는지 다양한 방법들을 알려 드리겠습니다.

① 공매도

먼저 외국인들은 주가 하락 시에 어떻게 돈을 버는지부터 알아봅시다. 가장 먼저 '공매도'라는 기술이 있어요.

개인투자자들은 은행에서 돈을 빌려 주식을 사고, 주가가 오르면 팔아서 다시 돈을 갚죠.

$$돈 → 주식 → 돈$$

반면에 외국인투자자들과 기관투자자들은 주식을 빌려 주식을 팔고, 주가가 내리면 다시 주식을 사서 갚습니다.

$$주식 → 돈 → 주식$$

순서가 바뀌어 있죠?

예를 들어 주가가 1만 원인 주식을 빌려서 바로 1만 원에 팔아 버리고, 여기서 생긴 돈을 가지고 있다가 주가가 5,000원으로 떨어졌을 때 다시 주식을 사서 그 빌린 주식을 갚아 버립니다. 그럼 주식당 5,000원씩의 수익이 생기게 되죠. 투자 수익률이 50%로 높은 편입니다.

하지만 외국인투자자들이 좋아하는 이 공매도 역시 단점은 있습니다.

주가가 마이너스가 아닌 0원이 바닥이기 때문에 최대 수익률이 2배에 그칩니다. 또한 주식을 빌리게 되면 그동안 빌린 주식에 대한 이자가 발생하기 때문에 주가가 빨리 안 떨어지게 되면 손해를 볼 수 있고, 반대로 주가가 올라 버리면 더 비싼 가격에 주식을 사서 갚아야 하기 때문에 이 역시 손해를 볼 수 있습니다.

그러면 '공매도로 수익을 내기 어렵지 않을까?'라고 생각할 수도 있겠네요.

결론부터 말하면 공매도는 손실이 나기 어려운 전략입니다. 왜냐하면 공포심을 조성하기 때문인데요.

누군가가 주식을 대량으로 빌려 와서 주야장천 팔아 댑니다. 그리고 이 기업의 나쁜 점에 대해서 정보를 흘리며 공포감을 조성하죠.

떨어지는 주가와 나쁜 소식을 알리는 뉴스들, 그러면 개인투자자들은 주식을 살까요? 팔까요?

"이 주식은 아닌가 보다" 하면서 팔아 치우겠죠.

모두가 팔아 치우니 주가가 하락할 수밖에 없습니다. 갑자기 특급 호재가 뜨지 않는 이상요.

그러면 주가가 저 아래 바닥으로 떨어졌을 때, 빌린 만큼 사들여서 다시 갚으면 되는 전략이 공매도입니다. 그런데 개인들은 주식을 빌릴 수가 없어요. 완벽한 그들만의 리그죠.

그럼 주식을 누가 빌려주느냐? 한때 연기금이 빌려줬다가 여론의 뭇매를 맞고 이제는 하지 않습니다. 대신에 국내 기관투자자가 주로 빌려주고 있습니다. 여러분이 산 주식을 담보로 말이죠.

내 주식을 공매도 하는 투자자에게 빌려주고 싶으면 주식 어플을 켜서 '주식 대여-서비스신청'을 하면 됩니다. 그러면 은행이자 수준의 수수료를 받고 주식을 빌려줄 수가 있습니다. 내 주식이 그렇게 쓰이기 싫다 하면 '서비스해지'를 신청하시면 됩니다.

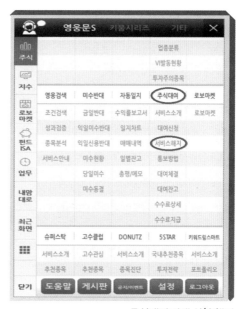

주식대여 거래 신청 해지

기본적으로 공매도 세력이 주식을 빌리지 못해야 주가를 누르지 못하겠죠. 그래야 개인투자자들이 돈을 벌 가능성이 더 높아집니다.

가끔 "개인도 공매도에 투자할 수 있나요?"라는 질문을 하시는데, "가능은 합니다만 가능한 종목이 너무 적고, 절차가 너무 복잡해서 개인투자자가 공매도를 하기란 쉽지 않습니다"라고 대답해 드립니다.

② 인버스 ETF

개인이 하락에 투자할 수 있는 가장 실질적인 방법은 인버스ETF에 투자하는 것입니다. ETF란 상장지수펀드라고 할 수 있는데요. 금융회사가 다양한 펀드를 만들어 놓고 이를 주식처럼 꾸며 사고팔 수 있게 만든 것이죠.

종목명	현재가	전일대비	등락율
KODEX 인버스 코스피	7,130	▼ 50	-0.70%
TIGER 인버스 코스피	7,850	▼ 65	-0.83%
KOSEF 미국달러선물인버스 코스피	10,015	▲ 95	+0.96%
KINDEX 인버스 코스피	8,675	▼ 55	-0.63%
KODEX 국채선물10년인버스 코스피	45,430	▲ 20	+0.04%
KINDEX 일본TOPIX인버스(합성H) 코스피	6,370	▼ 40	-0.62%
TIGER 원유선물인버스(H) 코스피	15,150	▲ 1,015	+7.18%
TIGER 차이나C SI300인버스(합성) 코스피	10,930	▲ 70	+0.64%
TIGER 미국S&P500선물인버스(H) 코스피	6,425	▼ 30	-0.46%
KOSEF 미국달러선물인버스2X 코스피	7,725	▲ 125	+1.64%

인버스ETF 종류

ETF의 특징은 특정 주식을 사는 것이 아니라 지수에 투자한다는 것입니다.

지수가 오르내리는 만큼에 따라서 수익률이 결정되는데, 그 이유는 ETF가 선물에 투자하기 때문입니다. 지수가 상승해도 돈을 벌 수 있고, 하락해도 돈을 벌 수 있게 만들었다는 뜻입니다.

그래서 ETF 중 인버스(거꾸로)에 투자하면 지수가 하락하는 만큼 수익이 나게 됩니다. 앞에서 보다시피 ETF 가격이 그리 높지 않기 때문에 1만 원만 가지고도 하락에 투자해서 수익을 낼 수가 있죠.

그러면 주식시장에 대세 상승기가 온다 싶을 때는 주식에 투자하고, 대세 하락기가 온다 싶으면 인버스ETF에 투자해서 수익을 낼 수가 있습니다. 그럼 증시가 오르든 떨어지든 계속 투자가 가능해지죠.

그럼 인버스ETF에는 어떤 종류들이 있을까요?

인터넷 검색창에 '인버스'라고 쳐서 나온 ETF만 98개나 됩니다. 코스피지수, 미국 S&P 지수, 국채, 원유, 금, 은, 구리, 달러, 옥수수 등 다양한 종류에 투자할 수 있습니다.

개인적으로는 증시가 대세장일 때는 금리가 오르는 경우가 많기 때문에 국채 인버스ETF에 분산투자를 하고 있습니다. 그러면 주식으로도 돈을 벌고 채권으로도 돈을 벌 수 있죠.

자, 여기까지가 초보자가 했으면 하는 인버스 투자입니다.

초보자를 지나 어느 정도 감이 왔다 하면 두 배짜리 인버스ETF가 있습니다.

지수가 1% 하락할 때마다 오히려 2%씩 수익이 나는 것이 인버스 레버리지 ETF입니다. 확실하다 느껴질 때만 쓰세요. 레버리지가 들어가 있기 때문에 수익률과 손실률이 매우 심하게 나옵니다.

원유 가격이 60% 정도 하락한 적이 있었는데, 그때 인버스 레버리지 WTI원유 선물 ETN이 4배 가까이 오른 적이 있습니다. 반대로 그냥 레버리지 ETN의 경우 1/7 토막이 났죠.

여기서부터는 초보자의 영역이 아닙니다. 한 번만 실수해도 전 재산을 날리기 딱 좋죠. 절대 하지 마세요.

③ ELW풋

그다음은 ELW풋입니다.

주식워런트증권이라고 불리는 ELW는 몇 개월 뒤에 이 주식을 얼마에 살 수 있는 권리입니다. 주식이 아니죠. 그리고 '시간제한'이라는 것이 있습니다. '주식도 아니고 시간제한이 있다' 이건 파생상품이라고 봐야죠. 굉장히 높은 수익률을 줄 수 있지만 원금 100% 손실도 자주 일어날 수 있는 상품입니다.

그래서 ELW에 투자하려면 금융투자교육원에서 2시간 사이버교육을 받아야 하고, 예탁금을 1,500만 원 이상 맡겨야지만 가능합니다. 아무에게나 문이 열려 있지 않죠.

대신 ELW의 장점은 특정 지수뿐만 아니라 특정 주식 종목에도 걸 수 있다는 점입니다. 예를 들어서 '코스피는 오르겠지만 현대자동차 주가는 3개월 안에 많이 떨어질 것 같다'고 생각하면 ELW 현대차풋을 사면 되겠죠. 그 후, 만기일 행사가격보다 주가가 아래로 내려왔다면 보유한 수량x현재 주가와 행사가격의 차이만큼 이득을 볼 수 있겠죠. 즉 행사가격과 주가가 많이 차이 날수록 돈을 버는 방법이죠.

ELW콜 : (만기가격 - 행사가격) x 전환비율 x 보유수량 = 만기수익
ELW풋 : (행사가격 - 만기가격) x 전환비율 x 보유수량 = 만기수익

물론 초보 투자자에게는 ELW를 추천하지 않습니다. 안 하는 것이 좋아요. 중수에게도 추천하지 않습니다. 참고로만 알아 두시면 좋겠습니다.

④ 선물, 옵션

자신이 고수라고 해도 모르고 지나가는 것이 천수를 누리는 방법이라고 불리는 금단의 기법이 선물, 옵션입니다.

보통 선물, 옵션은 전문 기관투자자들이 아니면 하지 않는 것이 좋습니다. 제가 아는 개인투자자 중에서 선물, 옵션을 해서 지금껏 살아계신 분이 두 명밖에 없습니다. 그 두 분은 선물, 옵션으로 돈을 벌려고 투자한 분들이 아니죠. 소액의 돈으로 보험을 들기 위해서 하신 분들입니다.

선물, 옵션은 특정 지수에 미리 살 수 있는 권리라고 보시면 됩니다. 보통 석 달 뒤의 지수를 예측해 투자하는 것이라고 볼 수 있죠. 선물은 보통 3, 6, 9, 12월 단위로 3개월마다 만기가 돌아오고, 옵션은 매달 만기입니다. 즉 선물은 3개월 뒤에 지수가 어떻게 될지를 맞추면 되는 것이고, 옵션은 다음 달 지수가 어떻게 될지를 맞춰야 하는 것이죠.

그럼 수익률은 누가 더 높을까요? 네, 시간제한이 더 타이트한 옵션이 수익률이 더 높겠죠.

그럼 '지수 하락에 돈을 걸고 싶다'의 끝판왕은 선물 매도, 풋옵션 매수 전략입니다.

풋옵션의 경우 이번 코로나 사태 때 1000배 이상 수익을 낸 사람이 있을 정도로 도박성이 강합니다. 거의 슬롯머신 777이 뜬 것과 다름이 없죠. 이건 카지노 도박기계를 주식시장에 갖다 놓았다 생각하시면 됩니다. 절대 하지 마세요.

왜 그런가 하면 외국인투자자들이나 기관투자자들은 자금력이 있어서 지수를 맞출 수가 있습니다.

3개월 뒤에 코스피 지수를 100 정도 떨어뜨리겠다고 마음먹으면 가지고 있는 주식들을 팔아 그렇게 만들 힘이 있어요. 하지만 개인투자자들인 우리는 없죠.

결국 저들은 지수 조작이 가능하다는 것이고, 우리는 불가능하니 기울어진 운동장입니다. 이길 수가 없는 것이죠. 절대 하지 마시기 바랍니다.

제가 딱 한번 풋옵션을 한 적이 있었습니다. 그때는 우리 증시가 폭락해야 정상인데 지수가 너무 높은 상태였고, 그 폭락이 오면 제 자산이 많은 손실을 입는 상황이었습니다. 주식은 팔았지만 부동산은 세금 때문에 팔 수가 없었죠. 그래서 아주 약간의 돈을 풋옵션으로 넣은 것이죠. 만약의 사태를 위한 보험금처럼요.

예상대로 폭락이 왔고, 보험금 대비 수십 배를 벌었습니다. 하지만 그만큼 부동산 가격이 떨어졌으니 딱 보험금을 수령한 셈이었습니다.

그런데 가끔 그런 생각을 합니다. '그때 내가 돈을 더 많이 걸었으면 어떻게 되었을까?'

강남에 빌딩을 샀겠죠. 그러면 당연히 다음 생각이 듭니다.

'다시 한번 해 볼까?'

어디서 많이 들어본 스토리죠? 카지노에 가면 이런 생각하는 사람들이 많습니다. 그만큼 중독성이 너무 강해요. 하지 마셨으면 좋겠습니다.

그래서 금융투자교육원에서 1~3시간짜리 기본교육을 받아야 하고, 1,000만 원의 예치금을 걸어야 합니다. 하지만 죽는 그 순간까지 안 해도 된다고 생각하는 것이 선물, 옵션이기 때문에 이런 상품이 있다는 정도로만 아시면 좋겠습니다.

주가 하락 시에도 수익을 내는 4가지 방법을 알아봤는데요. 스마트한 투자자가 되려면 상승에도 투자를 하고, 하락에도 투자를 할 수 있어야 합니다. 어차피 주식은 오르내리는 것이기 때문에 한 방향에만 거는 것은 불리한 일이죠.

　　하지만 하락에 투자하는 것은 장기로 할 수가 없습니다. 대부분 제한시간이 있거나 연장수수료가 있기 때문이죠. 만약을 위한 보험용으로만 이용하시길 바랍니다.

> 사람들은 냉장고를 살 때는 신중하지만,
> 주식을 살 때는 그렇지 않다.
>
> 피터 린치

위험한 주식이 매력 있는 이유

세상에는 3가지 종류의 주식이 있습니다. 안전한 주식, 그냥 그런 주식, 하면 안 되는 주식.

제가 여러분께 꼭 하고 싶은 말은 '안 좋은 주식에는 손도 대지 말라'는 겁니다. 최소한 하면 안 되는 주식에 손을 대지 않으면 주식을 해서 손실이 날 가능성을 많이 줄일 수가 있습니다. 그런데 애석하게도 많은 사람들이 처음에는 그러겠다고 약속하고서는 결국 이상한 주식에 손을 대고 손해를 보고 나서 '주식투자는 나쁜 것'이라고 단정 지어 버립니다.

그렇다면 어떤 것이 위험한 주식들이고, 사람들은 왜 이런 위험한 주식에 매력을 느끼고 달려드는지 한번 파헤쳐 보겠습니다.

① 부도나기 직전의 주식

부도가 나거나 상장폐지가 예정되면 그 기업의 주식은 폭락하게 됩니다. 그런데 그 타이밍에 이런 주식을 사들이는 사람들이 있습니다.

누구냐고요? 여러분이요.

이유는 "주가가 저렴하니까 상장폐지 직전에 한 번은 오르지 않을까?" "그래도 너무 싸니까 좀 사면 오를 것 같은데?" 등의 이야기를 합니다.

멀리서 보면 말도 안 되는 소리지만 막상 투자한 사람들은 팔은 안으로 굽는다고, 모든 상황을 긍정적으로 쳐다봅니다. 결과는 어떻게 되었냐고요?

운 좋게도 국가에서 살려 준 대기업 몇몇을 제외한 대부분의 기업 주식은 휴지조각이 되어 사라졌습니다. 그럼 내 주식은 어떻게 되느냐고요?

주식시장에서 거래가 불가능하니 누구에게 팔기도 어렵고, 이미 상폐된 기업의 주식을 좋은 값을 주고 살 호구는 없습니다. 그냥 마음속에 묻고 사는 거죠. 그러니까 절대 하시면 안 됩니다.

② 빛이 많은 기업

과도한 빛으로 허덕이는 기업의 종류는 다음과 같아요.

장사가 잘되지 않아 돈을 제대로 벌지 못하는 기업. 영업이익이 나더라도 많은 대출이자 때문에 적자가 나는 기업들입니다.

사채를 쓰면 어떻게 되는지 아시죠? 이자가 이자를 낳고 결국 빛이 사람을 잡아먹습니다. 기업도 마찬가지로 대출을 무리하게 끌어 쓰면 이자가 기업을 잡아먹습니다.

아무리 잘나가는 대기업이라도 부채비율이 높으면 부도가 나서 그룹이 해체되는 경우를 많이 봤습니다.

투자자마다 기준은 다르겠지만, 저 같은 경우에는 부채비율이 400%가 넘는 기업은 쳐다보지도 않고, 수익이 좋은 기업은 부채비율 200%까지는 이해하고 투자하고 있습니다.

③ 규모가 작은 기업

시가총액이 작은 중소기업들은 초보자가 투자하기에 적합하지 않습니다. 아직 회사가 안정적인 궤도에 오르지 않은 상태이기 때문입니다.

물론 회사가 빠르게 성장할 가능성이 있지만 제품 하나, 대기업 하나에 의존하는 경우가 많기 때문에 주력상품이나 대기업 수주에서 밀리면 기업 자체가 사라질 수도 있습니다.

또한 회사가 시스템적으로 자리 잡지 못한 상태이고, 그만큼 경영자의 능력에 따라 기업의 실적이 크게 좌우되기 때문에 불안정한 요소가 많습니다. 기업이 더 커져도 기업 구조가 불안정하고, 사장이 모든 업무를 일일이 확인할 수 없기 때문에 생산 효율이 떨어지고, 문제가 드러나기 시작합니다.

우리는 이런 과정을 거치고 나서 경영자 리스크가 감소하고, 기업의 시스템이 자리 잡은 이후에 투자해도 됩니다. 이게 주식투자의 가장 큰 매력입니다.

원하는 기업을 원하는 타이밍에 들어가서 동업을 하고 수익을 낸 다음 빠져나올 수 있는데, 괜히 미래가 불안정한 기업에 일찍 들어갈 이유가 없습니다.

투자자마다 다르지만 저는 개인적으로 시가총액이 최소 1,000억은 넘어야 투자를 고려합니다. 또한 주력상품이 다양하고, 판매처가 다양한 기업이어야 합니다.

④ 테마주

주식 초보자가 주식을 시작하는 가장 많은 이유 중 하나가 테마주고, 반대로 주식을 떠나게 되는 가장 많은 이유 또한 테마주입니다. 테마주는 일시적으로 사람들에게 많은 관심을 받기 때문에 주가가 많이 오르지만, 반대로 본격적으로 하락이 시작되면 큰 손실을 안겨 줍니다.

테마주는 사람들의 관심만으로 주가가 올라갑니다. 기업의 매출, 이익, 자산 따위는 쳐다보지도 않죠. 마스크 테마가 불면 A라는 기업의 마스크 매출 비중이 1%여도 마스크를 판다는 이유로 주가는 5배나 올라갑니다.

그런 이유로 주식 초보자들은 5배가 올랐다는 말에 허겁지겁 이 주식을 사들입니다. 한 달 만에 5배가 올랐으니 그다음 달에도 또 5배가 오르지 않겠냐는 논리죠.

하지만 사람들의 관심은 냄비와 같아서 금방 달아오르고 금방 식습니다. 5배가 올랐으면 1/5 토막이 날 차례지 5배가 더 오를 타이밍이 아닙니다. 기업이 주가에 합당한 매출과 이익을 내지 못하면 주가는 다시 떨어지게 됩니다.

그래서 테마주는 얼마까지 오를지 예측이 불가능하고 언제부터 떨어질지도 예측이 불가능합니다. 사람들의 관심이 언제 사라질지 알 수 없기 때문입니다.

테마주가 얼마나 무서운지 사례를 하나 들어 볼게요.

IT버블 이야기입니다. 1999년 8월 13일에 주가가 1,491원이었던 새롬기술이라는 기업이 있었습니다. 당시 인터넷이 세상을 바꿀 것이라며 인터넷과 관련되어 있거나 기업 이름에 닷컴이 들어가면 주가는 무섭게 올랐습니다. 이유는 없습니다. 인터넷과 관련만 있으면 주가가 100배나 오르는 것도 가능하던 시절이었습니다.

그래서 인터넷 기반 무료전화를 만들 거라고 발표한 새롬기술의 주가는 2000년 2월에 20만 원을 넘었죠. 약 137배가 올랐습니다. 당시 시가총액이 2조 4,700억으로 상장기업 중 2위에 해당했습니다. 금호, 롯데, 동아, 코오롱 그룹의 시가총액을 다 합친 것보다 더 컸습니다. 하지만 순이익은 4억뿐인 회사였죠. 이 순이익으로 6000년을 벌어야 투자 원금을 회수할 수 있는 기업이었죠.

그럼 사람들이 여기에 왜 투자했을까요? 기업의 실적과 미래의 매출을 계산하고? 인터넷이 발달된 사회의 미래가치를 높게 여겨서?

아닙니다. 그냥 급하게 오르니까 '나도 빨리 돈 좀 벌어 보자'는 마음으로 투자했습니다.

결국 얼마 안 있어 주가는 1/50로 추락했습니다. 1,000만 원을 넣었다면 980만 원을 잃은 것이죠.

그런데 이 옛날이야기가 기업 이름만 바꾸면 지금의 이야기가 됩니다. 바이오 주식이 그렇고, 요새 유행하는 테마주들이 그렇습니다. 여기에 투자하는 사람들의 심리, 기업의 실적은 쳐다보지도 않고 묻지마투자를 하는 것, 그리고 손실을 보는 과정은 그때와 다르지 않습니다.

⑤ 작전주

식물 중에 동물을 잡아먹는 식충식물이 있습니다. 대표적인 식물로 파리지옥이 있는데요. 파리를 꾀어 파리가 입안으로 들어오면 입을 닫아서 파리를 잡아먹죠.

주식도 다르지 않습니다. '작전주'라고 개미들을 꾀는 주식이 있어요.

뉴스로 꾀고 차트로 꾑니다. 사람들을 혹하게 만들죠. 주가를 올렸다 내렸다 하면서 사람들로 하여금 '얼마에 사서 얼마에 팔면 돈을 벌 수 있겠다' 하는 생각이 들게끔 꾑니다.

들어오는 사람들이 많아지면 천천히 주가를 올리기 시작하죠. 그러면 돈을 벌었다는 사람들이 주변인들을 데려오고 더 많은 사람들이 투자하고 주가는 더 올라갑니다. 그렇게 또 사람들이 몰려오고, 좋은 뉴스는 계속 나오죠.

충분히 많은 사람들이 몰려오면 어떻게 될까요? 세력들이 보유한 주식을 하루 만에 개미들에게 다 팔아 버리고 떠납니다. 몇 배씩 오른 주식을 사들인 개미들은 더 이상 이 주식을 비싸게 사 줄 개미들이 없음을 깨닫게 되죠.

그다음부터는? 개미지옥이 됩니다. 서로 도망쳐 나가려고 주식을 헐값에 던지죠. 하지만 폭락하는 주식을 누가 사 줄까요? 계속 주가는 떨어지고 아수라장이 벌어집니다.

지금 이 순간에도 작전주가 있습니다. 뜬구름 잡는 뉴스, 예뻐 보이는 차트, 지인의 추천 등은 절대 믿지 마시기 바랍니다.

화려한 버섯은 독이 있습니다. 몸에 좋은 버섯은 색이 예쁘지 않습니다.

주식도 마찬가지예요. 우리는 뉴스의 화려함과 장밋빛 미래에 현혹되면 안 되고, 묵묵히 매출과 이익이 성장하는 기업의 실적을 보고 투자해야 합니다.

단기간에 대박을 노리는 마음도 버려야 합니다. 세력들은 그런 여러분의 초조함을 노리고 있습니다. 여유 있게 좋은 주식을 사서 기다리는 투자를 해야 그들의 유혹에 넘어가지 않을 수 있습니다. 이 책을 통해 좋은 주식을 찾는 방법을 배워서 승리할 때까지 같이 버텨 봅시다.

CHAPTER 5

상황별, 업종별 실전 투자

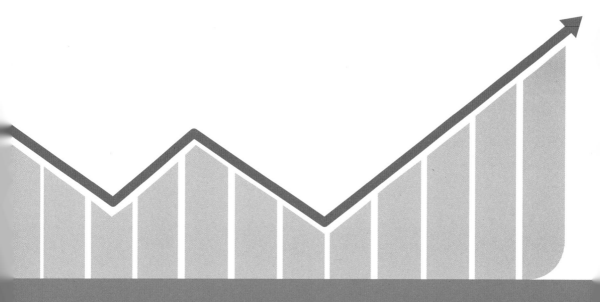

01 대박 사례에서 주식투자 꿀팁 찾기

저희 집 뒤에 산이 하나 있는데, 평소 제가 자주 걷는 곳이라 등산로를 따라 가면 밤에 걸어도 두려움이 없습니다. 그런데 어느 날 평소 다니던 등산로를 벗어나 길을 잘못 들어선 적이 있었습니다. 화창한 대낮이었는데도 아무도 걷지 않은 길을 혼자 걸어가다 보니 너무 무섭더라고요.

주식도 마찬가지입니다. 누군가가 걸어간 길 자취를 보고 투자하면 투자에 대한 두려움이 없어지고 힌트 또한 얻을 수가 있습니다.

그래서 이번에는 사례를 통해 어떤 주식에 투자했을 때 대박이 났었는지 알아보고, 여기서 투자의 영감을 같이 깨닫는 시간을 가져보도록 하겠습니다.

⚲ 20배 오르는 투자가 가능했던 이유

'칠성사이다', 다 아시죠? 예전에 기차로 여행갈 때 한 손에는 달걀, 한 손에는 이 칠성사이다를 먹었던 기억들이 다 있을 겁니다. 제가 이 사이다로 유명한 롯데칠성을 소개해 보겠습니다.

롯데칠성을 소개하는 이유는 초보자가 할 수 있는 가장 이상적인 투자이기 때문입니다. 그저 땅만 많은 초저평가 자산주에서 어떻게 6년 만에 20배가 오르는 투자가 가능했는지 이유를 알아보도록 하죠.

1999년에서 2001년까지 가치주는 찬밥 취급을 당했습니다. '주가란 모름지기 올라야 제맛이지'라는 생각이 가득했던 시절이었죠. 이 시기가 앞서 말한 IT 버블 시기입니다. 인터넷이 세상을 바꿀 거라는 희망에 인터넷 관련 회사라면 묻지도 따지지도 않고 주가가 올랐죠. 닷컴 이름이 붙은 기업들은 코스닥에 상장되자마자 계속해서 상한가를 달성했습니다.

당시 PC통신 '이야기 3.0'이라는 프로그램을 만들던 새롬기술은 인터넷 기반 무료 전화를 만들겠다고 발표하고 나서 6개월 만에 주가가 137배나 오르며 시가총액 2위 회사가 되어 버립니다. PER은 당시 6,000배가 넘었죠.

당시에는 이렇게 6개월 만에 100배나 오르는 주식이 주변에 널려 있었기에, 그저 자산이 많고 부동산 가치 대비 저평가인 주식에 매력을 느낄 사람은 없었습니다. 즉 롯데칠성은 철저하게 소외되던 시기였습니다.

지금 사람들의 관점과도 같습니다. 그저 PBR이 낮다고, 부동산이 많다고 주식을 사지는 않습니다. 그러다가 IT버블이 꺼지고, 롯데칠성에게 기회가 옵니다.

애초에 관심조차 받지 못했기 때문에, 그리고 워낙 초저평가 자산주이기 때문에 롯데칠성의 주가는 시장 폭락에도 가라앉지 않았습니다. 그리고 상승의 힘을 축적합니다.

그러다가 2001년부터 롯데칠성의 공격적인 행보가 시작됩니다. 돈 많은 회사가 돈 좀 벌기 위해 무언가를 하려고 하니 무섭게 움직입니다.

1999년 7월 출시한 음료수 '2% 부족할 때'가 2000~2001년 광고로 대박이 터지면서 매출이 무섭게 상승하죠. 물론 그 당시 초록매실 광고가 더 유명하긴 했지만, 어쨌든 이 시기에 롯데칠성은 공격적인 투자와 매출을 기록하게 됩니다.

롯데칠성의 주가 추이

2000년 8월 롯데칠성은 음료업계 최고 월 매출 1,000억 원을 돌파하고, 2001년 11월에는 제일제당 음료사업 부문(게토레이, 솔의눈)을 인수해서 브랜드를 가져옵니다.

그리고 2001년 매출 1조 원 돌파 이후 2000년 중반까지 연평균 15.6% 성장률, 영업이익률 12%를 기록하는 등 그동안 땅만 많은 저평가 회사에서 이제 성장주로 거듭납니다.

자산주가 성장을 만났을 때! 이때 주가가 가장 무섭게 오릅니다.

솔직히 저는 이때 기회를 잡지 못했어요. 대신 '다음에 이런 기회가 한 번 더 오면 꼭 잡아야겠다'고 다짐했죠.

한국의 워런 버핏이라 불리는 한국밸류자산운용 이채원 대표는 당시에 이런 말을 했습니다. "고객들의 불만에도 꿋꿋이 버텨 가며 기다린 롯데칠성을 7만 원에 사서 14만 원에 판 것이 가장 후회된다"고요.

2000년 8월 7만 원이던 주가는 2년 뒤인 2002년 8월에는 80만 원까지 올라갑니다. 11배가 상승했죠. 그래도 이 기업의 주당순자산이 150만 원이었기 때문에 PBR이 아직도 0.5배 수준으로 저평가였습니다. 주가는 2년 정도 쉬다가 다시 3년간 쉬지 않고 올라가서 150만 원을 찍습니다.

저는 어떻게 했을까요? 그냥 땅을 치고 후회했을까요? 아니죠, 이런 주식이 한 번만 더 나타나기를 기다렸습니다.

물론 만났죠. 2007년 주식시장의 두 번째 버블 시기에요.

6만 원에 한 시멘트 주식을 만났습니다. 실제 PBR이 0.1배인 극도로 저평가된 주식이었죠. 부채비율 없고, 엄청난 땅을 소유하고 있고, 특히 역삼역에 빌딩을 가지고 있는 회사였습니다.

하지만 2008년 서브프라임 모기지 사태를 겪고 건설업 경기가 죽으면서 주가는 4만 원으로, 몇 년 뒤에는 2만 원으로 하락합니다.

그래도 건설업은 다시 회복할 것이라는 생각으로 기다렸어요. 2013년부터 서서히 건설 경기가 살아나고, 2014년부터는 아파트 분양이 활발해지고 신도시가 착공되기 시작했습니다. 미분양이 급속도로 사라지고 신규 분양이 막 늘어나던 시기예요. 세종시, 동탄2신도시 등이 만들어지고 있었기 때문에 시멘트 수요가 급증하는 시기가 왔죠.

7년을 기다린 이 타이밍에 수익을 극대화하기로 했습니다. 해 뜨기 직전 이 주식과 업계 1위인 쌍용양회 주식을 헐값에 주워 담았습니다. 건설 경기가 좋아지는 게 보이는 데도 그동안의 소외감 때문에 주가가 움직이지 않았기 때문입니다. 그러고 나서 2014~2015년에 전량 매도를 했는데 이때 3배 정도 벌었습니다. 물론 이 주식을 2017년까지 가지고 있었으면 5배를 벌었을 거예요.

지금까지 가지고 있었다면 10배를 벌었겠죠. 편하게 벌 수도 있었겠지만 2015년부터 부동산 투자를 해서 번 돈이 이를 넘어섰으니 후회하지는 않습니다.

7년을 기다리는 것이 쉬운 일은 아니었어요. 호황에서 불황으로 다시 호황으로 오는 사이클을 내리 기다린 겁니다. 다시는 하고 싶지 않을 정도로 주식을 안 팔고 버티기가 힘들었습니다.

종종 "삼성전자 주식을 사서 장기투자하면 되는 것 아니냐?"고 물어보시는 분들이 계신데요. 아무리 좋은 주식을 가지고 있어도 주가가 오르지 않는데 안 팔고 들고 있는 것이 얼마나 힘든지 몰라서 하는 말입니다.

3년짜리 적금 해약률이 48%예요. 즉 둘 중 한 명은 3년도 못 버틴다는 말입니다. 더구나 주가는 조금씩 오르면서 우상향하는 것이 아니고 오르고 내리고 하면서 사람들에게 공포를 느끼게 만들다가 어느 날 갑자기 확 올라 버립니다. 공포에 질리게 한 뒤에 주가를 조금만 올리면 다들 얼마 먹지도 못하고 팔아 버립니다.

세력[주가를 인위적으로 올리거나 내리는 등 주가의 움직임을 주도하는 사람들을 칭합니다. 주가를 조작하는 사람들도 여기에 해당됩니다]들이 이것을 노리는 것이죠. 이때 유혹에 넘어가지 않고 주식을 들고 있을 수 있는 절제력이 필요합니다. 주식은 철저하게 심리 게임이에요. 머리로 하는 것이 아닙니다.

현재의 롯데칠성 브랜드입니다.

〈롯데칠성의 브랜드〉

음료 브랜드	주류 브랜드
칠성사이다, 펩시콜라 델몬트, 트로피카나, 립톤 밀키스, 게토레이, 핫식스 2%부족할 때 칸타타, 레쓰비 아이시스, 에비앙	처음처럼, 순하리 청하, 백화수복, 설중매 클라우드, 피츠, 밀러 스카치블루

롯데칠성은 그 이후로도 음료업계 통일을 위해 필요한 기업들을 계속해서 인

수했습니다. 두산주류를 인수해서 '처음처럼'이라는 소주 브랜드를 만들었죠. 맥주의 경우 OB맥주 인수를 시도했으나, 실패했습니다. 그래도 좌절하지 않고 자체 맥주를 만들기 시작합니다. 그래서 나온 제품이 '클라우드'죠. 맛이 좋다고 평이 나 있습니다. 그 후에 라거형 맥주인 '피츠'가 나옵니다.

탄산, 주스, 커피, 스포츠음료, 에너지드링크, 생수, 소주, 맥주, 양주까지 롯데칠성은 마시는 제품을 모두 라인업에 올려놓았습니다. 매출도 탄탄한 브랜드를 보유하고 있죠.

이러한 브랜드들이 있기 때문에 브랜드가 더 공고해지고 나면 가격 경쟁력이 생길 수 있습니다. 그러면 가격 상승을 할 수 있는 힘이 생기고, 물가가 오르는 증가율보다 가격을 좀 더 올리면서 주가를 올릴 수 있습니다.

또한 사업구조가 아주 단순하고 안정적입니다. 호황이 오든 불황이 오든 마시는 제품들의 매출은 크게 변화가 없습니다. 그래서 안정적인 투자가 가능하다는 장점이 있습니다.

다만, 주가가 더 오르기 위해서는 매출 증가가 필요한데 국내에서는 한계가 있어 수출량을 증가시켜야 한다는 과제가 남아 있습니다. 아니면 남아 있는 경쟁자들을 삼켜야 하는데, 독점규제법에 따라 이런 무리수를 쓸 수 없어 어느 정도 시장점유율을 포기하고 내버려 두어야 한다는 단점이 있습니다. 지금으로서는 해외 진출이나 새로운 음료시장 개척이 가장 유력한 방법입니다.

그 후로 롯데칠성의 주가는 더 이상 오르지 않았습니다. 1/10로 액면분할도 해 보며 주가를 올리기 위해 노력했지만 이미 자산의 가치만큼 주가가 한 번 올랐던 탓도 있지만, 예전처럼 매출, 이익성장률을 보여 주지 못한 탓이 가장 컸습니다. 거듭 말씀드리지만 주가는 꿈을 먹고 자랍니다. 성장을 하지 못하는 주식은 매정하게 다시 소외당합니다. 그럼 어떤 주식을 사야 하는지 조금 감이 오시죠?

오로지 자산의 가치만 보고 저평가 주식에 투자한 사람은 벤저민 그레이엄이고, 스승의 투자가 생각만큼 수익을 못 내자 성장하는 기업에 투자해야겠다고 생각한 사람이 제자 워런 버핏입니다.

역사가 버핏의 손을 들어 주었듯이 우리도 굳이 새로운 길을 개척하지 말고, 역사가 증명한 길로 걸어가면 훌륭한 투자자가 될 수 있습니다.

오늘의 투자자는 어제의 성장으로 수익을 내지 않는다.

워런 버핏

02 쓰나미에 웃고 저유가로 망하다

MP3 플레이어가 인기가 있던 시절에 '아이리버'라는 유니콘 기업이 있었습니다. 하지만 스마트폰이 나오고 더 이상 MP3 플레이어가 필요 없게 되자 이 기업은 사람들의 기억에서 사라졌죠.

이렇듯 투자할 때는 기업에 대한 분석을 꼼꼼히 하는 것은 물론 기술 발전이나 외부 상황도 고려해야 합니다. 아무리 기업이 좋은 물건을 만들고 가격 경쟁력이 있다고 해도 세상이 그 제품을 필요로 하지 않으면 그 기업은 쇠락하게 되기 때문입니다.

그럼 이번에는 기업의 운명을 가르기도 하는 외부 상황 등에 대해 어떻게 대처해 가며 투자해야 하는지 한 기업의 사례를 통해 알아보도록 하겠습니다.

♀ OCI의 부상과 쇠락

태양광발전으로 눈을 돌리다

OCI라는 회사의 별명은 '남자의 주식'입니다. 왜 그런 별명이 붙었을까요?

원래 OCI는 화학회사입니다. 이전 회사명이 동양제철화학으로, 카본, 고무약품, 과산화수소 등을 주력으로 판매하는, 사람들의 주목을 크게 받을 만한 회사는 아니었습니다. 그러다 신재생에너지 중 태양광 사업에 들어가는 필수 재료를 만들게 되는데요. 그것이 폴리실리콘입니다.

2000년 후반부터 고유가로 인한 위기가 오자, 당시 세계는 신재생에너지와 원자력발전에 대해 높은 관심을 보였는데요. 신재생에너지 중에서도 지형에 영향이 가장 적은 태양광발전이 각광받게 되면서 OCI가 수면 위로 떠오르기 시작합니다. 2007년 4만 원이던 주가는 2008년 40만 원까지 오르는 기염을 토하죠.

OCI의 주가 추이

하지만 2008년 서브프라임 모기지 사태에서는 아무도 살아남을 수가 없었습니다. OCI의 주가 또한 반토막이 나서 2년간 횡보했습니다.

그러다가 경제가 다시 살아나 원유 수요가 계속 늘어나자 유가가 100달러를 넘깁니다.

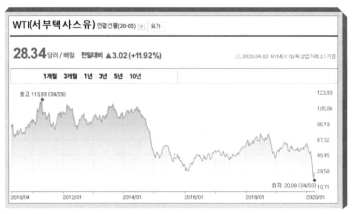

10년간의 유가 추이(2011~2020년)

유가가 100달러를 넘기니 많은 일들이 벌어졌는데요. 콩 등 농산물을 짜서 기름으로 만드는 바이오에탄올이 유행하고, 식량으로 기름을 짜내니 먹을 식량이 부족해지면서 농산물 가격이 급등하게 됩니다.

미국은 마침 셰일가스 채굴 기술이 향상되면서 "그동안은 유가가 낮아서 그냥 수입해서 썼는데 이제 기름을 비싸게 주고 살 바에야 우리 땅에 있는 것을 본격적으로 파내자"라며 셰일가스 개발에 본격적으로 시동을 겁니다.

대한민국은 이 당시 원자력발전이 화력발전보다 원가가 훨씬 절감된다며 세계에 원전 세일즈를 하러 다니고 원전 기술을 수출합니다.

그리고 유럽에서 친환경에너지 붐이 같이 일면서 신재생에너지가 떠오르게 되는데요. 유가가 비싸다 보니 태양광발전도 가격경쟁력이 생겨 버린 것이죠. 그래서 태양광발전 장비 수요가 급증하게 됩니다.

덕분에 태양광발전의 필수재료인 폴리실리콘이 OCI의 주력사업으로 자리 잡아 가게 됩니다. kg당 400달러가 넘던 시절이었어요. 그냥 만들어서 팔면 이익이 나는 시절이니 OCI뿐만 아니라 웅진, 한화 등 대기업들이 여기에 진출합니다. 이때 주식하던 사람들 태양광 공부 꽤 했었어요. 박막형이 좋냐 결정형이 좋냐며 서로 기술발전 연구하고, 미국, 중국, 유럽의 태양광 수요 분석하고 난리였습니다. 지금의 바이오주가 그 바통을 이어 받았죠.

OCI 주가의 급격한 상승

OCI는 그렇게 태양광의 황태자가 되며 엄청난 상승세를 보입니다. 20만 원이었던 주가는 금세 30만 원이 되고 금융위기 전에는 40만 원으로 갑니다. 기업의 주가는 매우 고평가였지만 태양광의 미래에 대해 사람들은 굉장하다고 생각했고, 주가는 그들의 꿈만큼 부풀어 갑니다.

저도 샀냐고요? 생각해 보세요. 왜 이렇게 구체적으로 기억하는지…….

당시에 태양광의 미래를 밝게 보지 않은 사람이 없었습니다. 뉴스들, 세계가 움직이는 동향들이 다 태양광에 포커스가 맞춰져 있었어요. 그래서 저도 샀습니다. 30만 원에 샀어요. 안 그래도 꿈이 가득한 주식에 2011년 대형 사건이 터집니다.

일본에 쓰나미가 덮쳐서 원자력발전소의 방사능이 유출된 사건이죠. 당시에 초대형 사건이었습니다. 제가 그때 당시 서해바다에서 방사능 측정 임무를 수행 중이었어요. 사태가 정말 심각했습니다. 고유가로 인해 주목받던 차세대 발전 2가지 중 하나가 완전히 이미지가 나빠지는 사건이었죠. 당연히 원자력에 대한 불안감이 태양광으로 넘어옵니다. 그리고 OCI의 주가는 두세 달 사이 66만 원을 찍습니다.

안 그래도 거품이 많이 낀 주식이 순식간에 2배가 더 오르니 고민이 좀 되었습니다. 제가 생각한 적정 주가는 5년 후 60만 원 정도였는데 벌써 몇 달 만에 66만 원이 되었으니까요. "태양광이 갈 길은 아직 한참 멀었는데 주가가 단기적으로 너무 많이 오른 것 같다"고 판단한 저는 이 가격에 전량 매도를 하고 다음 기회를 기다리기로 합니다. 지금 생각해 보면 운이 매우 좋았죠.

OCI의 추락

그런데 좋은 것도 문제가 생기죠. 수요가 늘고 있지만 모두가 폴리실리콘 사업으로 뛰어들다 보니 공급이 넘쳐나게 됩니다. 중국도 이 사업에 미래가 있다고 판단하고 국가가 보조금을 주면서 폴리실리콘 업체들을 밀어 주니 가격 싸움이 벌어진 것이죠. 일명 '치킨 게임'이 시작됩니다.

가격 싸움이 벌어지면 누가 더 싸게 만들어 낼 수 있느냐가 관건이 됩니다. kg당 150달러였던 폴리실리콘의 제조원가를 얼마나 낮출 수 있느냐의 싸움으로 바뀌었죠. 먼저 기술이 부족한 웅진부터 나가떨어졌어요. 웅진은 폴리실리콘 사업과 건설업에 진출했다가 이 때문에 그룹이 해체될 뻔한 위기에 빠지죠. 그룹 내 최고 알짜 기업인 웅진코웨이를 이때 잃어버립니다.

결국 전 세계에서 폴리실리콘을 가장 많이 만드는 회사 4곳만 남고, 나머지는 폴리실리콘 사업에서 손을 떼게 됩니다.

생산시설을 더 갖춰서 더 많이 만들면 원가가 하락하게 됩니다. 빵을 10개 만들 때의 단가와 1,000개 만들 때의 단가가 다르죠. 어차피 있는 사람, 시설, 가게를 활용하니까 재료비만 좀 더 추가하면 되기 때문입니다. 그래서 더 많이 만들어서 제조원가를 줄이는 방법을 '규모의 경제'라고 합니다.

1위가 중국의 GCL, 2위가 독일의 바커, 3위가 한국의 OCI, 4위가 미국의 햄록이었는데요.

현재 이 폴리실리콘 거래 가격이 kg당 10달러가 안 되니 얼마나 지독한 가격 싸움이 벌어졌는지 알 수 있죠. 한때 kg당 400달러가 넘었는데 말이죠.

태양광 산업도 고유가 시절에는 인기가 많았었지만, 얼마 가지 못합니다. 미국의 셰일가스가 등장하면서 오랜 기간 저유가를 유지하게 되었거든요. 특히, 세계경제에 전반적으로 침체 기조가 이어지면서 석유가 남아도는 현상이 벌어졌죠. 즉 유가가 비싸야 가격경쟁력이 있는 태양광발전은 점점 힘을 잃어 갔습니다.

이런 국내외 상황 때문에 OCI의 전설의 주가 66만 원은 다시 볼 수 없게 되었고, 주가는 10년 내내 흘러내려 2만 5,000원까지 가라앉습니다. 이때 OCI는 결국 국내 폴리실리콘 생산을 포기한다고 발표하죠. 국내 2위인 한화솔루션도 폴리실리콘 생산을 포기합니다.

주가가 내려가고 있지만 그나마 한줄기 희망인 인천 학익지구 부지를 활용한 아파트 분양이 있습니다. 이 결과에 따라 현금을 확보하고 신사업에 어떻게 진출할지, 제2의 전성기가 다시 올지 알 수 있을 겁니다.

OCI를 통해 배워야 할 점

생각해 보면 OCI는 계속 최선의 선택을 해 왔고, 끝까지 살아남으려고 노력했습니다.

고유가로 인해 좋은 기회를 얻었고, 공격적인 확장으로 빅4 안에 들어가 다른 기업이 무너질 때도 살아남았죠. 하지만 셰일가스로 인한 저유가 상황은 예상하지 못했고, 중국의 보조금 정책으로 인해 가격경쟁력마저 잃어버렸습니다.

즉 더 싸게 만들어서 수익을 남기는 사업은 지속되기 어렵습니다. 한계가 명확하죠. 특히 우리나라의 경우 인건비와 부동산 가격이 저렴하지 않기 때문에 다른 나라보다 치킨 게임에서 유리하지 않습니다. 그래서 독보적인 브랜드와 기술력으로 가격의 한계를 뛰어넘는 기업에 투자해야 합니다.

그리고 주식투자자는 기업 밖에 있는 외부 변수를 잘 확인하고 있어야 합니다. 박막형이냐 결정형이냐의 싸움은 지금 볼 때, 둘 다 의미 없는 싸움이었던 것이죠. 아직 태양광의 미래가 어두운 것은 아닙니다만, 현재의 유가가 100달러를 넘어가지 않는 한 예전처럼 버블이 일어날 정도로 밝아 보이지는 않습니다.

투자자는 모든 정보에 민감해야 합니다. 자신이 한 기업을 집중적으로 분석하다 보면 애정이 생겨 긍정적인 정보만 취득하고 부정적인 내용은 내쳐 버리는 일이 발생합니다. 그러면 이 기업을 보는 눈이 올바르지 않게 되죠. 만약 제가 66만 원 고점에서 지금까지 OCI 주식을 들고 있었다면 96%의 손실을 봤겠죠. 다시 회복하기 힘들 정도의 타격을 받았을 겁니다.

아무리 사랑하는 기업이라도 상황이 안 좋아졌다면 눈물을 머금고 작별을 해야 합니다. CEO는 그러면 안 되겠지만, 주식투자자는 그렇게 해야 합니다.

다른 사람이 욕심을 낼 때 두려워하고,
다른 사람이 겁을 낼 때 욕심을 부려라.

워런 버핏

03 삼성전자는 어떻게 성공했을까

현재 우리나라 최고의 기업은 삼성전자라 할 수 있습니다. 코스피 시가총액의 25% 비중을 차지하고 있을 정도로 우리나라에서 삼성전자의 영향력은 막강합니다. 지금은 반도체, 스마트폰, 디스플레이 등 화려한 라인업을 갖추고 있지만, 예전에는 가전제품을 만들던 회사에 불과했습니다.

그런 삼성전자가 어떻게 한국을 넘어 세계적인 기업이 될 수 있었을까요? 그 비결을 배우고, 제2의 삼성전자를 찾아 투자할 수 있는 눈을 길러 봅시다.

📍 삼성전자와 LG전자의 주가가 달라진 이유

삼성전자와 LG전자는 모두 전자제품을 만드는 회사에서 출발을 했습니다. 그리고 두 회사 다 세계에서 인정받는 최고의 가전제품 회사가 되었죠. 그런데 현재 두 회사의 주가는 다른 모습을 보여 줍니다.

한 회사는 2003년 대비 주가가 2배 오르는 사이, 다른 회사는 주가가 12배나 올랐습니다. IMF 구제금융으로 힘들었던 1998년 8월과 대비하면 100배 가까이 올랐죠.

삼성전자(위)와 LG전자(아래) 주가 추이 비교

둘 다 최고의 전자제품 회사가 되었는데, 왜 주가는 달라진 걸까요?

우리나라 국민 중에 그 답을 모르는 사람은 없을 겁니다. 바로 반도체 때문이죠. 삼성전자와 LG전자의 가장 큰 차이점은 반도체 사업을 하고 있느냐 하지 않느냐입니다.

물론 LG전자도 초기에는 반도체 사업에 뛰어들었습니다. 1989년에 금성일렉

트론(1995년에 LG반도체로 사명 변경)이라는 회사가 있었어요. 하지만 IMF 외환위기 이후 1999년에 빅딜로 넘어갑니다. 지금의 SK하이닉스의 전신인 현대전자에 흡수되죠. 이후 하이닉스가 주인 없는 기업이 되었다가 2012년에 SK그룹에 인수를 당했으니, 솔직히 LG전자가 하이닉스를 인수해 반도체 사업에 뛰어들 수 있는 시간이 12년이나 있었습니다. 기회를 놓친 셈이죠.

그 아쉬움은 뒤로하고 삼성전자가 어떻게 반도체 기술 불모지인 우리나라에서 세계 1위 기업이 되었는지 한번 알아보도록 하죠. 이 이야기에 성공하는 기업의 비결이 있습니다.

삼성전자는 1983년에 세계 세 번째로 64kb D램 개발에 성공합니다. 한국반도체를 인수한 지 10년 만의 일이죠. 그리고 1992년에는 세계 최초로 64mb D램 개발에 성공합니다. 세계 3위에서 1위가 되는 데 딱 9년 걸렸죠. 그리고 2년 뒤인 1994년에 세계 최초로 256mb D램을 개발합니다. 우리나라 쇼트트랙 선수들처럼 다른 나라들과의 격차를 멀찍이 따돌려 놓기 시작합니다.

그러니까 반도체가 미래 산업의 쌀이라고 생각을 했다면 이때 투자해도 늦은 결정은 아니었다는 것이죠. 세계 1위 기술을 가진 업체에 투자하는 것만큼 안정적인 투자는 없으니까요.

📍 '치킨 게임'을 통한 삼성전자의 완벽한 승리

기술을 뛰어넘는 것도 중요하지만 반도체에서 가장 중요한 것은 생산단가입니다. 기술 개발에 들인 돈을 제품 양산을 통해 마구 찍어 내서 팔아야 수익을 내고 다시 이 돈으로 기술을 개발하고 다시 제품을 양산하고……. 이런 반복을 통해서 돈을 버는 것이 반도체 산업이죠. 기술에서 조금만 뒤처지면 경쟁사가 이미 팔아 버려서 먹을 것이 없습니다. 다음 기술 개발할 돈이 없게 되는 것이죠.

삼성전자도 기술 개발에 막대한 돈을 쏟아부으면서 경쟁사들의 기술력을 따라잡기 시작합니다. 그리고 지금의 삼성전자를 있게 한 '치킨 게임'을 통해 완벽한 승자가 됩니다.

치킨 게임이란 서로를 마주 본 상태로 자동차를 달려서 피하는 사람이 지는 게임입니다. 둘 다 호기롭게 피하지 않으면 둘 다 죽지만, 한 명이 피하면 다른 한 명은 이기는 게임이죠. 경쟁기업을 죽이기 위해 이 치킨 게임을 거는 경우가 종종 있는데, 반도체 산업도 치킨 게임의 역사라고 볼 수 있습니다.

우선 2007년에 대만 D램 업체들의 공격이 시작됩니다. 대만 반도체 업체들은 극단적으로 가격을 내리고 생산량을 늘리죠. 여기에 2008년 글로벌 금융위기가 와서 512Mb D램 가격이 6달러에서 0.5달러까지 떨어집니다. 1/12 가격이 되니 살아남을 기업이 없죠. 누군가가 죽어야 끝나는 전쟁이 시작된 겁니다.

2009년 세계 5위 업체인 독일 키몬다의 파산으로 치킨 게임은 잠시 멈춥니다. 공급이 줄어서 가격이 안정화가 되었기 때문이죠. 잠시 전쟁이 멈춘 듯했으나 다시 2011년에 대만과 일본 업체들이 생산량을 늘리며 2차 치킨 게임이 시작됩니다. 하지만 오히려 여기서 나가떨어진 것은 대만과 일본 기업들이었죠. 세계 3위 일본 엘피다가 망해 미국 마이크론에 넘어가면서 이 전쟁은 멈추고 평화가 찾아옵니다. 반도체 업체가 삼성전자, SK하이닉스, 마이크론밖에 남지 않았기 때문이죠. 이때까지가 삼성전자를 저렴하게 살 수 있는 시기였습니다.

격렬한 전투가 끝나고 나면 승자가 모든 것을 가져갑니다. 그 후부터 삼성전자의 주가는 날아가기 시작하는데요. 4년 주기로 오던 반도체 사이클이 사라지고 2017년부터 슈퍼사이클이 왔기 때문이죠.

전쟁이 끝난 2011년에서 2020년까지 주가는 4배가 되었습니다.

하드디스크를 대체하는 SSD, 스마트폰으로 인한 모바일 DRAM, 낸드플래시, 인공지능, 데이터센터 서버 구축, 클라우드 서비스 등 메모리 수요가 폭증한 덕분입니다. D램 가격은 3배로 치솟고 이때를 위해 대규모 생산능력을 갖췄던 삼성전자는 어마어마한 수익을 거두게 됩니다. 2018년에 영업이익 60조를 찍는 기염을 토하죠.

2019년 이후에는 세계경제 위축으로 잠시 몸을 추스르고 있지만, 메모리 반도체는 4차 산업의 기반이 되는 산업의 쌀입니다. 3개의 회사가 독식한 상황에서 메모리 반도체 전망도 밝으니 장기적으로 보면 삼성전자의 미래가 밝다고 볼 수 있죠.

📍 삼성전자를 떠받치는 5가지 산업 부문

여기에 삼성전자를 떠받치는 다양한 산업구조가 있습니다.

삼성전자는 크게 5가지 부문으로 나뉩니다. 가전제품, 스마트폰, 반도체, 디스플레이, 스피커로 나뉘죠.

이 중에서 가장 큰 매출 비중을 차지하는 부문은 반도체가 아니라 42%를 차지하는 스마트폰 사업부입니다. 그다음으로 반도체와 가전제품 파트가 큰 매출 비중을 차지하고 있습니다.

반대로 영업이익 비중이 가장 큰 사업부는 반도체입니다. 매출은 23%지만 영업이익은 50%를 낸다는 것을 알 수 있죠. 그럼 이 뜻을 해석해 보면 삼성전자의 강점과 약점이 나옵니다.

구분	매출 비중(작년 대비)	영업이익 비중(작년 대비)
가전제품	18.8%	9.4%
스마트폰	42.2%	33.4%
반도체	23.3%	50.5%
디스플레이	12.6%	5.7%
스피커	2.2%	1.2%

반도체는 매출이 적어도 이익이 많은 사업입니다. 황금알을 낳는 거위죠. 치열한 경쟁 끝에 얻어 낸 영광입니다. 반대로 가전 및 디스플레이는 매출 대비 영업이익 비중이 낮습니다. 그만큼 경쟁이 치열한 상태라는 것의 반증이죠. 그걸 볼 때 가전과 디스플레이의 미래가 밝아 보이지 않습니다. 중국 기업들의 기술이 많이 발전해서 세계 곳곳에서 이들의 저가 제품과 경쟁을 해야 합니다. 가격을 쉽사리 올릴 수도, 매출이 급성장하기도 어려운 상태라는 것이죠.

그러면 스마트폰과 반도체 두 사업부가 끌어올리는 매출과 이익이 곧 삼성전자의 이익이라는 것을 알 수 있습니다. 이 두 업황의 미래를 알 수 있다면 삼성전자의 실적을 엿볼 수 있고, 실적이 좋아지기 전에 미리 투자해서 수익을 얻을 수도 있습니다.

기업의 실적은 앞서 말한 대로 재무제표, 사업보고서를 통해서 알 수 있습니다. 그렇다고 미래의 이익까지 알 수는 없습니다. 이럴 경우 기업리포트나 업황 리포트를 보면 도움이 됩니다.

삼성선자의 휴대폰 기업리포트

삼성선자의 반도체 기업리포트

　물론 애널리스트들마다 해석이 다르고 자료도 다르기 때문에 1개만 보고 미래를 예측하는 일은 없어야 합니다. 같은 자료를 가지고 이들이 왜 다르게 예측하는지를 고민해 보고 나는 어떻게 예측하고 투자할지를 고민하면서 투자에 대한 눈을 키워 갈 수 있습니다.

　참고로 여기에서 말하는 사라/팔라 의견과 목표가에 대한 의견은 무시하는 것이 좋습니다. 주식시장 이래로 팔라는 의견을 내는 애널리스트가 없었고, 목표가를 주가 아래로 잡은 사람도 없었습니다. 팔라는 의견을 내거나 목표가를 낮게 잡으면 다음에 그 기업 자료를 받거나 방문하기 어렵기 때문입니다. 즉 형식적인 것이라는 의미죠.

　우리는 이 자료에 나온 데이터만 참고하고 스스로 해석하는 것이 좋습니다.

삼성전자는 우리나라 1위 기업입니다. 물론 지금보다 주가가 1/5 수준이었던 2008년에도 우리나라 1위 기업이었습니다. 그때 사람들은 "지금 주가는 미래를 다 반영한 상태"라며 부정적인 관점들이 많았습니다. 그런데 2010년에 스마트폰이 등장하고 반도체 시장을 독점해 가면서 주가는 그들의 의견과는 반대로 5배가 더 올랐습니다.

투자를 할 때는 현재를 보지 마시고, 그 기업의 미래와 업황의 미래를 보세요. 이 것이 삼성전자가 주는 교훈입니다.

위험은 자신이 무엇을 하는지 모르는 데서 온다.

워런 버핏

04 워런 버핏이 제일 좋아할 만한 LG생활건강

워런 버핏은 매출과 이익이 꾸준히 늘고, 독점적인 시장지배력을 가지고 있으며, 안정적인 사업을 하고, 계속 사야 하는 소비재 기업을 추천했습니다. 이걸 볼 때 만약 워런 버핏이 우리나라에서 투자를 한다면 가장 먼저 LG생활건강부터 고려하지 않을까 싶은데요.

이제 LG생활건강의 주가가 절정에 오르게 된 과정을 알아봅시다. 앞으로 어떤 기업에 투자하면 되겠다 하는 영감을 얻을 수 있을 겁니다.

📍 전설 중의 전설 LG생활건강

LG생활건강은 주가가 꾸준히 오른 대표적인 기업입니다. 2003년에 2만 5,000원 하던 주식이 지금은 150만 원까지 올랐으니 주가가 60배나 오른 전설 중의 전설이라고 할 수 있죠. '버핏이 좋아할 만한 요소들을 갖춘 주식은 역시 이렇게 오르는구나'를 알 수 있게 해 줬죠.

LG생활건강의 주가 추이

2008년 서브프라임 모기지 사태 충격에 다른 주식들이 추풍낙엽처럼 하락할 때도 이 기업의 주가는 견고하게 버티는 모습을 보여 줍니다. 그리고 5년간 쉬지 않고 오르다가 2년간 잠시 내리고 다시 3년간 쭉 오르고, 1년 잠시 내리고 다시 3년간 쭉 오르는 모습을 보여 줬죠.

아마 2017년에 80만 원대 구간이 이 주식을 살 수 있는 마지막 기회가 아니었나 싶습니다.

〈LG생활건강의 사업 개요 및 매출 실적〉

1. 사업의 개요

당사의 사업은 Beauty(화장품) 사업, Home & Personal Care(HPC 생활용품) 사업, Refreshment(음료) 사업으로 구성되어 있습니다.

각 사업별 주요 종속회사와 주요제품 및 브랜드는 다음과 같습니다.

사업	주요종속회사	주요제품	주요 브랜드
Beauty (화장품)	㈜LG생활건강, ㈜더페이스샵, LG Household & Health Care TRADING (Shanghai) Co., Ltd, EverlifeCo., Ltd, Ginza Stefany Inc., AvonManufacturing (Guangzhou), Ltd., New Avon Company	기초 및 색조 화장품, 이너뷰티 등	후, 숨, 오휘, 빌리프, CNP, 이자녹스, 더페이스샵 등
HPC (생활용품)	㈜LG생활건강, LG Household & Health Care TRADING (Shanghai) Co., Ltd, 태극제약㈜, New Avon Company	샴푸, 치약, 세제, 주방용품 등	엘라스틴, 온더바디, 페리오, 테크, 자연퐁 등
Refreshment (음료)	코카콜라음료㈜, 해태에이치티비㈜	탄산음료, 비탄산음료, 생수 등	코카콜라, 스프라이트, 환타, 파워에이드, 미닛메이드, 조지아, 평창수, 토레타 등

가. 매출 실적

(단위 : 억 원)

사업	매출유형	품목		제19기	제18기	제17기
Beauty (화장품)	제품상품	기초 및 색조 등	한국	33,204	29,215	28,058
			해외	20,746	14,199	8,517
			내부거래조정 등	(6,491)	(4,360)	(3,464)
			합계	47,458	39,054	33,111
HPC (생활용품)	제품상품	치약, 비누, 샴푸 등	한국	12,153	11,819	14,296
			해외	4,189	4,110	2,874
			내부거래조정 등	(1,461)	(1,317)	(1,366)
			합계	14,882	14,612	15,804
Refreshment (음료)	제품상품	코카콜라, 환타 등	한국	16,384	15,438	15,180
			해외	153	150	63
			내부거래조정 등	(2,022)	(1,779)	(1,454)
			합계	14,514	13,809	13,789
합계			한국	61,741	56,472	57,534
			해외	25,088	18,459	11,454
			내부거래조정 등	(9,974)	(7,456)	(6,284)
			합계	76,854	67,475	62,705

📍 LG생활건강의 3가지 축

이 회사는 크게 3가지 축으로 이뤄져 있습니다.

현재 가장 잘나가는 부문은 화장품입니다. 다들 한 번쯤 들어 봤을 만한 후, 숨, 오휘, 이자녹스, 더페이스샵 등을 가지고 있는데 화장품 관련 1위 기업인 아모레퍼시픽을 턱밑까지 추격했습니다. 실질적으로 화장품 시장을 둘이서 양분했다고 보시면 됩니다.

그리고 생활용품에서도 오랜 전통과 강력한 브랜드를 보유하고 있습니다. 엘라스틴, 페리오, 테크, 자연퐁 등 외에도 생필품 전 분야에 있어서 다양한 제품들을 판매하고 있습니다. 전통적인 생활용품 판매회사 1위의 위엄이죠. 2위와의 격차가 상당히 벌어져 있는 상태입니다.

세 번째 축은 음료업인데요. 롯데칠성이 음료를 통일했다고 생각하지만 롯데칠성이 마음껏 가격을 올리지 못하는 이유가 코카콜라를 기반으로 음료수 라인을 보유한 LG생활건강 때문입니다. 코카콜라, 스프라이트, 환타, 토레타, 조지아, 평창수, 파워에이드 등 쟁쟁한 음료, 생수, 커피 라인을 보유하고 있죠. 시장을 거의 양분했다고 보면 됩니다.

이처럼 3개의 분야에서 1위 업체들과 시장을 양분한 LG생활건강은 안정적인 매출과 이익 상승을 보여 주고 있습니다. 무리하게 경쟁하지 않으면서 실속을 챙기고 있는 기업이죠.

매출 실적을 보면 생활용품에서는 성장이 주춤하고 있지만 화장품에서 압도적인 매출 성장을 보여 주고 있고, 음료에서도 성장을 보이고 있습니다. 가장 마진이 좋은 화장품에서의 매출 증가는 이익 증가로 이어집니다.

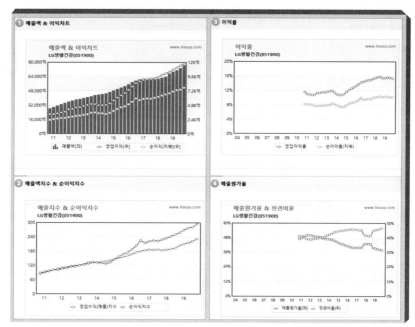

LG생활건강의 매출액 및 매출 지수, 이익률, 매출 증가율 추이

매출과 이익 차트와 지수를 보면 매출과 이익이 꾸준히 올라가는 모습을 보여 줍니다. 이렇게 꾸준히 올라가면 투자자는 미래의 매출과 이익을 예상하기가 쉬워지죠. 투자에 리스크가 사라지니까 신뢰를 하게 되고, 안전한 주식으로 평가받으며 프리미엄이 붙는 겁니다.

이익률도 보면 영업이익률과 순이익률이 떨어지지 않고 완만하게 증가하는 모습을 보여 줍니다. 기업은 매출이 늘어날수록 영업이익률과 순이익률이 떨어지기 마련인데 계속 성장하는 모습에 놀라게 되고, 성장성이 있다는 믿음을 갖게 됩니다.

매출원가율은 아래로 떨어지지만 판관비율은 올라가면서 결국은 비슷한 모습을 보여 줍니다. 판관비가 어느 정도 내려가고 자리를 잡게 되면 마진은 더 올라갈 수 있겠죠.

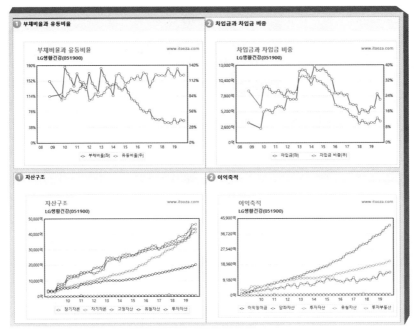

LG생활건강의 부채비율 및 차입금, 자산구조, 이익 축적 추이

그리고 부채비율을 보면 점점 내려가고 있는 모습입니다. 현금은 넘치는데 마땅히 할 것도 없으니 빚이나 갚자 해서 부채를 줄여 나가고 있는 것이죠. 차입금과 차입금 비중도 급격히 감소하고 있습니다. 부채가 없는데 기업이 망할 수가 없죠. 쌓여 가는 현금 덕에 유동비율은 완만히 상승 중입니다.

자산구조를 보면 다양한 자산과 자본이 모두 우상향하는 모습을 볼 수 있습니다. 자산 배분이 고르게 되어 있고 안정적인 상태라는 것을 알 수 있죠.

이익잉여금도 급증하고 있는 모습입니다. 투자보다는 유형자산과 당좌자산으로 보유하고 있는 걸 보니 돈을 허튼 곳에 쓰지 않는 모양새고요. 이렇게 이익이 축적되면 위기가 왔을 때 경쟁사를 흡수하거나 글로벌 업체를 인수해서 해외로 사세를 확장해 나갈 수도 있습니다.

LG생활건강이 P&G를 인수한다는 뉴스가 나오면 주가는 난리가 나겠죠?

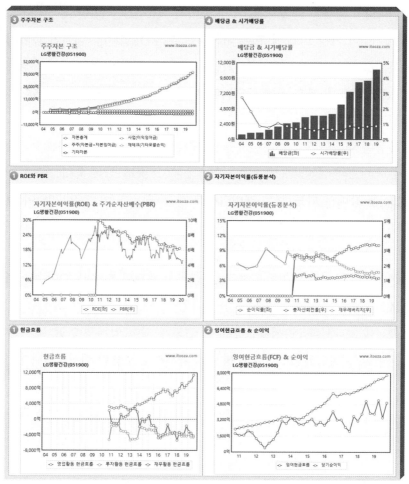

LG생활건강의 자산구조 및 이익잉여금 추이

　자본구조를 보면 자본총계와 이익잉여금이 급증하는 모양세입니다. 현금이 넘치면 무언가를 하게 됩니다. 그 돈을 어디에 쓰느냐가 이 기업의 미래를 결정하게 될 겁니다.

　배당금도 보면 10년 만에 5배가 늘었습니다. 물론 주가가 많이 올라서 시가배당률은 그다지 높게 나오지 않지만, 일찍이 이 주식을 산 사람은 배당금이 계속 늘어나니까 횡재를 한 셈이죠. 우리는 이 주식을 20만 원 할 때 샀어야 합니다.

이 기업이 가장 마음에 드는 이유는 높은 ROE입니다. 대기업 중에서 이렇게 높은 ROE를 꾸준히 기록하는 기업이 없어요. 몸집이 엄청 커졌음에도 불구하고 ROE 20%를 계속 방어 중입니다. 다만, 주가가 치솟다 보니 PBR은 많이 상승한 상태입니다.

듀퐁분석[듀퐁의 도날슨 브라운이 고안한 재무 분석 기법으로, 자기자본이익률(ROE)을 구성요소별로 나누어 분석하는 방법입니다. 듀퐁분석을 통해 기업 경영진들의 경영 활동과 성과를 분석할 수 있습니다]을 통해서 봐도 재무 레버리지가 계속 줄어서 안정적인 기업이 더 안정적으로 가고 있고, 순이익률은 상승 중이고, 총자산회전율은 계속해서 꾸준하게 안정적인 상태를 유지하고 있습니다.

현금흐름을 보면 영업활동현금흐름이 (+), 재무와 투자가 (-)인 기업이 좋다고 했죠?

그런데 보다시피 LG생활건강은 딱 그렇게 되어 있는 기업입니다. 특히, 영업활동현금흐름이 그래프를 뚫고 밖으로 나가려는 모습이 인상적입니다.

잉여현금흐름과 순이익을 비교한 것을 봐도 이 기업이 얼마나 현금을 잘 벌어오는지를 알 수 있습니다. 현금흐름 기법을 적용해도 높은 주가를 적용할 수밖에 없죠.

이렇게 완벽한 기업의 주식을 저는 가지고 있느냐?

저는 가지지 못했습니다. 80만 원 미만으로 왔던 2017년이 유일한 기회였다고 말한 이유가 그런 이유죠.

그럼 앞으로도 좋아지는데 왜 안 사느냐는 질문에는 워런 버핏식 적정주가로 설명드리겠습니다.

제가 산출한 LG생활건강의 적정 주가는 잘 해 줘도 60만 원입니다. 그런데 현 주가는 150만 원이에요. 적정 가치 대비 90만 원의 프리미엄이 붙어 있는 주식입니다.

아무리 좋은 주식도 싸야지만 살 수 있는 법입니다. 그래서 저는 지금 LG생활건강을 살 수가 없습니다. 하지만 잊지 않고 기다리다 보면 이렇게 훌륭한 기업을 살 수 있는 날이 오겠죠. 그래서 잊지 않고 꾸준히 체크 중입니다.

여러분들도 좋은 기업을 분석하고 기다리다 보면 싸게 살 수 있는 날이 올 겁니다. 그래서 같이 공부하고 있잖아요. 파이팅!

05 전쟁 위기 또는 평화가 찾아오면 어떤 주식이 오르나

세상에는 상황의 변동으로 주가가 크게 뒤바뀌는 경우가 많습니다. 어이없는 주식들이 크게 오르는 것을 종종 목격하는데요. 종종이 아니네요. 거의 매년 두 번 정도는 보는 것 같아요. 이번 코로나 사태도 보면 마스크나 손 세정제 관련주들의 주가가 엄청 올랐죠.

솔직히 말하면 저는 그런 걸 추천하지 않아요. 이건 테마주거든요. 실적이 오르는 것에 비해 사람들의 관심이 지나치게 많아 주가가 오르는 거니까 굉장히 위험한 주식이이에요. 이것들이 얼마나 위험한지 대놓고 이야기하는 사람이 없어서 제가 한번 이야기를 해 보려고 합니다.

테마주라고 해도 그들의 주장대로 싸게 사서 비싸게 팔면 되는 것 아니냐는 말에는 할 말이 없어요. 맞긴 맞는 말이니까요.

투자의 개념에서 보면 쌀 때 사서 비쌀 때 파는 것이 보편적인 원리예요. 아무튼 싸게만 살 수 있다면 그리고 언젠가 크게 오를 수만 있다면 사서 기다려 보는 것도 잃지 않는 투자가 될 수 있죠. 그럼 전쟁 위기가 올 때와 평화가 올 때 어떤 주식들이 오르고 내리는지를 알아봅시다.

📍 전쟁 위기 시

전쟁 위기가 온다면 기업들이 멀쩡하지 않을 확률이 높아요. 공장이 파괴되고 직원들이 사라지는 전쟁 통에서 기업의 주가가 온전하지 않을 것이라는 것은 누구나 예상하잖아요.

전쟁 위기의 정도에 따라서 다르겠는데 심각한 상황이라면 달러 투자나 달러 ETF를 하는 것이 더 안전하겠죠. 금은 국내 전쟁이냐 해외 전쟁이냐에 따라서 다른데, 국내 전쟁만으로 금을 투자하기는 좀 그렇죠. 반대로 해외, 특히 미국과 관련된 전쟁이라면 금값이 치솟을 겁니다.

국내 전쟁의 경우

그럼 국내 산업이 파괴되지 않을 것이라는 선에서 보면 어떤 업종이 가장 좋을까요?

네, 방위산업 주식들이 좋겠죠. 줄여서 방산주라고 부르는데요. 무기 관련, 전쟁 물자를 만드는 회사들이 바쁘게 돌아갈 겁니다. 미국이 부자 나라가 된 것도 유럽이 1차, 2차 세계대전을 하는 동안 미국은 물자만 만들어 팔았기 때문이거든요. 그 과정에서 유럽의 금이 미국으로 이동한 거예요. 즉 전쟁이 나면 전쟁 물자를 만드는 기업은 매출이 폭발합니다. 해당 국가보다는 인근 국가에서 전쟁 관련 물자를 만드는 기업이 더 유리하죠. 시설은 파괴되지 않으면서 주문이 폭주하니까요.

그럼 군사 장비를 만드는 국내 회사들을 알아볼까요?

빅텍이라는 회사가 있어요. 전자전 시스템 반향탐지 장치를 비롯해서 피아식별기를 만드는 회사입니다.

한화에어로스페이스라는 회사도 있는데요. 우주 관련 회사는 아니고 정밀기계 핵심기술을 가진 회사입니다. 이 회사는 항공기, 가스터빈, 자주포, 장갑차를 만듭니다.

　스페코라는 회사는 방산과 풍력 부문의 회사인데요. 고정식 아스팔트 분야 1위 기업입니다.

　그 외에도 방산주라고 불리는 기업은 정말 많아요. 주가를 한번 볼까요?

빅텍(위), 한화에어로스페이스(아래) 주가 추이

스페코 주가 추이

우선 지금의 차트는 북한 김정은 국무위원장의 사망설만으로 주가가 오른 모습을 보여 줍니다. 신기한 점 하나 발견 못했나요? 잘 보세요.

세 회사의 차트가 모두 한 회사의 차트인 것처럼 똑같이 움직인다는 것이죠.

즉 실적으로 움직이지 않고 전쟁 위기가 있느냐 없느냐에 의해 주가가 연동되는 기업들이라는 것입니다. 이것이 그 유명한 테마주죠.

동시에 오르고 동시에 내려요. 물론 누가 더 오르고 덜 오르고 하는 일이 있지만, 혼자 안 오르거나 혼자 안 떨어지는 일은 없다는 것이죠.

이 테마주에서 벗어나려면 압도적인 실적으로 이런 전쟁 위기의 영향을 안 받아야 하는데, 그 전까지는 영향을 받을 수밖에 없습니다.

"그럼 무기회사만 오르나요?"라고 물어보시면 대답은 "아니오"입니다.

전쟁 후에는 기간시설이 파괴되었기에 복구 작업에 들어가야 합니다. 그리고 통일이 된다면 도로, 항만, 철도 등의 인프라 산업이 필요하겠죠. 그래서 시멘트, 건설, 철강, 전선 업종들이 수혜를 받게 됩니다. 하지만 이는 2차 수혜라서 아까의 수혜주들만큼 많이 오르지는 않습니다.

국제 전쟁의 경우

만약 우리나라가 아닌 국제 전쟁의 위기가 온다 하면 먼저 유가에 투자해야죠. 확실하게 오르는 것은 유가예요. 전쟁이 나면 기름 소비도 어마어마해지고, 모든 국가가 혹시나 하는 마음에 석유를 비축해 두려고 합니다. 순식간에 수요가 늘어나죠. 게다가 전쟁의 영향권에 중동이 들어가면 유전이 파괴될 수도 있다는 불안감에 유가가 치솟게 되죠.

그다음으로는 미국의 무기회사들이 있어요. 세계 1위 방산업체인 록히드마틴(LMT)이 제일 좋죠. 세계 2위 업체는 의외인데 보잉(BA)입니다. 우리는 여객기 만드는 회사로 알고 있지만 전투기, 함선도 만듭니다. 세계 3위는 페트리어트 미사일을 만드는 회사로 유명한 레이티언 테크놀로지스 코퍼레이션(RTC)입니다. 이들 기업들은 세계적인 무기회사들이다 보니 세계 곳곳에 긴장이 조성될 때마다 수혜를 확실하게 받을 수가 있죠.

록히드마틴이나 보잉의 20년 주가 그래프를 보면 장기적으로 상승했다는 것을 알 수 있습니다. 꾸준히 상승하는 모습으로 볼 때 록히드마틴이 보잉보다 좀 더 낫다는 것을 알 수 있죠. 반대로 주가가 급락해서 저렴하게 살 수 있는 주식은 록히드마틴보다는 보잉입니다.

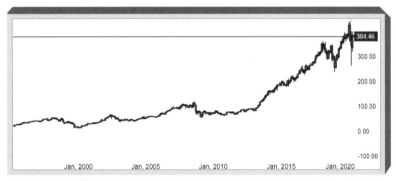

록히드마틴 주가 추이

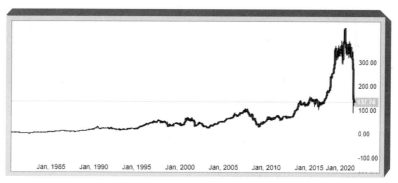

보잉 주가 추이

📍 평화가 오면 어떤 주식이 오르나

한반도에는 항상 전쟁 위기만 있는 것이 아닙니다. 위기가 지나가면 평화가 오죠. 그러면 우리는 평화가 왔다고 마음을 놓을 것이 아니라 촉을 유지한 상태로 평화와 관련된 수혜주가 없나 찾아봐야 합니다.

잘 생각해 보세요. 남북 평화가 올 때 어떤 이슈가 항상 같이 왔었는지 기억나실 겁니다. 맞아요. 개성공단과 금강산, 이 두 개와 관련된 기업들이 가장 큰 수혜주입니다.

하지만 여태껏 역사를 보면 말만 수혜였지 실제로 이어지지는 않았어요. 그러니까 이번에는 다를 거야 하면서 투자하는 일이 없기를 바랍니다.

그래도 알아 두는 것은 나쁘지 않으니까 알아보죠.

① 개성공단 수혜주

먼저 개성공단 수혜주는 개성공단에 입주한 기업들입니다. 이 중에서 상장기업들이 대표적인 수혜주들이죠.

이건 차트는 안 보여 드릴 거예요. 보면 사고 싶어지잖아요. 기업들 수도 적지 않습니다.

- 제이에스티나 로만손 개성 협동화 공장 법인 100% 출자
- 좋은사람들 패션내의 제조 판매업체
- 신원 여성의류, 남성의류
- 남광토건 개성공단 내 건축공사
- 양지사 개성공단 내 토지이용권 보유
- 재영솔루텍, 인디에프, 인지컨트롤스, 자화전자 등

② 금강산 관련주

남북 평화가 오면 다시 금강산 관광이 재개될 수 있다는 희망이 생기면서 금강산 관련주가 오르게 됩니다. 어떤 기업들이 있는지 알아보죠.

먼저 아난티예요. 금강산 관광지구에 리조트를 보유한 회사입니다.

2018년 북한에 투자하라는 짐 로저스가 사외이사로 선임되면서 남북경협주 대표종목을 현대상선으로부터 이어받았습니다.

현대상선은 금강산 개발을 주도하던 회사였는데 지금은 없어졌습니다. 실적이 나빠져서 그랬는데, 아난티도 점점 실적이 나빠지고 있습니다.

현대엘리베이터는 남북사업을 담당하는 현대아산의 지분 70%를 보유한 최대주주입니다. 현대상선이 무너지고 난 뒤 새로운 현대그룹의 지주회사로 등장했죠.

두 기업의 모습을 보면 알겠지만 2018년에 금강산 관광 재개 소문이 돌 때 둘다 주가가 폭등했습니다. 본업이 튼튼한 현대엘리베이터에 비해 본업이 부실한 아난티는 금강산 재개의 영향을 더 많이 받는 모습이죠.

아난티(위), 현대엘리베이터(아래) 주가 추이

　테마주라는 게 누가 대장주인가가 굉장히 중요해요. 대장주는 다른 테마주보다 훨씬 더 많이 오릅니다. 짐 로저스가 여기에 불을 지핀 케이스죠.

　그 외에 금강산 관련주로 롯데관광개발, 국순당, 현대그린푸드, 일신석재, 한창(북한 크루즈 관광) 등의 기업이 있습니다.

앞서 소개한 기업들의 차트를 보면 공통점이 있습니다. 순간적으로 오르고 이후 바로 폭락한다는 겁니다. 어떤 종목이 언제 얼마나 오를 건지는 개미투자자들은 알수 없어요. 탑승했다가 폭락 날짜에 걸리면 망하는 겁니다.

굉장히 위험한 주식이죠. 이런 종목들은 세력들이 있는 곳이에요.

그들이 원하는 날짜에 원하는 만큼 주가를 올린 후 개미들이 꼬이면 물량을 던지고 사라집니다. 그러니까 뉴스에 혹하거나 소문에 혹해서 이런 주식을 사지 않았으면 합니다.

이 내용을 소개하지 않으면 여러분들이 혹할까 봐 고민 끝에 예방 차원에서 소개한 것이니 제 의도를 꼭 알아주시기 바랍니다. 카지노의 구조를 알아야 카지노에 들어가지 않듯이 말이죠.

> 주식은 로또가 아니다. 주식 뒤에는 기업이 있다.
>
> 피터 린치

06 전염병이 돌면 어떤 주식이 오르나

균과 바이러스는 인간에게 정말 많은 영향을 주었습니다.

흑사병, 스페인감기, 사스, 신종플루, 메르스, 코로나까지 인류의 역사와 경제에 많은 영향을 미쳤죠. 유럽 인구의 1/3이 사망한 흑사병이 번지고 난 후에 봉건사회가 붕괴되면서 산업혁명이 발달했고, 남미대륙을 식민지화하던 시절에는 유럽인들의 균과 바이러스가 원주민들을 학살했습니다. 그리고 현재도 매년 새로운 병들이 유행을 하고 있습니다.

동물 전염병이든 인간 전염병이든 항상 보건과 관련된 이슈를 가져오는데요. 이와 관련된 주식들을 알아보도록 하겠습니다.

📍 인간 전염병 관련주

사스, 신종플루, 메르스, 코로나 등을 겪을 때마다 주가는 하락했습니다. 하지만 그런 와중에도 전염병과 관련된 수혜주들은 주가가 급등했죠.

전염병이 없는 평화로운 시기에 실적이 괜찮은 기업의 주가가 저렴한 상태로 방치되어 있다면 한 번쯤 주식을 사 두고 기다려 볼 만합니다. 일종의 보험이죠.

주로 단골로 등장하는 주식들 중 몇 가지만 말씀드려 볼게요.

① 마스크와 손 세정제

'사람 관련 호흡기 질병이 왔다' 하면 마스크와 손 세정제 업체의 주가가 제일 먼저 올라요. 마스크 회사로는 웰크론과 오공, 케이엠이 대표적이고, 손 세정제 기업들 중에는 파루가 대표적인 주식이고, 케이엠제약, 한국알콜 등이 있습니다.

케이엠 주가 추이

② 백신

이와 동시에 백신 관련 주식들이 오르게 되어 있습니다. 녹십자, 진원생명과학 등 백신업체들이 오릅니다.

진원생명과학은 의류용 심지와 바이오의약품 개발을 하는 회사입니다. 신약도 하고, 유전자치료제도 연구하고, 메르스 백신 임상도 진행하는 등 걸릴 것이 많죠.

그런데 백신 관련 회사들이 너무 많고, 세력들이 어떤 기업을 올릴 건지는 그들 마음이라 이건 예측이 어렵습니다. 그냥 안 사는 것이 좋아요.

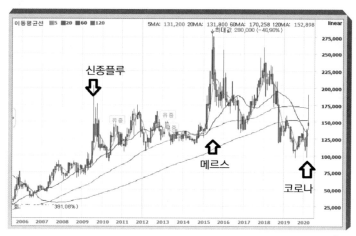

녹십자 주가 추이

③ 진단키트

전염병 초기가 지나고 나면 사람들의 관심이 진단키트로 가게 됩니다.

랩지노믹스(휴대형 진단시스템 개발), 수젠텍(폐렴 진단키트), 서린바이오, 바이오니아(바이러스 질병 진단기기) 등의 회사가 있습니다.

그런데 여기서 발견해야 하는 점.

관련 기업이 너무 많다는 것입니다. 단골로 반응하는 주식 몇몇을 제외하고는 기대보다 별로 안 오를 수도 있다는 것이죠. '나는 많이 오를 줄 알고 쌀 때 사서 한참을 기다렸는데 막상 수익률이 별로일 수 있다'는 겁니다.

수많은 기업들 중에서 누가 대장주다 하면 우르르 몰려들어 투자하기 때문에 안 오르는 주식들은 안 올라서 울상이고, 오른 주식들은 오른 만큼 폭락도 크게 하니까 울상이 되는 것이죠.

누군가에게 권유하지는 않지만 저는 결심한 게 있는데요. 최소한 도의적으로 사람이 죽어 가는 전염병 상황에서 '전염병 테마주에 돈을 걸어 나 혼자 돈 벌었다고 좋아하는 일이 없도록 하자'는 결심입니다. 왠지 남의 목숨으로 돈을 버는 모습이 그리 기쁘지 않잖아요. 그래서 코로나 직전에 어떤 주식이 오를 걸 이미 알고 있었지만 사지 않았습니다. 그때 해 볼까 마음먹었던 돈으로 방호복이랑 마스크를 사서 기부했어요. '견물생심'이라고 그 기업들은 보면 욕심이 나요. 그래서 나름대로 컨트롤 중입니다.

그리고 더 큰 문제는 이 주식들의 실적과 주가의 관련성이 낮다는 겁니다. 이슈가 되면 매출이 엄청날 것 같지만 그 기간이 짧아서 그렇게 많은 매출을 기록하지도 못합니다. 그런데 주가는 몇 배가 올라 있죠. 그럼 이슈가 끝나고 나면? 주가가 떨어질 일만 남은 거죠.

한창 오르다가 눈치게임 후에 폭락으로 이어지는 주식은 정상적인 투자가 아닙니다. 여기에 맛 들리면 정상적인 주식 못합니다. 테마주의 끝은 패가망신입니다. 카지노에 가지 않는 것 자체가 도박 예방의 최선이듯이 테마주에 접근하지 않는 것 자체가 최고의 투자입니다.

📍 동물 전염병 관련 수혜주

동물 전염병 관련 수혜주 이야기를 들으면 발상의 아이디어를 얻는 계기가 될 겁니다. '인간이 여기까지 상상해 볼 수 있구나'라는 걸 느끼게 됩니다. 정말 대단해요.

콜레라, 메르스, 돼지열병, 조류독감 등 동물 전염병은 인간 전염병보다 발생 빈도도 높고 피해도 큽니다. 보통 닭, 돼지, 소를 좁은 곳에 몰아넣고 기르기 때문에 전염병에 매우 취약하죠. 집단 폐사가 빠르게 번지기 때문에 살처분으로 막는다 해도 퍼지는 속도가 상당합니다.

① 동물 백신

제일바이오는 동물 의약품 전문회사입니다. 닭, 돼지, 소의 기능성 사료첨가제와 치료용 주사제, 질병진단키트, 백신 등을 생산하고 있습니다. 동물 관련 전염병이 발생하면 이 주식이 가만히 있을 리가 없죠.

이글벳, 대성미생물, 대한뉴팜, 중앙백신도 동물백신 회사로 동물들에게 무슨 일이 생길 때마다 오르는 단골 종목들입니다.

제일바이오(위), 중앙백신(아래) 주가 추이

② 사료주

보통 동물 관련 전염병이 생기면 우리는 동물 백신 관련주가 오르는 것은 어쩌면 당연하다고 생각합니다. 이 상황에서 안 오르는 것이 더 이상한 거겠죠. 그런데 말입니다. 사료주가 오르는 것은 좀 이상하지 않나요?

상식적으로 동물들이 죽어서 개체 수가 감소하면 팔 수 있는 사료의 양도 줄어들고 매출도 줄면서 이익 또한 줄어들 텐데 왜 사료주가 오르는 걸까요?

저도 처음에는 이해가 안 됐죠. 어떤 투자자는 저한테 이러더라고요.

"테마주는 머리로 하는 게 아니야. 이해가 다 되고 나면 늦어. 그냥 가는 거야."

그러니까 본인도 이유를 모르면서 이게 좋다더라 하면 우르르 따라가서 사는 겁니다.

보통 돼지나 닭 같은 경우에는 음식물 쓰레기를 재활용해서 먹이는데요. 전염병이 돌 때는 이것이 금지가 됩니다. 그래서 어쩔 수 없이 농장주들이 사료를 먹여야 하니까 사료의 가격이 오른다고 합니다. 반사이익이죠.

소를 키워 본 경험이 있기에 사룟값이 정말 비싸다는 걸 압니다. 그래서 풀을 최대한 많이 먹이고, 옥수수를 주기도 합니다. 사룟값을 줄이기 위한 눈물겨운 투쟁이죠. 사룟값이 늘 때마다 목축업자들의 손해가 늘어나는 구조이기 때문입니다.

대표적인 사료주로는 우성사료, 한일사료가 있습니다.

③ 돈육주, 육계주

인간의 상상은 사료주를 넘어갑니다.

예를 들어 '아프리카돼지열병이 돈다' 그러면 돼지고기 가격이 상승합니다. 집단 폐사, 살처분 등으로 공급이 줄어들기 때문이죠. 물론 꺼리는 사람들 때문에 수요도 줄지만 공급이 더 줄어서 가격이 급등하게 되고, 이를 판매하는 돈육 관련 업체들은 수혜를 보는 것이죠.

반사이익도 있습니다. 우스갯소리로 사람에게는 '고기 총량제'라는 것이 있어요. 돼지고기를 줄이면 소고기나 닭고기를 먹어야 합니다. 닭고기를 못 먹으면 돼지고기를 먹어야 하고요. 대체재라고 하는데 돼지에게 문제가 생기면 닭고기 업체는 반사이익 덕에 주가가 오르고, 닭에 문제가 생기면 돈육업체 주가가 오릅니다.

④ 수산주

그래요, 거기까지는 상상했죠. 그런데 닭, 돼지, 소 중에 어느 것이든 문제가 생기면 반사이익을 보는 것이 물고기입니다. 어류는 전염병이 없죠. 그래서 가축 전염병이 돌면 수산주 주가가 오르게 됩니다.

앞서 말한 '고기 총량제' 때문이에요. 인간은 본능적으로 단백질을 원합니다. 그래서 가축을 못 먹으면 차라리 깔끔한 물고기로 수요가 몰리는 겁니다. 참치를 만드는 회사나 수산가공 회사들, 원양어업 회사들의 주가가 오르게 되는 것이죠. 참고로 매출의 상승 정도와는 상관없이 관심의 정도로 주가가 바뀝니다.

투자 꿀팁을 드립니다

다른 테마주와 달리 전염병은 매우 잦은 빈도로 우리에게 영향을 끼칩니다. 최소 1년에 한두 번씩은 이런 이슈가 발생하죠. 만약에 실적이 튼튼한 기업이라면 저렴할 때 사 두는 것도 괜찮은 선택입니다. 실적이 좋아져서 주가가 오르든 이슈로 주가가 오르든 오를 수 있는 확률이 높아지니까요.

하지만 오로지 이런 이슈를 통해서 한몫을 챙겨 보려는 투자는 하지 마시기 바랍니다.

앞서 말한 대로 종류가 너무 많고, 대장주가 누가 될지 알 수 없으며, 상승 후에는 곧바로 폭락이 오기 때문에 투자자들이 돈을 벌기는커녕 많은 돈을 잃고 나갈 수가 있습니다.

조금 느리더라고 확실히 버는 투자, 그리고 안정적으로 꾸준히 올라서 평생 마음 놓고 할 수 있는 투자를 하는 것이 수익률도 높고, 정신 건강에도 좋습니다.

좋은 비즈니스맨은 좋은 투자자가 될 수 있다.

워런 버핏

07 환율에 따라 죽는 업종 VS 사는 업종

우리는 여행갈 때나 환율에 신경을 쓰지만, 기업은 환율에 따라서 흑자가 날 수도 적자가 될 수도 있습니다. 그래서 국가는 환율을 자기 나라에 유리하게 조작하려고 하고, 다른 나라들은 상대 나라가 환율 조작을 하는지 감시하고 견제를 하죠. 환율 조작을 심하게 하는 나라는 경제적 왕따를 시키기도 합니다. 왜 국가들과 기업들은 환율에 민감한지 알아보고, 우리는 환율에 따라 어디에 투자해야 하는지 알아보도록 합시다.

📍 환율이란

환율이란 국가 간의 화폐 교환 비율입니다. 예를 들어서 미국의 1달러는 우리나라 돈 1,200원과 교환이 됩니다. 하지만 이것은 지금 현재의 비율일 뿐 언제 얼마나 바뀔지 모르는 불안한 비율입니다.

미국이 달러를 마구 찍어 내서 달러의 가치가 떨어진다면 우리나라 화폐는 그대로인데 미국 달러 가치가 하락했으니 환율은 1달러에 1,000원으로 하락하게 됩니다.

반대로 경제위기가 와서 달러가 귀해졌다면 우리나라 화폐는 그대로인데 미국 달러 가치가 올라갔으니 환율은 1달러에 1,500원으로 상승하게 됩니다. 즉 우리나라의 상황이 바뀌거나 미국의 상황이 바뀌면 환율은 바로 움직입니다.

그래서 환율 변동이 있다면 우리나라에 무슨 일이 있었는지, 아니면 미국이나 세계경제에 무슨 일이 있었는지 확인해 봐야 합니다.

환율이 오르면

환율이 오르면 어떤 일이 벌어질까요?

예를 들어 1달러 1,200원에서 환율이 급상승해 1,500원으로 올랐다고 해봅시다. 그럼 자동차를 해외로 수출하는 회사는 더 많은 수익을 내게 됩니다.

달러를 환전해서 국내로 가져오면 예전에는 1대당 1,200만 원을 벌었지만 지금은 1대당 1,500만 원을 버는 것이죠. 자동차가 바뀐 것도 아니고, 판매 가격이 바뀐 것도 아닌데 환율만으로 300만 원을 더 벌게 된 겁니다. 그런데 한 달에 파는 차량 대수가 10만 대라면 매달 3,000억의 보너스 흑자가 생깁니다.

실제로 현대자동차 주가가 2008년 11월 3만 5,000원에서 고환율 정책과 도요타 리콜 사태가 겹치면서 급상승하게 됩니다. 2012년 5월 1일에는 주가가 27만 원을 넘겼으니 8배에 가까운 상승이 급격히 일어난 거죠.

그 외에도 외국에서 달러로 돈을 버는 기업, 수출 비중이 높은 기업들이 환율이 오르면 다 수혜를 봅니다. 해외 건설이 많은 건설업종, 외국 선사의 배를 주문받아 파는 조선업종, 주로 해외로 수출하는 가전, 반도체, 스마트폰, 화학 업종 등이 고환율 수혜주입니다.

그러고 보니 우리나라 주력산업들은 다 환율이 올라야 수혜를 받는 업종들이네요.

이번에는 기업이 아닌 시장 전체를 봅시다.

환율이 1달러당 1,200원에서 1,500원으로 오르면 국내 주식에 투자한 외국인투자자들은 주가가 그대로여도 손해를 봅니다. 1,200원이 1달러였는데 이제는 1,500원이 되어야 1달러가 되니 25%의 평가손실이 난 셈이죠.

그래서 환율이 오르기 시작하면 주식을 팔아 해외로 달러를 가져 나가려고 합니다. 그래서 환율을 올리면 외국인투자자가 빠져나가고, 외국인투자자가 빠져나가면 달러가 부족해져서 다시 환율이 오릅니다.

환율이 내리면

그럼 환율이 내리면 어떤 일이 벌어질까요?

환율이 내렸다고 가정해 봅시다. 1달러 1,200원에서 1달러 1,000원이 되었습니다. 그러면 여러분이 해외여행을 가기 좋아집니다. 120만 원 들 여행 경비가 100만 원만 드니 20만 원이 절약되니까요. 그리고 환율이 내리면 외국 물가가 저렴하게 느껴져요. 그래서 가격 부담 없이 더 사게 됩니다.

이제 이 이야기를 기업으로 바꿔 봅시다.

수출을 하는 기업은 환율이 내리니 이익이 확 줄어들겠죠? 죽을 맛입니다. 그럼 반대편 어딘가는 웃는 기업이 있겠죠? 있습니다.

수입을 하는 기업이에요.

밀가루를 수입하는 기업이 있다고 칩시다. 환율이 1,200원에서 1,000원이 되었으니 거래대금을 달러로 결제하니까 1,200억을 줘야 할 재료비를 1,000억만 주면 됩니다.

그러면 마진이 200억이 더 늘어나는 것이죠. 환율로 인한 이익이 그대로 당기순이익에 반영이 됩니다. 환율이 내렸다고 해서 국내 판매가를 내리지는 않으니까요.

비슷한 형태로 항공사들도 이익이 늘어납니다.

항공사들은 비행기를 주로 리스로 빌려 씁니다. 즉 달러 빚이 잔뜩 있는 회사들이죠.

빚을 원화가 아닌 달러로 갚아야 하니 한국 돈을 벌어 달러로 환전해 매달 갚아야 합니다. 그러면 매달 1,200억 이자를 갚던 회사가 매달 1,000억만 갚으면 되니까 한 달에 200억씩 연간 2,400억의 이자를 아끼게 됩니다. 즉 2,400억의 수익이 생긴 것이죠.

항공사와 마찬가지로 여행사도 돈을 법니다.

여행사가 돈을 버는 이유는 두 가지인데요. 외국 호텔이나 입장료, 식비로 지불해야 할 돈을 달러로 내야 하는데 환율이 내리면 이 비용이 줄어듭니다. 물론 여러분의 패키지 여행 요금은 내리지 않고요. 그러면 여행사의 이익이 늘어나겠죠?

거기에 환율이 내리니 여행 붐이 일어납니다. 외국의 물가가 저렴해지니 사람들이 쉽게 여행을 시도하죠. 그러면 다시 여행사 매출이 늘어납니다. 환율 이익도 늘고 매출도 느니 여행사는 환율이 내려야 활짝 웃습니다.

일반적으로 해외에서 재료를 수입해서 국내에다 파는 식료품회사, 사료회사, 시멘트회사, 제조업체들이 유리합니다.

◉ 헤지를 하면 환율로 인한 피해를 줄일 수 있다?

환율로 인해 기업의 이익이 들쭉날쭉하다 보니 기업들은 환헤지(Foreign Exchange Hedge)라는 보험을 들어 둡니다. 즉 현재의 환율 정도로 일정 기간 환율을 고정시켜서 환율로 인한 피해를 보지 않도록 하기 위한 장치이죠. 환율로 인한 피해를 받지 않지만 환율로 인한 이익도 물론 볼 수 없습니다.

그래도 기업 입장에서는 불규칙한 위험으로 인해 기업의 실적을 까먹는 것보다는 안정적인 편이 낮다고 보는 것이죠.

그래서 보통 기업들은 환헤지 상품을 들어 둔 경우가 많습니다. 하지만 이 환헤지 상품은 정해 놓은 일정 구간 안에서 환율이 움직일 때만 보호를 받는 것일 뿐, 그 범위 밖으로 환율이 넘어가면 많은 손실이 발생합니다. 그래서 2003~2007년 지속적으로 하락했던 환율이 2008년 글로벌 금융위기 여파로 갑자기 치솟는 바람에 키코 사태가 벌어져 700여 곳의 기업들이 엄청난 피해를 보았던 거죠.

환헤지 상품은 여러분들이 많이 가입하는 ELS 상품과 구조가 비슷하다고 생각하시면 돼요. ELS 역시 예측 못했던 돌발적인 상황이 발생하면 큰 손실을 입게 되는 특성이 있죠.

그렇기 때문에 기업들은 환율에 민감할 수밖에 없습니다. 환율이 너무 높아도, 그렇다고 너무 낮아도 좋지 않습니다. 적정한 범위 안에서 환율이 조절되는 것이 기업들에게 가장 좋은 구조라 할 수 있습니다.

📍 환율에 따른 투자법

환율의 영향을 알았으니 이제 환율 등락에 따라 어떻게 투자를 하면 좋을지 알아보죠.

앞서 본 것처럼 환율 등락 여부에 따라 유리한 기업들이 있습니다. 그럼 환율이 오르거나 떨어졌을 때 그 유리한 기업들에 투자하는 방법이 있겠죠. 또 최근 급증하는 해외 주식투자를 할 때에도 환율을 잘 이용하면 고수익을 올릴 수가 있습니다.

먼저 환율이 떨어졌을 때 주식어플을 통해 미리 달러로 환전해 두었다가 그걸로 좋은 주식을 찾아 사게 되면 수익을 낼 수 있습니다. 그러고 나서 그 주식을 바로 팔지 말고 달러 예수금으로 보관합니다. 이때 달러예금 상품 등에 가입해서 이자를 받을 수도 있습니다. 그러다가 환율이 올랐을 때 원화로 환전하면 됩니다.

이렇게 하면 주식으로도 수익을 내고 환율로도 수익을 내는 투자가 가능합니다.

그리고 특정국가에 외환위기가 올 것이라고 예상될 때 쓰는 저만의 꿀팁이 하나 있는데요, 우리나라가 IMF에 들어갔던 시절을 떠올리면 됩니다.

A라는 나라가 부도가 나서 IMF 구제금융을 받는다고 생각해 보세요. 그 나라의 환율은 2배가 오르고, 증시는 반토막 나 있을 겁니다. 그럼 저는 가지고 있는 달러를 A국 돈으로 바꾸죠. 그리고 A국의 주식을 평소 시세의 절반 가격으로 삽니다. 그럼 환율로 2배, 폭락한 주식으로 2배가 되니 저는 평소 주식 시세의 1/4 가격으로 매입하게 되는 것이죠.

하지만 A국의 내국인들은 환율의 영향이 없으니 1/2 가격으로 매입하는 겁니다. 나중에 주가가 오르고 환율이 안정되면 외국인이 절대적으로 유리한 투자가 됩니다.

투자 꿀팁을 드립니다

외국인투자자들은 주식 투자할 때 환율에 아주 민감합니다.

만약 환율을 신경 쓰지 않고 투자하면 어떻게 될까요?

외국인이 주식을 사고파는 이유를 이해하지 못하게 됩니다. 당연히 투자에서 한 수 접고 불리한 게임이 되는 것이죠.

환율에 대해 이 정도만 알고 투자해도 여러분은 불리한 게임을 하지 않게 됩니다.

> 주가 변동을 적으로 보지 말고 친구로 보라.
> 어리석음에 동참하지 말고
> 오히려 그것을 이용해서 이익을 내라.
>
> 워런 버핏

08 금리, 유가에 따라 웃고 우는 기업들

금리가 오르면 적금 이자도 늘어나서 좋아하는 사람과 대출이자가 늘어나서 걱정인 사람이 생기게 됩니다. 유가가 오르면 기름값이 올라 힘들어하는 사람들이 있는 반면 이때 돈을 버는 사람도 생겨납니다.

이렇듯 금리와 유가의 상황에 따라 웃고 우는 기업들도 있습니다. 이 시기를 알고 투자하면 돈을 벌 수도 있지만, 모르고 투자하면 돈을 잃을 수도 있습니다.

그럼 금리와 유가의 영향을 배워 보도록 합시다.

📍 금리와 주가

금리가 오르면

금리가 오르면 웃는 기업들이 있을까요?

보통 금리가 오르면 대출이자가 늘어나기 때문에 웃을 기업이 별로 없습니다. 하지만 돈을 빌려주는 기업은 웃을 수밖에 없죠. 그래서 금융주가 금리 인상 시 수혜주입니다.

대표적인 금융회사는 은행인데요. 금리를 인상하면 은행은 순이자마진이 오르게 됩니다.

재료 가격이 50원 오르면 제품 가격을 200원 올리는 식품회사들처럼, 은행도 금리가 오르는 폭보다 대출이자를 더 올려 버립니다. 그러면 이자마진이 증가하죠.

또 기존에 예금, 적금에 가입한 고객들에게서 낮은 이자로 돈을 받아 와 대출 고객에게 비싼 이자로 돈을 빌려줍니다. 그래서 순이자마진이 좋아질 수밖에 없죠.

은행 외에도 금융사업으로 돈을 버는 업종이 증권회사와 보험회사입니다.

낮은 금리로 돈을 빌려 와 비싼 이자로 돈을 빌려줘서 수익을 내는 금융업종 특성상 증권회사와 보험회사도 순이자마진이 증가하게 됩니다.

증권회사는 부동산 PF대출 등에 돈을 빌려줘서 수익을 내고, 보험회사도 낮은 금리로 저축성 보험을 팔고 높은 금리로 대출을 해 줘서 이자마진을 챙깁니다.

금리가 내리면

카드사의 경우 대출을 통해 돈을 빌려 와 카드 고객에게 돈을 빌려줘 수익을 얻는 사업구조입니다. 그래서 자금조달 이자가 저렴해지면 마진이 증가하게 됩니다.

증권회사는 채권을 많이 가지고 있습니다. 금리가 낮아지면 예금, 적금의 매력이 떨어지며 주식시장으로 자금이 들어옵니다.

아파트의 경우 대출금액이 크다 보니 금리가 조금만 오르고 내려도 이자 부담이 확 달라집니다. 그래서 금리가 내리면 빚내서 집을 사는 경우가 많아지고, 분양시장이 활발해져서 아파트 분양이 늘어나게 됩니다. 특히 은행에서 돈을 빌려 분양을 하는 건설사는 자금조달 이자가 낮아져서 마진이 늘고, 분양시장도 좋아져서 매출 또한 늘어나기 때문에 건설사도 금리 인하 시 수혜주라고 할 수 있습니다.

금리가 내리면 적금, 예금 이자로는 간에 기별도 안 가기 때문에 은행에 맡길 돈을 빼서 투자처를 찾게 됩니다. 그중에서 은행 이자처럼 안정적으로 배당을 주는 기업의 주식은 매력이 빛을 발하게 됩니다. 10년 내내 꾸준히 연 8% 수준의 시가배당률을 자랑하는 기업들도 있기 때문에 금리가 내릴수록 이런 주식들의 인기가 더 오르게 됩니다.

자연히 이 주식을 사려는 사람이 늘게 되고 주가도 오르게 되어 배당주를 가진 사람은 배당수익도 얻고 주가 차익도 얻게 되죠.

⚲ 유가와 주가

유가가 오르면

유가가 오르면 대부분의 물가가 상승하기 때문에 서민들도 기업들도 힘들어합니다. 물가를 마음껏 올릴 수 있는 기업들은 유가가 올랐다는 핑계로 제품 가격을 올리면 그만이지만, 대부분의 기업들은 가격을 올리고 싶어도 못 올리고, 재료비 또한 올랐기 때문에 수익이 줄어들죠.

그리고 유가가 완만히 오르면 물가 또한 천천히 오르기 때문에 제품 가격을 서서히 올릴 수가 있어 기업들에게 오히려 좋을 수도 있지만, 유가가 급하게 오르면 제품 가격을 바로 올릴 수가 없기 때문에 주가에 나쁜 영향을 줍니다. 즉 유가가 천천히 오르느냐, 급하게 오르느냐에 따라 기업들의 수익에 완전히 다른 영향을 주는 겁니다.

유가가 급하게 오를 때 피해를 보는 기업이 정유, 화학 업종입니다. 제품 가격을 빠르게 올릴 수가 없기 때문에 유가가 오른 피해를 고스란히 받게 되죠. 유가가 오르면 휘발유 가격을 바로 올리는데 무슨 소리냐고 하는 사람도 있겠지만,

우리나라 정유회사들의 주력 매출은 주유소가 아닙니다. 원유를 국내로 가져와 정제를 해서 주로 해외로 수출하기 때문에 정유사는 나름 어려운 시기를 보냅니다. 물론 유가가 천천히 오르면 가격을 올릴 시간이 있으니 정유회사와 화학회사 모두 수익을 낼 수 있습니다.

그럼 유가가 오르면 가장 이익을 보는 곳은 어디일까요?

중동입니다. '오일머니'라고 불리는 석유를 가지고 있는 중동은 유가가 오르면 고스란히 수익이 늘어납니다. 그러면 고민을 하게 되죠.

"기름이 한도 끝도 없이 나오는 것도 아니고, 만약을 위해 다른 산업에도 투자를 해서 대비를 해야겠다."

이런 고민 끝에 사막에 도시를 건설하고, 공장을 짓고, 수도관을 연결하는 등 중동 건설 붐이 일게 됩니다. 그리고 원유를 뽑아내기 위해 해양플랜트를 건설하거나 정제공장을 지어 더 많은 마진을 내려고 하죠. 즉 건설회사는 중동에서 공장을 짓고 여러 건설을 통해 오일머니를 가져옵니다. 특히 대한민국의 건설사들은 중동과 오랜 인연이 있어 대표적인 수혜주입니다.

그리고 유가가 오르면 해양플랜트, 유조선 수요가 늘어나서 조선업종의 인기가 높아집니다. 전 세계 1~5위 조선사들 중 대부분이 우리나라 회사들입니다. 그래서 유가가 오르면 수혜를 받는 기업들 중에 우리나라 기업들의 비중이 높은 편입니다.

유가가 내리면

기름값이 내리면 웃는 사람은 여러분말고도 많이 있습니다. 기본적으로 대부분의 기업들이 전기료가 내리고, 물가가 낮게 유지되어 수익이 늘어납니다. 그중에서도 가장 많이 기름을 사용하는 운송업이 가장 큰 수혜주입니다.

특히 해운회사는 어마어마한 기름을 사용합니다. 배 하나에 기름을 가득 채우는 데 2박 3일이 걸리기도 하죠. 그만큼 기름값이 내리면 마진이 늘어나게 됩니다.

세계경제가 호황이라 물동량이 많고 해운운임도 높은데, 거기에 기름값까지 내리면 해운회사는 호황을 누리게 됩니다. 그러면 자연히 배를 늘려서 더 많은 수익을 내려고 하기에 조선사도 수익이 늘게 됩니다.

그리고 유가가 내리면 더 큰 수혜를 받는 업종이 있는데 항공사입니다. 항공유는 기름 중에서 가장 비싼 편이고, 비행기는 엄청난 기름을 소모합니다. 이 기름값이 내리면 항공사는 마진이 늘게 되어 수익이 늘어납니다. 그리고 유류할증료가 낮아지다 보니 해외여행 수요가 늘어납니다. 그러면 여행객이 늘어나 매출이 늘게 되죠.

여행객이 늘어나면 이로 인해 호텔, 카지노, 여행사들의 매출이 늘어납니다. 이렇듯 유가가 낮아지면 여러 업종들이 연쇄효과를 봅니다.

유가가 장기간 낮게 유지되면 세계적인 호황이 옵니다. 낮은 유가 덕에 낮은 물가가 유지되고 국가들은 이 타이밍을 타서 돈을 풉니다. 돈을 풀어도 물가가 낮게 유지가 되니 경기가 좋아질 수밖에 없죠. 이렇게 푼 돈은 부동산이나 주식으로 흐르고 버블이 생깁니다. 그러다 버블이 터져서 다 같이 힘들어진 역사가 되풀이되고 있습니다.

유가가 높아서 물가가 높게 형성되면 물가를 낮추기 위해 금리를 올려야 하고, 전반적으로 경기가 죽게 됩니다. 그러니 유가가 전 세계에 미치는 영향이 크다고 할 수 있죠.

유가가 100달러 이상 넘어가게 되면 농산물 가격도 오르게 됩니다. 식물을 짜서 바이오에탄올이라는 기름을 만들어 사용하는 게 경제성이 생기기 시작하죠. 사람들이 먹어야 할 곡물을 짜서 기름을 만드니 식량이 부족해지기 시작하고, 식량 가격도 오르게 됩니다.

그러면 식품회사들은 식량 가격이 올랐다는 핑계로 제품 가격을 올리고 주가 또한 오르게 됩니다.

투자 꿀팁을 드립니다

금리와 유가는 전 세계 경제를 움직이는 핵심키입니다. 이 둘의 움직임을 잘 이해하고 있어야 합니다. 금리는 10년 정도 주기로 천천히 오르고 천천히 내리므로 이를 예측하기가 쉬운 편이지만, 유가는 시시각각 상황에 따라 변동이 심한 편으로 예측이 어렵습니다.

셰일가스가 나와서 전 세계 유가가 낮아지고 있지만, 중동에서 사건 사고가 생기거나 오펙(OPEC)이 석유 생산량을 줄이면 유가는 금방 오릅니다.

또한 세계경기가 활황이 되면 공장가동률이 늘고 물동량이 늘면서 석유 수요가 늘어납니다. 자연히 유가가 오르게 되죠. 이렇듯이 유가는 예측하려고 하기보다 그 변동에 따라 대응을 하는 투자를 해야 피해를 줄일 수가 있습니다.

복리는 평생에 걸친 투자에서
당신이 할 수 있는 최선의 전략이다.

워런 버핏

주식투자에서 중요한 것은 배짱이다

저는 어린 나이에 투자를 시작하며 정말 많은 고수들, 슈퍼개미들을 만났습니다. 각자마다 돈을 버는 방법은 다양했고, 처한 환경도 다양했습니다.

우리는 똑똑하고 좋은 직업을 가지고 인맥이 많아야 부자가 될 수 있다고 생각합니다. 하지만 제가 만난 부자들은 집이 잘살거나 똑똑하지 않았고, 고아로 태어난 사람도 있었고, 초등학교를 졸업하지 못한 사람들도 있었습니다.

하지만 누구보다 부자가 되기 위해서 젊은 시절 혼신을 다해 노력을 했다는 공통점이 있고, 잠을 줄여 가며 최선을 다해 기회를 잡았다는 공통점이 있고, 그 기회를 잘 살려서 부를 이뤘다는 공통점이 있습니다.

'노력이 기회를 만들어 준다'는 말에 모두가 동의했습니다. 그리고 그 기회를 어떻게 살리는가는 상황과 운에 따라 달라지겠지만 꾸준히 노력하면 그 기회는 계속해서 올 수 있습니다.

주식투자도 이와 다르지 않습니다. 투자에 관심을 가지고 꾸준히 노력하다 보면 어느 순간 좋은 기업을 찾게 되고, 그 기업을 열심히 분석하고 때를 기다리면 훌륭한 기업의 주식을 아주 저렴하게 살 수 있는 시기가 오게 됩니다. 여기까지는 노력만 한다면 누구나 할 수 있는 일입니다.

그다음부터는 그 주식이 사람들의 관심을 받고 매력적인 가격으로 오를 때까지 기다릴 수 있는 *끈기*와 마음가짐이 필요합니다. 한동안 오르지 않거나 주가가 내려도 이를 버텨 낼 수 있는 인내심과 나의 선택이 틀리지 않았다는 믿음이 필요합니다. 이것은 노력을 한다고 얻어지지 않습니다. 경험과 지속적인 공부가 필요합니다.

마지막은 어느 날 갑자기 오르는 주가를 보면서 욕심을 절제하고 매도하고 나오는 결단력이 필요합니다. 계속 오르는 주식을 팔고 싶은 사람은 아무도 없습니다. 하지만 이를 팔고 나와야지만 수익을 낼 수 있습니다. 주가가 언제 얼마까지 오를지는 아무도 모르기 때문에 '주식을 사는 것은 기술, 파는 것은 예술'이라고 부릅니다. 운도 작용하고 절제할 수 있는 용기도 필요합니다.

이렇게 주식투자로 성공을 몇 번 반복하다 보면 여러분은 경제적 자유를 누리거나 주변에서 주식 고수라는 소리를 듣게 될 겁니다. 이때 자만하지 말고 초심을 유지하며 안전한 투자를 하는 초연함이 필요합니다.

우리나라에서 우량주 또는 안전하다고 불리는 주식들은 10년에 4배 정도 상승하는 모습을 보였습니다. 생각보다 높은 수익률이 아니라고 생각하는 사람들도 있겠지만 안전한 투자치고 10년간 300%면 상당히 높은 수익률입니다. 20년이 되면 16배가 되고, 30년이 되면 64배가 됩니다. 어느 정도 종잣돈만 있다면 이 정도 수익률로도 노후를 준비할 수 있는 충분한 돈이 됩니다.

투자에서 제일 나쁜 것이 탐욕입니다. 이것은 판단을 흐리게 합니다. 주식투자에서 올바른 판단만 할 수 있다면 여러분은 계속 수익을 낼 수 있을 것이라 생각합니다. 이 책이 여러분이 올바른 주식투자로 가는 첫 계단이 되길 기원하겠습니다.

전인구 드림

그들은 목적이 있는 투자를 한다. 투자를 할 때마다 '왜?'라는 타당한 이유가 있다. 이 지역 땅은 몇 년 뒤에 무엇이 들어오고, 무엇이 지어질 때 이런 식으로 이용하면 현재보다 월등히 높은 가치를 받을 수 있다는 것을 예상하고 분석한 후에야 투자를 하게 된다.

그래서인지 그들은 투자해야겠다고 판단이 선 뒤에는 빠르게 행동한다. 멀리서 보기에는 성급하게 투자하는 것처럼 보일 수 있지만 사전에 이미 치밀한 계획을 세워 놓은 그들로서는 빠르게 움직일 수밖에 없는 것이다. 그리고 그들이 원하는 물건을 산 이후에는 절대 그 물건을 싸게 파는 법이 없다. 충분히 가격이 무르익을 때까지 기다렸다가 제값을 받고 팔기 때문에 결코 손해를 보지 않는다.

이에 반해 보통 사람들은 정확한 판단이 필요한 경우가 오더라도 더디게 행동한다. 운이 좋아 좋은 물건을 찾아내도, 자신이 내린 판단에 자신감을 가지지 못하다 보니 쉽사리 실천으로 옮기지 못한다. 그래서 고민하는 사이 가격이 올라 버리거나 남아 있는 자신감마저도 사라져 결국은 실천으로 옮기지 못하고 스스로에게 포기할 수밖에 없는 이유를 만들어 낸다.

따라서 충분히 공부했고 정확히 판단했다면 바로 실천을 하는 것이 좋다. 군산에 투자하기로 마음을 먹었다면 당장 군산으로 가서 땅을 둘러보아야 실천으로 옮길 수 있다. 귀찮음과 두려움을 극복해야 더 정확히 판단할 수 있고, 투자할 수 있는 용기가 생긴다.

_에필로그 중에서

아기곰 님과 닥터아파트가 인연을 맺은 것은 14년 전인 2003년 초였다. IMF 이후 비관론이 난무하던 시절, 혜성과 같이 나타나 많은 사람에게 영감을 안겨 주었던 그때 나온 책이 『How to Make Big Money』였다. 아기곰 님은 부동산 투자의 실전 경험과 이론을 겸비한 전설과도 같은 분으로서 초보자가 경제적 자유로 갈 수 있는 명쾌한 답을 이 책을 통해 제시한다.

_닥터아파트 오윤섭 대표

빠숑은 2003년 아기곰 님의 『How to Make Big Money』로 부동산 투자를 시작했다. 현재 부동산 업계에 있는 대부분의 전문가 분들도 마찬가지일 것이다. 지난 14년 동안 아기곰 님을 통해 많은 부동산 전문가들이 탄생했듯이, 이 책이 출간된 2017년 이후로도 훌륭한 아기곰 제자들이 탄생될 수 있을 것이다. 재테크 성공을 위한 탄탄한 이론과 부동산 실전 투자를 위한 검증된 지침이 필요한 모든 부동산 관심층에게 아기곰 님의 명저 『재테크 불변의 법칙』을 강력 추천한다.

_김학렬(빠숑), 『대한민국 부동산 투자』 저자

소위 '흙수저'인 나는 부모로부터 물려받은 빚뿐만 아니라 태도, 정보, 경험, 인맥의 빈곤을 넘어서기 위해 고군분투하는 과정에서 아기곰 선생님을 만났다. 돈에 관한 생각의 패러다임을 바꾸어준 선생님의 강연 덕분에 이제는 경제적 독립을 넘어서 경제적 자유를 향해가고 있다. 아기곰의 수십 년 노하우의 결정체를 담은 이 책이 인쇄되기만 하면 돈 때문에 고생하는 사회 초년생 남동생에게 쥐어줄 생각이다.

_김수영, 『멈추지마 다시 꿈부터 써봐』 저자

전인구의 ————————
주식투자 일주일 만에 뽀개기

초판 1쇄 발행 2021년 2월 15일
초판 3쇄 발행 2021년 2월 25일

지은이 전인구

펴낸이 김연홍
펴낸곳 아라크네

출판등록 1999년 10월 12일 제2-2945호
주소 서울시 마포구 성미산로 187 아라크네빌딩 5층(연남동)
전화 02-334-3887 팩스 02-334-2068

ISBN 979-11-5774-694-1 13320